LIGNE DE MIRE

Aux Éditions Albin Michel

LIGNE DE MIRE tome 1, 2012.

TOM CLANCY
avec Mark Greaney

LIGNE DE MIRE

Tome 2

ROMAN

Traduit de l'américain
par Jean Bonnefoy

Albin Michel

Ceci est une œuvre de fiction. Les situations et les personnages décrits dans ce livre sont purement imaginaires : toute ressemblance avec des personnages ou des événements existant ou ayant existé ne serait que pure coïncidence.

41

LA CONFÉRENCE DE PRESSE fut convoquée en hâte en fin de journée dans l'immeuble Robert Kennedy du ministère de la Justice, sur Pennsylvania Avenue, juste à côté du Mall. Il n'y avait pas des masses de journalistes dans le secteur à cette heure tardive mais quand les agences de presse annoncèrent une déclaration du ministre en personne, les reporters accoururent depuis le bâtiment du Capitole pour envahir la salle de conférences, à deux pas du bureau de Michael Brannigan.

À dix-sept heures trente, soit avec plus d'une demi-heure de retard, le ministre pénétra dans la salle, accompagné de deux de ses plus proches collaborateurs. Les journalistes brûlaient d'apprendre ce qu'il avait à leur dire.

Le premier signe qu'un événement remarquable était en cours se produisit quand le ministre resta tout d'abord silencieux devant son pupitre. Puis il jeta plusieurs fois un coup d'œil à ses subordonnés. Ceux qui suivirent son regard ne manquèrent pas de relever la présence, dans le coin de la salle, de quelques hommes munis de téléphones mobiles en train de parler à voix basse. Au bout de plusieurs secondes de ce manège – Brannigan, à l'évidence, attendait d'eux un signal –, l'un de ses collaborateurs leva les yeux, regarda son chef et fit non de la tête.

Brannigan acquiesça, sans trahir une quelconque déception, puis il s'adressa enfin au parterre de journalistes : « Merci d'être venus. Cet après-midi, je vous annonce qu'un mandat d'arrêt fédéral vient d'être lancé contre un dénommé John A. Clark, citoyen américain et ancien employé de la CIA. M. Clark est recherché pour être interrogé sur une série de meurtres classés sans suite, survenus au cours des décennies passées, ainsi que pour son implication dans des activités criminelles en cours. »

Les journalistes griffonnèrent le nom avant de se regarder. Le cabinet de Brannigan avait plus d'une fois menacé de lancer des actions contre des agents de la CIA en mission sur le terrain, mais il n'était jamais rien survenu de bien concluant. Était-ce le début, à la toute fin du premier mandat de Kealty, de ce pogrom contre la CIA que prophétisaient depuis longtemps nombre d'observateurs ?

Brannigan avait été mis en garde à ce sujet et la Maison Blanche lui avait demandé de dévoiler, mine de rien, la révélation suivante : « M. Clark, vous le savez peut-être, est le confident et l'ancien garde du corps du président Jack Ryan, aussi bien durant ses fonctions à la CIA que par la suite. Nous sommes conscients qu'il s'agit d'une affaire éminemment politique mais il n'est pas question de l'ignorer, compte tenu de la gravité des allégations portées contre M. Clark. »

Aussitôt ce fut la fièvre parmi les journalistes. On pianotait sur les Smartphone pour accéder aux sites de recherche, les questions fusaient, on voulait des précisions. Une correspondante de NBC demanda quand aurait lieu le prochain point de presse sur l'affaire, sans doute pour se donner le temps de découvrir à quoi tout ça pouvait bien rimer.

Brannigan répondit : « Je compte avoir des précisions à vous donner dans les toutes prochaines heures. Au moment où je vous parle, M. Clark est en fuite mais les mailles de notre filet sont en train de se refermer sur lui. »

Sur quoi, le ministre quitta la salle de conférences, suivi d'une meute de reporters, le téléphone collé à l'oreille. Les télévisions auraient de la matière pour les infos de dix-huit heures. La presse écrite avait un peu plus de temps pour commencer d'enquêter.

Jack Junior arriva chez Melanie à dix-huit heures. Les deux jeunes gens avaient d'abord prévu de sortir en ville mais l'un et l'autre étaient fatigués après une longue journée de travail, aussi convinrent-ils de dîner rapidement dans le coin. Quand Melanie ouvrit sa porte, elle était absolument superbe mais elle s'excusa néanmoins en demandant à Ryan juste deux minutes pour finir de se préparer.

Ryan s'assit dans un confident et parcourut les lieux du regard pour s'occuper. Il nota la pile de livres et de journaux sur le petit bureau d'angle, à côté de l'ordinateur portatif. Des ouvrages sur le Pakistan, l'Égypte, des dossiers remplis de cartes, de photos et de textes.

« Je vois que tu ramènes toujours du travail à la maison, lança Jack avec un sourire.

– Non, c'est juste des recherches personnelles.

– Mary Pat ne te donne pas assez de boulot ? »

Elle rit. « Ce n'est pas du tout ça. C'est juste que j'aime bien fureter dans la documentation publique à mes heures perdues. Il n'y a là rien de confidentiel. Ce sont des infos accessibles à tout le monde.

– Dans ce cas, puis-je y jeter un œil ?

– Pourquoi ? Tu t'intéresses au terrorisme ?

– Je m'intéresse à toi. »

Melanie eut un nouveau rire, puis elle saisit son manteau et annonça : « Je suis prête. Quand tu voudras. »

Jack pencha légèrement la tête, se demandant ce qu'elle cuisinait près de son ordinateur, mais il se leva et s'empressa de la suivre dehors.

Un quart d'heure plus tard, Jack et Melanie étaient installés au comptoir de chez Murphy, un pub irlandais de King Street, à deux pas de chez elle. Ils avaient déjà bu la moitié de leur première bière et l'on venait de leur servir une large assiette d'ailes de poulet panées « à la mode de la baie » – une spécialité du Maryland – quand le barman changea de chaîne pour passer sur un programme d'infos. Les deux jeunes gens poursuivirent leur conversation comme si de rien n'était, même si Ryan jetait à l'occasion un coup d'œil sur l'écran dans l'espoir d'y voir apparaître un nouveau sondage favorable à son père, ce qui permettrait à ses parents de souffler un peu.

Melanie était en train de lui parler du chat qu'elle avait lorsqu'elle était au lycée quand il écarquilla soudain les yeux, bouche bée, avant de lâcher : « Oh, putain, non, pas ça ! »

Melanie se tut aussitôt. « Je te demande pardon ? »

Jack sauta sur la télécommande abandonnée sur le comptoir et monta le son. La télé montrait une photo de John Clark, le collègue de Ryan. Le sujet passa ensuite à la conférence de presse de Michael Brannigan au ministère et Jack entendit sa description vague des charges et des implications politiques de l'affaire.

Melanie ne l'avait pas quitté des yeux. « Tu le connais ?

— C'est un ami de papa.

— Je suis désolée.

— Une légende à la CIA.

— Vraiment ? »

Ryan opina distraitement. « Lui, il mouillait sa chemise. Au service opérations.

— Un espion ?

— La SAD. »

Melanie hocha la tête. La Special Activities Division. Le service actions clandestines. Elle comprenait. « Est-ce que tu penses qu'il...

— Merde, non, lâcha Ryan avant de se reprendre. Non, le gars a quand même reçu la médaille d'honneur.

— Désolée. »

Jack se détourna de l'écran pour regarder à nouveau Melanie. « C'est moi qui suis désolé. Je réagis aux manœuvres de Kealty. Pas toi.

— Pigé.

— Il a une femme. Des enfants. Putain, il est grand-père... On ne s'acharne pas sur un homme comme lui sans savoir de quoi on parle. »

Melanie approuva : « Ton père pourra-t-il le protéger ? Une fois qu'il sera de retour aux affaires ?

— Je l'espère. J'imagine que Kealty a lancé cette boule puante pour empêcher papa de retrouver la Maison Blanche.

— C'est trop gros. Ça ne marchera jamais... »

Mais la jeune femme laissa sa phrase en suspens.

« À moins que ?

– À moins que… enfin, tu dis que ce Clark n'a aucun squelette dans son placard en dehors de ceux résultant de son
activité à la CIA ? »

Et c'était bien le problème. Jack ne pouvait évidemment
pas le dire à Melanie, mais une enquête détaillée sur John
Clark risquait de dévoiler l'existence du Campus. Se pouvait-
il que ce fût le but de la manœuvre ? Qu'une info ait filtré
sur les activités de Clark au cours de ces dernières années ?
Sur l'opération à Paris, voire sur l'affaire de l'Émir ?

Merde, se dit Jack. Cette enquête, que la justice ait ou non
des éléments concrets sur Clark, pouvait bien entraîner la destruction du Campus.

Le reportage terminé, Jack se tourna vers Melanie. « Je suis
vraiment désolé, mais je dois absolument rentrer.

– Je comprends », dit-elle mais Ryan voyait bien dans ses
yeux qu'elle ne comprenait pas.

*Où allait-il donc ? Que diable pouvait-il faire pour aider John
Clark ?*

42

Jack Ryan père mangea son hamburger avant de monter sur l'estrade pour la réunion tenue au Mission Palms Hôtel de Tempe. Il avait prévu de grignoter poliment, l'heure était un peu tardive pour un déjeuner et, par ailleurs, il devait participer à une autre manifestation dans moins de deux heures, un dîner d'anciens combattants, dans cette même ville. Mais le hamburger était trop succulent et il le dévora tout en continuant de papoter avec ses sympathisants.

Il était en piste à quatorze heures trente-cinq, heure locale. L'assistance était gonflée à bloc par le résultat des derniers sondages. Certes, l'écart s'était réduit depuis que Kealty avait annoncé la capture de l'homme qui avait tué tant d'Américains quelques années plus tôt, mais Ryan faisait toujours la course en tête, avec une avance supérieure à la marge d'erreur.

Quand la musique s'interrompit, Jack se pencha légèrement vers le micro et commença : « Bonsoir. Merci. J'apprécie vraiment. » La foule était aux anges ; le silence mit plus de temps que d'habitude à revenir.

Enfin, il fut en mesure de remercier ses partisans de s'être déplacés pour le voir avant de leur enjoindre de ne pas baisser leur garde trop vite. Il restait encore quinze jours avant le scrutin et il avait plus que jamais besoin de leur soutien. Cela faisait deux ou trois jours qu'il servait le même discours, et il comptait s'y tenir deux ou trois de plus.

Tout en s'adressant à ses supporters, Ryan parcourut du regard l'assistance. À l'écart sur la droite, il entrevit le dos d'Arnie van Damm qui sortait de la salle, le mobile collé à l'oreille. Jack nota qu'Arnie était tout excité mais il n'aurait su dire si c'était de bon ou de mauvais augure.

Van Damm disparut derrière la montagne de ballons empilés près de la sortie.

Ryan arrivait au terme de son allocution ; le temps de placer quelques petites phrases propres à déclencher les applaudissements du public – chaque fois pour une bonne demi-minute avant qu'il puisse de nouveau prendre la parole. Il en avait encore deux en réserve quand van Damm réapparut, cette fois juste au pied de l'estrade. Son visage était grave ; à l'insu des caméras, il leva l'index et le fit tourner – « remballe-moi ça vite fait ».

Jack s'empressa de conclure et s'efforça d'arborer sa mine réjouie, tout en se demandant ce qui avait bien pu arriver.

L'expression de van Damm était éloquente. De mauvaises nouvelles en perspective.

Normalement, à l'issue de la réunion, Ryan aurait dû sortir par la salle et consacrer plusieurs minutes à serrer des mains et à poser pour des photos-souvenirs au milieu de ses partisans, mais van Damm le propulsa hors de la scène par le côté cour. Les flonflons reprirent, couvrant les acclamations de la foule, tandis qu'il s'éclipsait – non sans avoir eu le temps de saluer une dernière fois son public d'un grand geste du bras avant de disparaître dans les coulisses.

Dans l'entrée, Andrea Price-O'Day le rejoignit tandis que van Damm les guidait vers une sortie discrète.

« Qu'est-ce qui se passe ? lui cria Ryan.

– Plus tard, Jack », répondit Arnie alors qu'ils quittaient rapidement les coulisses.

Le hall d'entrée était rempli de journalistes, d'amis, de sympathisants, déjà prêts à se jeter sur eux. Le sourire savamment répété de Ryan avait disparu ; il pressa le pas pour rattraper son directeur de campagne.

« Bon Dieu, Arnie. C'est ma famille ?

– Dieu du ciel, non, Jack ! Désolé. (Et il lui fit signe de continuer à le suivre.)

– OK. »

Ryan se décrispa légèrement. Après tout, ce n'était que de la politique.

Ils ouvrirent une porte latérale qui donnait sur le parking. Le 4x4 de Ryan était garé dans la deuxième rangée, pile en face. D'autres membres du service de protection rejoignirent le petit groupe et van Damm les guida vers les véhicules qui les attendaient.

Et ils faillirent bien réussir. À moins de dix mètres de la voiture de Ryan, une unique journaliste, un cadreur sur les talons, vint leur couper la route. Son micro portait le logo d'une chaîne locale filiale de CBS.

Sans vergogne, elle se glissa entre deux gorilles baraqués pour fourrer son micro sous le nez de Ryan. « Monsieur le Président, quelle est votre réaction après l'annonce par le ministre de la Justice de l'inculpation pour meurtre de votre garde du corps ? »

Ryan s'arrêta net. Le fait même que la journaliste ait ainsi déformé la vérité ne fit qu'accroître sa perplexité. Il se tourna vers Andrea, la responsable de sa sécurité ; occupée à parler dans son micro-lavallière aux chauffeurs du convoi présidentiel, elle n'avait pas écouté la question. *Andrea accusée de meurtre ?* « Quoi ? s'étonna-t-il.

– John Clark, votre ancien garde du corps. Êtes-vous au courant de sa fuite ? Pouvez-vous nous dire quand vous lui avez parlé pour la dernière fois et quelle était la nature de votre conversation ? »

Ryan se tourna vers van Damm qui essayait, lui aussi, de masquer son air de gibier ébloui par des phares.

Ryan se ressaisit suffisamment pour se retourner vers la journaliste. « Je ferai une déclaration à ce sujet dans les prochaines minutes. »

D'autres questions fusèrent quand la jeune journaliste zélée sentit que son interlocuteur n'avait pas la moindre idée de ce dont elle parlait. Mais Ryan n'en dit pas plus ; il s'engouffra simplement dans le 4x4, derrière son directeur de campagne.

Vingt secondes plus tard, le véhicule emportant Ryan, van Damm et Price-O'Day démarrait sur les chapeaux de roues.

« C'est quoi, ce bordel ? » demanda Ryan.

Van Damm avait déjà sorti son téléphone. « Je viens d'avoir un dernier point de la capitale. Brannigan a convoqué une conférence de presse impromptue, juste avant les infos de six heures pour dire que Clark était impliqué dans une affaire de meurtre. J'ai appris par le FBI qu'il a réussi à échapper au groupe de policiers anti-émeutes venus l'arrêter.

– Quel meurtre ? »

Jack hurlait presque.

« Un truc en rapport avec ses activités à la CIA. Je suis en train d'essayer d'obtenir copie du mandat d'amener émis par le ministère de la Justice. Je devrais l'avoir d'ici une heure.

— C'est un coup monté ! Je lui ai accordé une grâce pleine et entière pour ses activités passées à la CIA, justement pour éviter que ce genre de truc se produise. »

Ryan criait à présent, les veines de son cou étaient toutes gonflées.

« Bien sûr, que c'est un coup monté. À travers lui, c'est toi que vise Kealty. Mais si on veut riposter, il va falloir agir avec des pincettes. On va retourner à l'hôtel, on rumine tout ça, puis on pond une déclaration suffisamment prudente pour...

— Je retourne illico face aux caméras pour dire à l'Amérique entière à quel genre d'homme s'en prend Kealty. Tout ça, c'est des conneries !

— Jack, on ne connaît pas encore les détails. Si Clark a fait quelque chose en dehors du cadre de la grâce que tu lui as accordée, ça va vraiment la fiche mal.

— Je sais ce que Clark a fait. Merde, pour partie, ce fut selon mes ordres. » Ryan resta un instant songeur. « Et *quid* de Chavez ?

— Il n'a pas été mentionné lors de la conférence de presse.

— Il faut que je contacte la femme de John.

— Clark doit se livrer de son plein gré. »

Jack secoua la tête. « Non, Arnie. Fais-moi confiance, surtout pas.

— Pourquoi pas ?

— Parce que John est impliqué dans une activité qui doit rester confidentielle. Restons-en là. Et ce n'est sûrement pas moi qui vais implorer Clark de se démasquer. »

Arnie voulut protester mais Ryan leva la main.

« Que ça te plaise ou non, il faut que tu lâches l'affaire, et tout de suite. Fais-moi confiance, Clark a surtout besoin de rester discret jusqu'à ce que cette histoire se dégonfle d'elle-même.

– Si elle se dégonfle », objecta Arnie.

43

L E GÉNÉRAL RIAZ REHAN entra dans la cabane en brique avec deux des combattants d'Haqqani. Les deux hommes qui l'encadraient tenaient des lampes torches qu'ils braquèrent sur une silhouette affalée dans un coin. Un homme, les deux jambes couvertes de pansements sommaires, gisait appuyé sur son épaule gauche, face au mur.

Les agents d'Haqqani portaient turbans noirs et longue barbe mais Rehan était simplement vêtu d'une chemise indienne traditionnelle et coiffé d'un petit bonnet de prière. Sa barbe était courte et soignée, en flagrant contraste avec l'abondante pilosité des deux Pachtounes.

Rehan examina le prisonnier. Ses cheveux sales et collés étaient presque entièrement gris. Il n'était pourtant pas vieux et avait même l'air en bonne santé, du moins avant de s'être fait souffler par une grenade.

Rehan resta plusieurs secondes penché au-dessus de lui, mais l'homme ne daigna pas se retourner. Finalement, l'un des Pachtounes s'approcha et flanqua un coup de pied dans une de ses jambes bandées. Le prisonnier eut un soubresaut, il se tourna vers la lumière, les mains au-dessus des yeux pour s'en protéger avant de se mettre assis, les paupières closes.

Les poignets de l'infidèle étaient enchaînés à un anneau scellé dans le béton et il était pieds nus.

« Ouvrez les yeux », dit Rehan, en anglais. Le général pakistanais fit signe aux deux gardiens d'abaisser légèrement leurs torches et, lorsqu'ils eurent obéi, l'Occidental barbu rouvrit lentement les yeux. Rehan vit que le gauche était injecté de sang, peut-être à la suite d'un coup de poing mais plus probablement de la commotion provoquée par le tir de grenade qui, lui avait-on dit, était à l'origine de ses autres blessures.

« Alors comme ça... on parle anglais, hein ? » demanda Rehan.

D'abord, l'homme ne répondit pas mais, au bout d'un moment, il haussa les épaules, puis opina.

Le général s'accroupit tout près de son prisonnier. « Qui es-tu ? »

Pas de réponse.

« Quel est ton nom ? »

Toujours rien.

« Peu importe. D'après mes sources, tu es un hôte du commandant Mohammed al-Darkur, du renseignement extérieur pakistanais. Tu es venu ici pour espionner ce que le commandant croit, à tort, être la base d'un réseau regroupant Haqqani et l'ISI. »

Le blessé demeura muet. Ce n'était pas évident à vérifier dans la pénombre, mais il semblait avoir encore les pupilles dilatées à la suite du choc.

« J'aimerais beaucoup comprendre la raison de ta présence ici, à Miran Shah. Y a-t-il quelque chose de spécial que tu espérais y trouver ou est-ce seulement le destin qui a voulu que ton passage dans les zones tribales sous administration fédérale coïncide avec ma visite ? Le commandant al-Darkur a, ces derniers temps, eu tendance à se montrer… indiscret. »

L'homme aux cheveux gris le dévisagea sans rien dire.

« Eh bien, mon ami, tu n'es guère loquace.

– On m'a reproché pire.

– Ah. À présent tu parles. Aurons-nous une discussion polie, d'homme à homme, ou devrai-je demander à mes associés de t'arracher de la bouche tes prochaines paroles ?

– Faites comme bon vous semble, je m'en vais faire un somme. »

Sur quoi, l'Américain se rallongea sur le flanc, faisant cliqueter ses chaînes sur le sol en béton.

Rehan hocha la tête, dépité. « Ton pays aurait dû rester à l'écart du Pakistan, tout comme les Anglais auraient dû le faire jadis. Mais vous injectez votre présence, votre culture, votre armée, vos péchés, dans toutes les fissures du globe. Vous êtes une infection qui se répand insidieusement. »

Rehan allait poursuivre dans cette veine mais il se retint. Au lieu de cela, il se contenta de brandir le poing vers le blessé prostré avant de se retourner vers un des combattants d'Haqqani.

L'Américain ne parlait pas l'urdu, la langue natale du général Rehan. Pas plus que le pachtoune, langue du militant d'Haqqani qui se tenait aux côtés de l'officier. Mais Sam parlait anglais ; Rehan avait clairement l'intention que le prisonnier le comprenne car il s'adressa au combattant dans cette langue : « Vois ce qu'il sait. S'il parle de plein gré, exécute-le humainement. S'il te fait perdre ton temps, fais-le-lui regretter.

– Oui, mon général », répondit l'homme au turban noir.

Rehan se tourna et pencha la tête pour ressortir de la cellule.

Depuis le sol, Driscoll le regarda partir. Quand il se retrouva seul dans la pièce, il murmura : « Tu ne te souviens peut-être pas de moi, mais moi, si, pauvre connard. »

44

JOHN CLARK descendit du car à Arlington, Virginie, au petit matin ; il était six heures moins dix. La capuche toujours rabattue sur la tête, il remonta North Pershing et gagna un quartier encore endormi pour se rendre à sa destination, dans le pâté de maisons commençant au 600 de North Fillmore. Toutefois, au lieu de s'y rendre directement, il poursuivit sur l'avenue, s'engouffra dans l'allée qui desservait une maison de bois d'un étage plongée dans l'obscurité, puis il suivit la limite du terrain jusqu'à la clôture du fond. Il escalada celle-ci, se laissa retomber dans le noir, puis longea la haie pour déboucher sur le parking situé juste en face de sa destination.

Gardant les yeux rivés sur la maison aux murs chaulés qui occupait toute la largeur de la parcelle devant lui, il s'accroupit à côté d'une poubelle – il entendit craquer ses rotules. Il patienta.

Il faisait froid ce matin-là, moins de cinq degrés, et une brise humide soufflait du nord-ouest. Clark était fatigué, il avait passé la nuit à bouger sans cesse : d'abord un café à Frederick, puis une gare à Gaithersburg, un arrêt de bus à Rockville. Là, il avait pris un autobus en changeant d'abord à Falls Church, puis enfin à Tysons Corner. Il aurait pu choisir un itinéraire plus direct, mais il ne voulait pas arriver trop tôt. Un homme qui marche dans les rues tôt le matin d'un jour ouvré attire moins l'attention qu'un homme qui se balade dans une zone résidentielle au beau milieu de la nuit.

Surtout quand il y a des guetteurs entraînés aux alentours.

De son emplacement actuel, entre une berline Saab et une poubelle remplie – à l'odeur – de couches sales, il ne pouvait certes repérer les individus qui, comme lui, surveillaient la maison, de l'autre côté de la courte rue, mais ils devaient à coup sûr être dans les parages – jugeant probable qu'il viendrait rendre visite à l'occupant des lieux. Ils avaient donc dû positionner une voiture avec deux hommes, un peu plus bas, dans l'allée d'accès d'un autre pavillon. Le propriétaire serait bien sûr venu voir ce qu'ils pouvaient bien faire garés devant chez lui, mais les types lui auraient montré leurs cartes du FBI, ce qui aurait mis fin à la discussion.

Clark dut attendre encore une demi-heure avant de voir s'éclairer une fenêtre à l'étage. Quelques minutes encore et de la lumière apparut au rez-de-chaussée.

Clark patientait toujours. Il changea néanmoins de position et s'assit sur le bord du trottoir délimitant le parking, en étendant les jambes pour rétablir la circulation.

Il venait tout juste de s'installer quand la porte de la maison s'ouvrit et qu'un homme en anorak apparut ; il fit quelques étirements, les mains posées sur la balustrade du perron, puis il s'engagea dans la rue en courant au petit trot.

Clark se releva lentement dans l'obscurité, puis il reprit son chemin en sens inverse.

John Clark s'assura que personne ne filait James Hardesty, archiviste à la CIA, avant de se mettre à courir derrière lui. Quelques résidents étaient maintenant sortis pour pratiquer leur exercice matinal avant d'aller au travail, de sorte qu'il pouvait sans mal se fondre dans cette ambiance résidentielle. Tout du moins aussi longtemps que le seul éclairage proviendrait des réverbères. Avec son blouson à capuche en vinyle noir, il n'attirerait l'attention de personne mais son pantalon kaki et ses chaussures de marche à crampons n'étaient pas vraiment typiques d'une tenue de joggeur.

Il dépassa Hardesty sur South Washington Boulevard, juste au moment où il commençait à longer Towers Park sur sa droite. L'homme de la CIA se retourna un bref instant en entendant un coureur arriver derrière lui et il se rangea au bord du trottoir pour lui permettre de passer, mais au lieu de cela, le coureur l'interpella. « Jim, c'est John Clark. Continue de courir. Obliquons vers les arbres, qu'on puisse causer un peu. »

Sans autre forme de procès, les deux hommes gravirent le talus en pente douce pour gagner une aire de jeux déserte. Il y avait à présent juste assez de lumière pour reconnaître un visage – de près. Ils s'arrêtèrent près d'une balançoire.

« Comment ça va, John ?

– J'imagine que tu pourrais dire que j'ai connu mieux.

– Tu n'as pas besoin de ce flingue à ta hanche. »

Clark n'aurait su dire si son pistolet faisait une bosse sous son blouson ou si Hardesty avait seulement soupçonné sa présence. « Contre toi, peut-être pas. Mais savoir si j'en ai ou non besoin, ça reste à décider. »

Aucun des deux n'était essoufflé : ils n'avaient après tout couru que sept ou huit cents mètres.

« Quand j'ai appris que tu étais en fuite, je me suis dit que tu passerais peut-être me voir.

— Le FBI a dû nourrir les mêmes soupçons », observa Clark.

L'autre opina. « Ouaip. Deux types du SSG, un peu plus haut dans la rue. Ils se sont pointés avant même l'annonce de Brannigan. »

Le Special Surveillance Group était une unité de vacataires du FBI, sans réels pouvoirs de police, généralement employés à des tâches de surveillance.

« Je m'en doutais.

— Je ne pense pas qu'ils vont se mettre à ma recherche avant une bonne demi-heure. Je suis tout à toi.

— Je ne te retiendrai pas longtemps. J'essaie juste de piger ce qui se passe.

— Il semblerait que le ministre de la Justice ait sérieusement le béguin pour toi. Je n'en sais guère plus. Mais je veux que tu saches ceci, John : quoi qu'ils puissent détenir te concernant, je ne leur ai rien dit de plus que ce qui était déjà dans leur dossier. »

Clark ne savait même pas qu'Hardesty avait été interrogé. « Le FBI t'a questionné ? »

Hardesty opina. « Deux inspecteurs m'ont cuisiné dans un hôtel de McLean, hier matin. Et j'ai vu certains de leurs sous-fifres interroger des gens de l'hôtel dans une autre salle de réunion. Y sont passés à peu près tous ceux qui t'ont approché quand tu étais au SAD. J'imagine que j'ai eu droit au dessus du panier parce qu'Alden aura dû leur indiquer qu'on se connaissait depuis un bail.

— Qu'ont-ils demandé ?

— Tout un tas de choses. Ils avaient déjà ton dossier. J'imagine que ces deux connards de Kilborn et d'Alden y auront vu un truc qui les défrise, alors ils ont plus ou moins lancé une enquête criminelle. »

Clark secoua la tête. « Non. Que peut-il bien y avoir dans mon passé à la CIA pour justifier un tel déballage public ? Et quand bien même ils s'imagineraient pouvoir me faire tomber avec cette accusation délirante de trahison, ils auraient réglé l'affaire en interne avant d'aller en souffler mot au ministre de la Justice. »

Hardesty restait dubitatif. « Sauf s'ils ont débusqué un truc sans rapport avec tes activités à la CIA. Ces connards seraient prêts à te balancer parce que t'es pote avec Ryan. »

Merde, songea Clark. Et si, en effet, ça n'avait rien à voir avec le Campus ? Si ça concernait l'élection ? « Que t'ont-ils demandé ? »

Hardesty allait protester mais il s'interrompit. « Attends voir. Je suis archiviste. Je connais, ou du moins, j'ai eu sous les yeux, quasiment toute ta bio. Pourtant, ils m'ont posé une question qui m'a carrément sidéré.

— Laquelle ?

— Je sais que tous tes exploits au SAD ne sont pas consignés dans ton dossier, mais normalement, il y a toujours l'un ou l'autre document qui permet de faire le lien avec tes activités réelles à une date quelconque. Ainsi, sans rien savoir des activités paramilitaires d'un de nos agents au Nigeria, je pourrais quand même te confirmer sa présence en Afrique à une date donnée : vaccinations contre la fièvre jaune, billets d'avion, indemnités de déplacement et ainsi de suite.

— Exact.

— Sauf que les deux fédéraux m'ont questionné sur tes activités à Berlin en mars 1981. J'ai épluché les dossiers… » Hardesty hocha la tête. « Et rien. Pas une seule trace d'un éventuel séjour en Allemagne ou dans le secteur à cette époque. »

John Clark n'eut pas besoin de se creuser les méninges. Ça lui revint aussitôt. Mais il n'en dévoila rien et se contenta de demander : « T'ont-ils cru ?

– Merde, non. Apparemment Alden leur avait dit de se méfier de moi, vu qu'on se connaît depuis longtemps. Alors, ils n'ont pas lâché le morceau. Ils m'ont interrogé sur ton élimination supposée d'un agent de la Stasi du nom de Schuman. Je leur ai dit la vérité. À savoir que je n'avais jamais entendu parler d'un Schuman et que j'ignorais tout de ta présence éventuelle à Berlin en 1981. »

Clark hocha la tête sans rien dire, toujours aussi impassible. La lumière de l'aube révélait à présent en partie les traits de l'archiviste. La question que John avait envie de poser lui brûlait les lèvres mais Hardesty y répondit spontanément.

« Je n'ai pas soufflé le moindre mot d'Hendley Associates. » Hardesty était en effet l'un des rares dans l'Agence à être au courant de l'existence du Campus. En fait, c'était même lui qui avait d'emblée suggéré à Chavez et Clark de rencontrer Gerry Hendley.

Clark regarda Jim droit dans les yeux. Il faisait encore trop sombre pour pouvoir déchiffrer son regard, mais Clark décida que jamais son ami ne lui mentirait. Après quelques secondes, il dit : « Merci. »

James haussa les épaules. « J'emporterai le secret dans ma tombe. Écoute, John, quoi qu'il ait pu se produire en Allemagne, tu n'es pas concerné directement. Tu n'es qu'un pion. Kealty veut pousser Ryan dans les cordes avec cette histoire d'opérations clandestines. Alors, il se sert de toi, appelle ça du déshonneur par association, si tu veux. Mais cette façon de conduire le FBI à fouiner dans tes activités passées, rouvrir des dossiers et les exhiber au vu et au su de tout le monde, des trucs qu'on ferait mieux de laisser dormir à l'ombre... bon sang, il est en train de sortir des squelettes des placards de Langley et, franchement, personne n'a besoin de ça. »

John le regarda sans rien dire.

« Tu sais aussi bien que moi qu'ils n'ont pas le moindre début de preuve concrète contre toi. Alors, autant que tu n'aggraves pas ton cas.

– Dis ce que tu as à dire, Jim.

– Ce n'est pas cette histoire d'inculpation qui m'inquiète. Tu as le cuir épais. (Il soupira.) Ce qui m'inquiète, c'est que tu vas te faire tuer. »

John ne dit rien.

« Ça ne rime à rien de fuir. Une fois Ryan élu, toute cette histoire se tassera. Peut-être – je dis bien peut-être – que tu devras passer quelques mois dans une prison quatre étoiles. Ça ne devrait pas être trop dur pour toi.

– Tu veux que je me dénonce ? »

Hardesty soupira. « Fuir comme tu le fais n'est ni bon pour toi, ni bon pour nos actions clandestines, ni bon pour ta famille. »

Cette fois, Clark hocha la tête en regardant sa montre. « Peut-être bien que c'est ce que je vais faire.

– C'est plus raisonnable.

– À présent, tu ferais mieux de rentrer chez toi avant que les bœufs-carottes te rendent une petite visite. »

Les deux hommes se serrèrent la main. « Réfléchis à ce que je t'ai dit.

– Promis. »

Clark prit congé de son ami et s'enfonça sous les arbres qui bordaient le terrain de jeux pour gagner l'arrêt d'autobus.

Il avait désormais un plan, une direction.

Il n'allait pas se dénoncer.

Non, il se rendrait en Allemagne.

45

CLARK était assis dans l'arrière-boutique d'une pharmacie CVS[1] de Sandtown, quartier sinistré de l'ouest de Baltimore, touché par le crime et le délabrement, mais *de facto*, le coin idéal pour se planquer.

Autour de lui, des habitants du quartier, pour la plupart âgés et blafards, attendaient l'exécution de leur ordonnance. John avait fermé son col et rabattu sa capuche, comme s'il souffrait d'un mauvais rhume, mais c'était surtout pour dissimuler ses traits au cas où quelqu'un le dévisagerait.

Clark connaissait Baltimore ; il en avait arpenté les rues quand il était jeune homme. À l'époque, il avait dû se grimer en SDF pour traquer les gangs de dealers qui avaient violé, puis assassiné Pam, sa compagne de l'époque. Il avait tué pas mal de gens dans le coin, des gens qui méritaient de mourir.

Ça remontait en gros au moment de son entrée à l'Agence. L'amiral Jim Greer l'avait aidé à couvrir ses exploits pour lui permettre d'intégrer la SAD, la Division des activités spé-

---

1. CVS est une chaîne de pharmacies/parapharmacies américaines, la seconde en importance après Walgreens. (*Toutes les notes sont du traducteur.*)

ciales. C'est à la même époque qu'il avait rencontré Sandy O'Toole, qui devait devenir sa femme.

Il se demanda où était Sandy en ce moment précis mais il ne l'appellerait pas. Il savait qu'elle devait être sur écoute, et puis Ding serait là pour s'occuper d'elle.

Pour l'heure, il devait d'abord réfléchir à son plan, tout en sachant que, sitôt convaincu de l'avoir raté de justesse, le FBI avait dû lancer un avis de recherche, diffusé à toutes les forces de l'ordre des alentours – du simple agent de la circulation jusqu'aux flics de l'antigang –, avec sa photo, son signalement et l'ordre de l'interpeller à vue. Il ne faisait pas de doute non plus que le FBI avait dû de son côté mobiliser ses énormes ressources pour le traquer.

Il se sentait toutefois à peu près en sécurité ici, tant qu'il resterait tranquille et plus ou moins déguisé, même s'il était sûr de se faire repérer tôt ou tard.

Bien qu'assis avec les autres clients de la pharmacie, il n'attendait pas d'ordonnance. Non, il surveillait discrètement l'entrée de la boutique, guettant une éventuelle filature.

Il patienta dix minutes.

Mais il ne vit rien.

Finalement, il se leva et se rendit au comptoir pour acheter un téléphone jetable ; tout en se baladant entre les rayons, il le sortit de son emballage et l'alluma. Puis il composa un bref texto pour Domingo Chavez. Il n'avait aucun moyen de savoir si Ding était ou non sur écoute ou plutôt, jusqu'où s'étendait désormais la surveillance des autorités ; c'est pourquoi, depuis qu'il avait découvert la veille au soir qu'il était recherché, il s'était abstenu jusqu'ici de contacter Ding ou le Campus. Mais avec Chavez, ils étaient depuis longtemps convenus en commun d'un code, au cas où l'un d'eux aurait le moindre doute sur la liberté de mouvements de l'autre.

Une bande d'ados noirs patibulaires et bruyants se pointa dans son allée mais ils se turent aussitôt qu'ils le virent. Ils lui jetèrent des regards appuyés – tels des prédateurs jaugeant leur proie. Clark était en train de manier son nouveau téléphone, mais il s'arrêta aussitôt et soutint le regard des six ados, histoire de les informer qu'il avait parfaitement relevé leur présence et leur intérêt pour lui. Ce fut plus que suffisant pour que les jeunes durs préfèrent aller s'intéresser à des proies plus faciles ; John reprit là où il en était.

Il avait reçu un texto : *21:00 BWI, OK ?*

Il hocha la tête et composa aussitôt : *OK.*

Trois minutes plus tard, il remontait à pied Stricker Street en direction du nord, tout en ôtant la batterie du téléphone. Puis il jeta son gobelet de café vide, le téléphone et la batterie dans une bouche d'égout avant de poursuivre son chemin.

Quelques secondes avant neuf heures du soir, Domingo Chavez vint se poster, sous une pluie glaciale, devant la rampe d'accès au terminal de Maryland Charter Aviation Services. Les gouttes ruisselaient de la visière de sa casquette de base-ball, juste devant ses yeux. Son anorak le protégeait de l'humidité mais pas du froid.

Cinquante mètres sur sa gauche, le Gulfstream G550 d'Hendley Associates était garé, prêt au décollage, bien que n'ayant toujours pas déposé de plan de vol. La capitaine Reid était installée au cockpit avec Hicks, son second, et Adara Sherman finissait de préparer la cabine, même si aucun des trois n'avait la moindre idée de leur destination.

Ding regarda sa montre. Dans la nuit seulement éclairée par les feux de l'avion, à cinquante mètres de là, les chiffres lumineux indiquaient neuf heures pile.

En cet instant précis, une silhouette surgit de l'obscurité. Clark portait un sweater noir à capuche et n'avait pas le moindre bagage. On aurait pu le prendre pour un des employés de l'aéroport.

« Ding, fit-il avec un bref hochement de tête.

– Tu tiens le coup, John ?

– Ça va.

– Dure journée ?

– Pas pire que ce que j'ai déjà vécu cent fois. Sauf qu'en général, ça se passe à l'étranger.

– Tout ça, c'est de la couille en barre.

– Ce n'est pas moi qui vais te contredire. Du nouveau ? »

Chavez haussa les épaules. « Juste un truc. La Maison Blanche se sert de toi pour atteindre Ryan. Impossible de savoir s'ils ont entendu parler du Campus ou du fait que tu bosses chez Hendley Associates depuis que tu as quitté l'Agence. Les motifs de l'inculpation restent secrets et personne ne parle. Si dans l'entourage de Kealty on est au courant de l'existence du Campus, ou l'on soupçonne simplement son existence, c'est motus et bouche cousue. Ils font comme si c'était une affaire classée qu'on venait de dépoussiérer... laissant apparaître ton nom.

– Et du côté de la famille ?

– Sandy va bien. On va tous bien. Je veille sur eux et si jamais on me met le grappin dessus, les Ryan prendront le relais. Tout le monde t'adresse des bises et des encouragements. »

Clark acquiesça en poussant un gros soupir dont la buée apparut dans la lumière du groupe électrogène encore raccordé à l'avion.

Ding se dirigea vers le Gulfstream. « Et Hendley t'envoie ce message : il veut que tu te planques.

— Pas question. »

Chavez hocha pensivement la tête. « Alors, tu vas avoir besoin d'un coup de main.

— Non, Ding. Je dois me débrouiller comme un grand. Je veux que tu restes au Campus. Il se passe des trucs trop graves. Je trouverai bien le moyen de découvrir tout seul qui est derrière tout ça.

— Je comprends que tu veuilles laisser la boutique en dehors de cette histoire, mais laisse-moi au moins t'accompagner. Cathy Ryan s'occupera de Sandy durant notre absence. À nous deux, on fait une sacrée bonne équipe et tu vas avoir besoin de moi pour surveiller tes arrières. »

Mais Clark secoua la tête. « Ça me touche beaucoup, mais le Campus a plus besoin de toi. Le rythme des opérations est devenu trop échevelé pour qu'on se permette d'être absents tous les deux. Si jamais j'ai besoin d'un coup de main, je ferai appel aux ressources locales. »

La perspective n'enchantait guère Chavez. Il voulait être sur place pour aider son ami. Néanmoins, il répondit : « Entendu, John. Le 550 te déposera où tu voudras.

— Tu as un passeport vierge pour moi à bord ? »

Cette fois, Ding sourit. « Bien sûr. Et même plusieurs. Mais je t'ai ajouté autre chose, au cas où tu aurais besoin d'effectuer une pénétration vraiment clandestine, bref, d'entrer quelque part sans laisser la moindre trace écrite. »

Clark comprit à demi mot. « La capitaine Reid est-elle au courant ?

– Absolument, et elle se pliera à tes ordres. Miss Sherman te mettra au parfum.

– Eh bien, j'imagine que je ferais mieux d'y aller.

– Bonne chance, John. Et n'oublie pas. N'importe quand. N'importe où. Tu n'as qu'un mot à dire et j'apparais à tes côtés. Pigé ?

– Pigé. Et j'apprécie. »

Les deux hommes se serrèrent la main, puis ils s'étreignirent. Quelques secondes plus tard, John se dirigeait vers le Gulfstream. Domingo Chavez le regarda s'éloigner sous la pluie.

Le Gulfstream d'Hendley Associates fit escale à Bangor dans le Maine. Escale technique pour ravitailler en attendant de s'envoler le lendemain après-midi vers l'Europe. John Clark resta à bord, mais l'équipage descendit pour se reposer dans un hôtel proche avant la traversée.

Leur plan de vol initial indiquait comme destination Genève mais ils allaient le modifier en cours de vol. Les formalités douanières à Bangor se passèrent sans difficulté, même si le visage de Clark faisait la une des infos depuis vingt-quatre heures. La moustache postiche et la perruque, combinées à des lunettes aux verres en cul-de-bouteille, le rendaient méconnaissable.

Le mercredi à dix-sept heures, le G550 décolla de la piste 33 et vira au nord-est pour entamer son long vol transatlantique.

Clark avait passé la journée de la veille sur son ordinateur à rechercher sa cible, épluchant les cartes, les horaires de train, les bulletins météo, les Pages blanches, les Pages jaunes, sans oublier d'interminables listes de fonctionnaires consignées dans les banques de données allemandes à l'échelon fédéral, régional ou municipal. Il recherchait un homme, si du moins il n'était pas décédé, qui devait détenir des informations cruciales lui permettant d'identifier ceux qui l'avaient pris pour cible.

L'ancien commando de marine de soixante-quatre ans fit un petit somme pendant le vol et, quand il s'éveilla, ce fut pour découvrir les cheveux blonds taillés court et le charmant sourire d'Adara Sherman penchée sur lui.

« Monsieur Clark ? C'est l'heure, monsieur. »

Il se redressa, regarda par le hublot, mais ne vit rien de plus que des nuages en bas et la lune en haut.

« Que donne la météo ?

— Couverture nuageuse au-dessus de huit mille pieds. Température au sol aux environs de cinq degrés. »

Clark sourit. « Caleçon long de rigueur. »

Sherman lui rendit son sourire. « Indispensable. Puis-je vous apporter une tasse de café ?

— Ce serait super. »

Elle retourna vers l'office et, pour la première fois, Clark nota combien elle appréhendait ce qu'ils s'apprêtaient à faire.

Un quart d'heure plus tard, la capitaine Helen Reid fit une annonce en cabine par l'interphone. « Nous sommes à neuf mille pieds. Début de la dépressurisation. »

Presque aussitôt, Clark ressentit une douleur aux tympans et aux sinus. Il s'était déjà habillé mais Adara Sherman enfila son manteau croisé en laine juste avant de s'asseoir sur le canapé à côté de lui. Elle prit soin de le boutonner entièrement et d'en attacher la ceinture qu'elle bloqua par un double nœud. C'était un vêtement très mode mais, saucissonné de la sorte, il lui donnait une drôle d'allure.

Tout en enfilant ses gants elle demanda : « Depuis quand n'avez-vous plus sauté d'un avion, monsieur Clark ?

– Je sautais déjà que vous n'étiez pas encore née.

– Depuis quand avez-vous pris l'habitude d'éluder les questions gênantes ? »

Cela fit rire Clark. « À peu près aussi longtemps que je saute. Je l'admets. Je suppose que c'est comme de tomber d'un rondin. »

Des rides soucieuses plissèrent les yeux de la jeune femme derrière ses lunettes. « C'est comme de tomber d'un rondin qui file à deux cents à l'heure, sept mille pieds au-dessus du sol.

– Vous devez avoir raison.

– Voulez-vous récapituler encore une fois la procédure ?

– Non. Je l'ai en tête. J'apprécie votre attention pour les détails.

– Comment va ce bras ?

– Il n'est pas dans le top ten de mes soucis. D'où je déduis qu'il va bien.

– Bonne chance, monsieur. Je me fais l'interprète de l'équipage en espérant que vous ferez appel à nous chaque fois que vous en aurez besoin.

– Merci, mademoiselle Sherman, mais sur ce coup, je ne peux exposer personne d'autre que moi. J'espère vous revoir quand toute cette histoire sera finie mais, normalement, je n'aurai pas à me servir de l'avion lors de ma mission.

– Je comprends. »

La capitaine Reid se fit entendre dans les haut-parleurs : « Cinq minutes, monsieur Clark. »

John se releva avec difficulté. Il avait, accroché à la poitrine, un petit sac en toile qui contenait un portefeuille avec du liquide, une ceinture porte-monnaie, deux jeux de faux papiers, un mobile avec son chargeur, un pistolet SIG calibre 45 avec silencieux, quatre chargeurs de munitions à pointe creuse et un couteau suisse.

Et, dans son dos, il avait un parafoil MC-4 – un parachute à caissons, analogue aux parapentes.

Le copilote Chester « Country » Hicks sortit du cockpit, serra la main de John, puis tous trois gagnèrent le fond de la cabine. Là, Sherman ouvrit la petite trappe de la soute qui leur permettait de pénétrer dans le compartiment à bagages aménagé à l'arrière de la carlingue. Après s'être harnachés par de larges brides en toile attachées aux sièges de la cabine, Sherman et Hicks y entrèrent en rampant, l'un après l'autre. Un peu plus tôt, ils avaient pris soin de transférer en cabine tous les bagages et de les fixer aux sièges, afin de leur laisser assez de place pour pouvoir bouger, à genoux dans cet espace confiné.

Adara se posta du côté droit de la porte extérieure de la soute, Hicks à gauche. Clark était resté dans la cabine, faute de place. À genoux lui aussi, il attendait.

Au bout d'une minute, le copilote regarda sa montre. Il adressa un signe de tête à Sherman pour qu'ils ouvrent ensemble le panneau. La découpe aménagée juste sous le réacteur gauche ne mesurait que quatre-vingt-dix sur quatre-vingt-quinze centimètres mais le glissement de l'air sur le fuse-lage provoquait un effet de succion que durent contrer, par la force, les deux membres d'équipage. Dès qu'ils eurent réussi à tirer le panneau, l'air glacé de la nuit s'engouffra dans le compartiment avec un sifflement aigu. Une fois le panneau ramené vers l'intérieur, ils purent le faire coulisser vers le haut, un peu comme une porte de garage, dégageant ainsi l'ouverture.

Le réacteur gauche n'était qu'à quelques dizaines de centimètres et ils durent hurler pour couvrir le bruit.

La capitaine Reid avait fait descendre l'appareil sous le plafond nuageux à l'approche de leur destination, l'aéroport de Berlin-Tegel. En dessous, c'était l'obscurité, juste piquetée de quelques lumières éparses. Le hameau de Kremmen, au nord-ouest de la capitale, était la seule zone urbanisée à la ronde mais Clark et Reid avaient choisi, un peu plus à l'ouest, une zone de saut, composée exclusivement de champs bordés d'arbres, qui serait quasiment déserte aux petites heures de ce jeudi matin.

Clark gardait les yeux rivés sur Hicks. Dès que le copilote quitta des yeux sa montre pour le désigner, John entama un compte à rebours à partir de vingt.

À dix-huit, il se retourna pour se mettre à quatre pattes et entrer à reculons dans la soute. Arrivé à dix, il sentit les mains de Chester et d'Adara empoigner les brides de son parachute et le positionner le dos vers la porte. La capitaine Reid avait dû réduire la vitesse à quelque cent vingt nœuds, mais le bruit et la pression de l'air sur son dos restaient intenses.

À cinq – Clark devait crier pour se faire entendre –, Hicks lâcha la bride, imité par Sherman, mais cette dernière lui posa aussitôt la main sur l'épaule.

À trois, il se recula un peu plus dans l'obscurité battue par un vent glacial. Sauter ainsi n'avait rien d'évident mais plonger tête la première aurait été dangereux et s'asseoir sur le bord pour sauter, pieds en avant, aurait accru le risque d'accrocher son parachute.

« Un, go ! » Clark se propulsa vers l'extérieur ; aussitôt, il sentit son flanc droit heurter l'encadrement de la porte de soute. Il en serait quitte pour quelques bleus aux côtes. Mais il avait réussi à sauter du Gulfstream qui s'éloignait rapidement, filant vers les lumières de Berlin, au loin. John Clark tournoya cul par-dessus tête, dégringolant vers les champs de blé d'hiver, quelque deux mille mètres au-dessous.

46

AUTOUR DE LA TABLE OVALE de la salle de conférences au huitième étage d'Hendley Associates, les visages, en ce jeudi matin, étaient tendus. Les places de Sam Driscoll et de John Clark étaient vides, mais Domingo, Dominic et Jack faisaient face à Gerry Hendley et Sam Granger. Rick Bell, chef analyste du Campus, avait demandé à être excusé afin de mieux pouvoir se concentrer sur l'analyse du trafic entre FBI et CIA concernant l'affaire Clark.

Gerry avait accédé à sa requête puisqu'il était dans l'intérêt de tous d'être les premiers informés si jamais des cars noirs remplis d'agents tactiques du FBI se dirigeaient vers leur immeuble.

Ces deux derniers jours, Hendley Associates était resté ouvert, mais l'on avait demandé aux opérateurs et à l'essentiel des analystes de rester chez eux. La compagnie fonctionnait désormais comme une société de courtage et d'arbitrage parfaitement normale, pour le cas où l'enquête confidentielle diligentée par le gouvernement viendrait à inclure des investigations sur l'activité réelle de la firme.

N'ayant finalement vu personne taper à leur porte le mardi ou le mercredi, Hendley, Bell et Granger avaient décidé de reprendre le travail dès le jeudi suivant. C'est qu'ils avaient du pain sur la planche, avec un Sam Driscoll déjà sur le terrain et leur projet d'envoyer d'autres agents à Dubaï afin d'établir une surveillance discrète de la propriété qu'y possédait Rehan.

La première question de la matinée était de savoir s'ils pouvaient ou non poursuivre leur enquête ou s'il valait mieux lâcher du lest, se faire discrets pendant un certain temps et trouver moyen d'apporter un soutien à Clark.

Après avoir bu une longue gorgée de café, Dominic Caruso prit la parole : « Nous devons tous rester sur le pont, prêts à venir en aide à Clark. Est-ce qu'on sait au moins où il se trouve ? »

Ce fut Granger qui répondit : « Le Gulfstream l'a largué aux abords de Berlin. Ils seront de retour à la base dans la soirée et pourront donc t'emmener à Dubaï, via Amsterdam, dès demain soir.

– Écoutez, intervint Ryan, je comprends que la surveillance à Dubaï soit importante. Mais à la lumière des derniers événements… Merde. On ne peut quand même pas laisser John se dépatouiller tout seul. »

Domingo hocha la tête. « C'est un grand garçon. Il n'a pas besoin de nous avoir dans les pattes pour se tirer de ce merdier ; concentrons-nous plutôt sur les préparatifs de notre opération. Ne perds pas de vue notre objectif, Jack. C'est vachement important.

– Je sais.

– John n'est peut-être plus tout jeune mais c'est sans doute l'agent le plus aguerri qu'on ait connu.

– Sans aucun doute.

– Fais-moi confiance, John Clark peut se débrouiller tout seul. Et s'il a besoin d'un soutien sur le terrain, il nous contactera. Je serais prêt à mourir pour lui, tu le sais, mais je me range également toujours à son avis, surtout dans des moments pareils. Je ne vais pas le déranger, je reste dans mon coin à faire mon boulot, et je t'engage à faire de même. OK, *'mano* ? »

Ça ne plaisait pas trop à Jack. Il n'arrivait pas à comprendre comment Ding pouvait se montrer aussi détendu après les événements de ces derniers jours. D'un autre côté, il admettait volontiers que Chavez était en droit d'avoir le dernier mot lorsqu'il s'agissait de Clark. Les deux hommes étaient partenaires depuis plus de vingt ans, sans compter que le premier était devenu le gendre du second.

« OK, Ding.

– Bien. Il ne nous reste qu'aujourd'hui et demain pour nous préparer en vue de l'opération à Dubaï. On va donc s'y mettre tout de suite. Ça baigne ? »

Caruso et Ryan avaient bien du mal à digérer ce qu'ils considéraient comme un abandon de leur mentor mais, en même temps, comment discuter la logique de Chavez ? Clark pourrait toujours les contacter. Même à Dubaï.

Malgré tout, il était dur pour eux de se concentrer sur l'« opération Rehan », d'autant qu'il ignoraient toujours comment allait tourner l'enquête du ministère de la Justice. Mais ils avaient un boulot à effectuer et donc ils s'attelèrent.

Le bureau Ovale du Président n'était pas vraiment le poste de commande d'où était téléguidée l'opération du FBI visant à capturer John Terrence Kelley, alias John Clark, même si tout portait à le croire. Tout au long de la journée du mardi et jusqu'au mercredi matin, Ed Kealty avait vu défiler sans interruption – et pour certains, plusieurs fois – tous ceux qui s'acharnaient à abattre Clark, de Benton Thayer à Wes McMullen en passant par Charles Alden, Mike Brannigan et consorts.

Mais le mercredi après-midi, le FBI avait bien dû se rendre à l'évidence : leur proie insaisissable avait pris la clé des champs. Aussitôt, Kealty convoqua Brannigan, Alden et Thayer, tous en même temps, dans son bureau. Dans l'optique du Président, il était grand temps de resserrer les boulons. À cet effet, il soumit le petit groupe installé sur les canapés à un feu nourri de remarques cinglantes qui culminèrent avec une question assénée d'une voix de tête, comme un cri du cœur : « Mais bon sang de bonsoir, comment un bonhomme peut-il se volatiliser ainsi ?

– Sauf votre respect, monsieur le Président, c'est pourtant ce qu'il a réussi à faire, répondit Alden.

– Ryan aura pu l'aider à fuir, observa Kealty. Alden, je veux que tu retournes à la CIA approfondir la question. Si tu peux établir un lien un peu plus solide entre les deux hommes, alors on pourra mouiller Ryan dans la fuite de Clark. »

Alden observa : « Je me suis laissé dire qu'une partie des initiatives prises par Ryan et la quasi-totalité des actions de John Clark n'ont jamais été consignées par écrit.

– Conneries, coupa Kealty. Tu te fais mener en bateau par tes propres subordonnés. Fais un exemple avec une ou deux fortes têtes et tu verras les autres devenir plus loquaces.

– J'ai déjà essayé, monsieur. Ces gens, la vieille garde, préféreraient avaler leur chapeau que dénigrer John Clark.

– Ces enculés d'espions », grommela Ed Kealty en écartant d'un geste la remarque d'Alden pour se tourner vers Brannigan. Il considéra ce dernier un long moment avant de marteler à son ministre de la Justice : « Écoute-moi bien, Mike. Je veux que d'ici ce soir, John Clark soit sur la liste des dix personnes les plus recherchées.

– Monsieur le Président, cela soulève tout un tas de difficultés. Quelqu'un – un terroriste, un assassin ou tout autre individu dangereux – va devoir sortir de la liste, ce qui pose un problème, dans la mesure où…

– John Clark est un dangereux assassin. Je le veux sur cette liste. Je le veux. »

Wes intervint : « Ce qui me tracasse, c'est l'image que ça pourrait donner auprès des…

– Je me contrefiche de l'image que ça donne ! Je veux que cet homme soit capturé ! S'il a échappé à la justice et s'il a fui le pays, alors nous devons mobiliser tous nos moyens, de toutes les façons imaginables. »

Brannigan s'enquit alors, avec le plus de respect possible : « Qui vais-je retirer, monsieur le Président ? Lequel des dix hommes les plus dangereux devra céder la place à Clark ?

– Ça, c'est ton problème, Mike. Pas le mien.

– Mike, intervint à son tour Benton Thayer, il arrive parfois qu'on aille jusqu'à onze, n'est-ce pas ? Si au lieu de rayer quelqu'un de la liste, on estimait nécessaire d'en ajouter un ? »

Le ministre de la Justice admit, à contrecœur, que Thayer avait raison.

La réunion s'acheva quelques minutes plus tard, mais le directeur adjoint de la CIA demanda carrément à Kealty s'il pouvait rester s'entretenir quelques instants avec lui. Il suggéra également que Thayer demeure avec eux.

C'était là une entorse au protocole réglant toute réunion avec le chef de l'exécutif. Alden aurait dû passer par Wes McMullen, le secrétaire général de la présidence s'il désirait prolonger l'entretien. Wes, qui était toujours là, avait été délibérément ignoré et il était bien décidé à tuer dans l'œuf cette initiative déplacée.

« Messieurs, le Président doit à treize heures trente se trouver dans la roseraie pour y rencontrer les…

– C'est bon, Wes, coupa l'intéressé. Laisse-nous juste quelques minutes. »

McMullen était aussi méfiant que vexé, mais il obéit à son chef et quitta la pièce en refermant la porte derrière lui.

Kealty s'assit dans un canapé, les deux hommes s'installèrent en face. En les examinant, il vit d'emblée que son directeur de campagne ignorait totalement de quoi il allait être question.

« Qu'y a-t-il, Charles ? »

Alden pianota doucement sur ses genoux tout en cherchant ses mots avec soin. « Monsieur le Président, on a porté à ma connaissance une information qui me porte à croire qu'il existe des preuves crédibles que ce fameux Clark aurait contribué à la capture de l'Émir. »

Thayer et Kealty en restèrent bouche bée. D'un ton très calme, Kealty demanda : « Mais de quoi parles-tu, bordel ? Quelle preuves ? Et pourquoi tu ne me l'as pas dit plus tôt ?

– Pour vous protéger, monsieur le Président. Je pense qu'il valait mieux que je n'en parle à personne d'autre. »

Mais Kealty hocha la tête, peu convaincu. « La justice affirme que l'Émir nous a été balancé par un service de renseignement allié. Faut-il croire à présent que Clark serait un agent double ?

– Ça ne lui ressemble pas, protesta Alden. J'ai lu tout ce qu'on a pu écrire sur ce fils de pute. Jamais, au grand jamais, il ne travaillerait pour une puissance étrangère. »

Thayer se rapprocha. « Dans ce cas, quel rôle joue-t-il, bordel ?

– Il est… Il doit… travailler pour quelqu'un, chez nous. Quelqu'un qui veut nous envoyer un signe. Mais pas pour la CIA. Ça, certainement pas.

– Qu'est-ce que tu nous caches ?

– Officiellement, le FBI n'a jamais reçu de la CIA la moindre information sur de nouvelles activités de Clark. Mais dans les couloirs de l'Agence en revanche… le bruit court qu'il existerait une organisation secrète dotée de capacités d'analyse et d'action bien ciblées. Un genre de nid d'espions privé. D'aucuns soupçonnent que certains de leurs collègues seraient dans le secret, mais trouver des preuves concrètes s'apparente à piéger des oiseaux avec du gros sel. »

Le Président était au bord de l'apoplexie. « Tu es en train de me dire qu'on aurait un gouvernement fantôme ? Une manière de pouvoir clandestin ?

– Franchement, je ne vois pas d'autre explication », admit Alden.

Benton Thayer était plus lent à la détente ; il n'avait aucune expérience du renseignement civil ou militaire et n'avait jamais eu l'occasion de se pencher sur leur organisation. Mais il en comprenait néanmoins un aspect. « L'Émir, lui, saura nous dire si c'est Clark qui l'a capturé. Il suffit qu'on lui demande de l'identifier d'après photo. Si c'est le cas, Clark est grillé. Et si Clark tombe, alors Jack Ryan tombe avec lui. »

Kealty restait encore estomaqué par cette nouvelle révélation. Il eut néanmoins la présence d'esprit de remarquer que l'Émir était sous les verrous, mis au secret, et que les renseignements qu'il pouvait produire étaient sévèrement filtrés par le ministère de la Justice.

Mais Thayer lui fit remarquer qu'il était le président des États-Unis et qu'à ce titre il lui suffisait de demander au ministre de tutelle de lâcher un peu de lest pour leur permettre d'obtenir tout ce qu'ils voulaient.

Kealty, en parfait animal politique, vit aussitôt surgir un nouveau problème. « Mais l'Émir est le témoin le moins sympathique qu'on puisse imaginer avoir de notre côté. Imaginez qu'en plus il identifie Clark. Ce dernier fera aussitôt figure de héros pour l'avoir capturé. Réfléchissez-y ! Est-ce que ça nous embête, l'existence quelque part d'une espèce d'agence de barbouzes ? Bordel, oui ! Mais est-ce que la dixième circonscription de l'Ohio, ou la troisième de Floride, ou de n'importe quel autre État en ballottage sera prête à défendre le passage au tribunal du mec qui a capturé l'Émir ? Franchement, j'en doute. »

Alden haussa les épaules. « On s'en fout que Clark aille ou non en prison. Mais si on peut mouiller Ryan… Si Clark est impliqué, alors Ryan l'est peut-être aussi. Réfléchissez-y. Pour qui d'autre Clark serait-il prêt à accepter de travailler dans un truc aussi louche qu'un nid d'espions clandestin ?

– Il faudra d'abord mettre la main sur ce Clark pour avoir la réponse à ta question, observa Kealty. On pourrait lui offrir une immunité limitée, voire totale, s'il fait porter le chapeau à Jack Ryan. »

Alden opina : « Ça me plaît bien. »

Kealty fit toutefois remarquer : « Oui, mais sans Clark nous nous retrouvons le bec dans l'eau. »

Alden s'était tourné vers Thayer : « Puis-je avoir une minute seul avec le Président ? »

Thayer hocha simplement la tête, sans même prendre la peine de demander son avis au chef de l'exécutif. Il se sentait incroyablement largué et il avait le sentiment qu'on allait le tenir à l'écart des décisions à venir. Aussi se leva-t-il pour filer vers son bureau, en refermant, lui aussi, la porte derrière lui.

« Chuck ? fit Ed Kealty, penché en avant, presque sur le ton du murmure.

– Monsieur le Président, soit dit entre nous... je peux vous avoir John Clark.

– Il nous le faut vivant.

– J'entends bien. »

Kealty allait demander *comment* mais il se retint. À la place, il répondit : « Soit dit entre nous, Chuck... fais-le ! »

Alden se leva et les deux hommes se serrèrent la main, le regard sévère.

Pas un mot de plus ne fut échangé et le directeur adjoint de la CIA quitta le bureau Ovale.

47

CHARLES ALDEN eut Paul Laska au téléphone peu après minuit. Le vieil homme était chez lui, déjà couché, mais il avait donné au directeur adjoint de la CIA un numéro où l'on pouvait le contacter à toute heure du jour ou de la nuit.

« Allô ?

– Paul. C'est Charles.

– Je ne m'attendais pas à avoir de tes nouvelles. Tu disais que tu ne désirais pas t'engager plus avant.

– C'est trop tard. Kealty m'a mis dans le coup.

– Tu peux refuser, tu le sais bien. Il ne restera plus président bien longtemps. »

Alden rumina cette observation. Puis : « Il est dans l'intérêt de tous qu'on capture John Clark. Nous devons découvrir pour qui il travaille. Comment il a réussi à capturer l'Émir. Qui d'autre est dans son groupe.

– J'ai cru comprendre que M. Clark avait quitté les États-Unis et que les services de la CIA à l'étranger étaient sur le coup.

– Ton réseau d'informateurs n'a rien à envier au mien, Paul. »

Du fond de son lit, l'intéressé étouffa un petit rire. « Que puis-je pour toi ?

– J'ai peur que, malgré mes vœux et mes incitations, mes collègues de la CIA ne soient pas chauds pour investir toutes leurs forces dans la traque de John Clark. La base révère le bonhomme. J'ai eu beau mobiliser tout le monde, tout ça manque de conviction. Sans compter que, désormais, le temps presse sacrément pour Kealty. »

Après un long silence, Laska répondit : « Tu voudrais que je t'aide à trouver des intervenants extérieurs pour mettre les mains dans le cambouis ?

– C'est exactement ça.

– Je connais quelqu'un qui pourrait nous aider.

– C'est ce que j'ai pensé.

– Fabrice Bertrand-Morel. »

Alden saisit tout de suite : « C'est bien ce Français qui dirige une agence de détectives privée ?

– Exact. La première agence mondiale, avec des succursales partout sur la planète. Si Clark a quitté les États-Unis, alors les limiers de Fabrice Bertrand-Morel sauront le dénicher.

– Ça m'a l'air de convenir parfaitement.

– Il est six heures du matin en ce moment en France, observa Laska. Si je l'appelle tout de suite, je le prendrai lors de son jogging matinal. Je peux arranger un dîner là-bas pour nous trois, dès ce soir.

– Excellent.

– Bonne nuit, Charles.

– Paul... Il nous le faut vivant. On est bien d'accord, hein ?

– Dieu du ciel. Qu'est-ce qui pourrait te faire songer que je puisse…

– Parce que je sais que par le passé Bertrand-Morel a traqué des hommes et qu'il les a tués.

– J'ai entendu ces allégations, mais jamais aucune enquête n'a pu aboutir.

– Tout simplement parce qu'il s'était montré utile aux pays dans lesquels il avait commis ses crimes. »

Laska s'abstint de discuter, aussi Alden crut-il bon de lui expliquer d'où il avait connu cet homme et son agence.

« J'appartiens à la CIA. Nous savons tout des activités de Fabrice Bertrand-Morel. Il a la réputation d'être compétent mais dénué de scrupules. Quant à ses hommes, ils passent carrément pour des tueurs à gages. Cela dit, que ce soit bien compris : je ne veux aucun malentendu entre nous. Ni le président Kealty, ni quiconque dans son entourage ne désire l'élimination physique de M. Clark.

– Marché conclu. Bonne nuit, Charles », dit Laska.

Sam Driscoll fut surpris et même perplexe en voyant le soleil se lever. Ses gardiens restaient muets, de sorte qu'il ne pouvait savoir si les hommes d'Haqqani allaient ou non suivre l'ordre du général Rehan de l'interroger avant de le passer par les armes.

Mais la chance existe et il arrive même, parfois, qu'elle vous sourie. Driscoll ne devait jamais le savoir mais la veille de sa capture dans les zones tribales, quarante kilomètres au nord de sa prison de Miran Shah, trois importants chefs de cellules d'Haqqani s'étaient fait capturer à un barrage routier à Gorbaz, une petite ville située juste au sud du fief Haqqani de

Khost. Dans les premières semaines après les faits, Haqqani et ses sbires avaient cru leurs hommes aux mains des forces de l'OTAN et, ayant appris par hasard la capture d'un espion occidental, Siraj Haqqani en personne avait annulé les ordres de Rehan : l'Américain servirait de monnaie d'échange, aussi ne devait-on plus lui faire de mal.

Deux mois devaient encore s'écouler avant qu'on ne retrouve les cadavres des trois chefs enlevés, emballés dans des tapis de jute et abandonnés dans une décharge au nord de Khost. Ils avaient été victimes en fait d'un groupe taliban rival. L'OTAN n'avait rien à voir ni avec leur capture ni avec leur assassinat.

Mais cela avait procuré à Driscoll un bref sursis.

À l'aube du lendemain de la visite de Rehan, on le libéra de ses chaînes et le remit debout. Il tituba, mal assuré sur ses jambes blessées. En guise de cagoule, on lui recouvrit la tête du châle traditionnel, sans doute pour le rendre méconnaissable par les drones de surveillance, puis on le poussa hors de sa geôle. Dans la pâle lumière de l'aube, on l'aida à monter à l'arrière d'un mini-van Toyota Hilux.

Ils partirent vers le nord, traversèrent le pont de Bannu puis le centre de Miran Shah. Driscoll percevait les bruits de moteur et les klaxons, et même, à un carrefour, il entendit discuter des piétons qui encombraient les rues étroites, malgré l'heure matinale.

Peu après, ils étaient sortis de la ville. Sam s'en rendit compte à l'accélération du véhicule et au silence environnant.

Ils roulèrent ainsi durant près de deux heures ; pour autant que Driscoll pût en juger, ils n'étaient pas en convoi, leur véhicule se baladait seul dans la campagne, bien tranquillement. Et les hommes qui étaient montés à l'arrière avec lui

– il avait identifié au moins trois voix distinctes – riaient et plaisantaient comme si de rien n'était.

Ils ne semblaient aucunement redouter les drones américains ou les troupes de l'armée pakistanaise.

Driscoll en déduisit qu'ils étaient en plein territoire contrôlé par Haqqani. Les hommes autour de lui se sentaient chez eux.

Remontant la route du Waziristan du Nord, ils aboutirent enfin à Aziz Khel et pénétrèrent dans un vaste camp. On fit descendre Sam pour le mener de force dans un bâtiment. Là, on lui ôta sa cagoule et il se retrouva dans une entrée sombre. On le conduisit au bout d'un couloir ; il passa devant des chambres où des femmes en burqa faisaient de leur mieux pour se tapir dans l'ombre, puis entre deux barbus armés, postés en haut d'un escalier de pierre menant au sous-sol.

Il trébucha plus d'une fois. Les éclats qui avaient criblé ses cuisses et ses mollets avaient abîmé les muscles, rendant la marche difficile et douloureuse, sans compter qu'avec les chaînes qui lui entravaient les mains, il avait bien du mal à garder son équilibre.

Il avait noté, non sans surprise, que les autochtones qu'il venait de dépasser ne lui avaient prêté qu'une attention distraite. Soit l'endroit recevait quantité de prisonniers, soit on avait dressé ces gens à ne manifester aucun étonnement devant la présence d'étrangers.

Parvenu au sous-sol, il comprit. Passée une porte au bout d'une galerie, il entra dans un corridor bordé sur la gauche d'une rangée de cellules minuscules fermées par des barreaux. En scrutant la pénombre de ces cages, il compta sept prisonniers. Un Occidental, un jeune homme qui ne dit mot au passage de Driscoll. Deux Asiatiques ; ceux-là, qui étaient allongés sur des lits de corde tressée, le regardèrent d'un air absent.

Le reste était composé de Pakistanais ou d'Afghans. L'un d'eux, un vieillard imposant à la longue barbe grise, gisait sur le dos, étendu à même le sol de la cellule. Ses yeux mi-clos étaient vitreux. Malgré la pénombre, il était visible qu'il allait bientôt passer de vie à trépas si l'on ne lui prodiguait pas des soins au plus vite.

Le nouveau logis de Driscoll était la dernière cellule sur la gauche. Elle était sombre et froide mais il y avait une couche tressée pour l'isoler du sol en béton et les gardiens lui ôtèrent ses chaînes. Tandis que le bruit des barreaux qu'on fermait résonnait derrière lui, il enjamba le seau hygiénique pour allonger son corps endolori.

Pour un ancien éclaireur de l'armée habitué à vivre à la dure, ces cachots n'étaient pas les pires qu'il ait connus. Les lieux lui semblaient même bougrement plus accueillants que ceux qu'il venait de quitter et à l'idée qu'il risquait de devoir y séjourner un bout de temps, quand bien même ce n'était pas son meilleur choix, son moral remonta sensiblement, sur-tout par rapport à la veille.

Mais au lieu de s'appesantir sur son sort, Sam songeait d'abord à sa mission. Il lui fallait à présent trouver un moyen d'avertir le Campus que le général Rehan s'était acoquiné avec des terroristes du réseau Haqqani en vue d'un plan qu'il s'efforçait de garder secret.

48

PAUL LASKA aurait volontiers préféré visiter l'été cette superbe demeure française du dix-neuvième siècle, bien cachée derrière ses murs. La piscine était exquise, la plage privée en contrebas était irréprochable, on trouvait abondance de transats à l'arrière du corps de logis et, dans les jardins et le parc, quantité de charmants recoins invitaient au farniente, aux cocktails ou aux dîners au soleil couchant.

Mais voilà, on était en octobre et même si les lieux restaient toujours aussi plaisants, surtout dans le jardin de derrière, alors que la température variait d'un petit quinze dans l'après-midi pour descendre aux alentours de quatre ou cinq degrés en soirée, il n'y avait pas des masses de distractions à l'extérieur pour un homme comme lui, dans la force de l'âge. La piscine et la Méditerranée étaient glaciales.

Et, de toute façon, Laska n'avait pas de temps à perdre en frivolités. Il avait une mission à remplir.

Située au sud de la baie de Saint-Tropez, Saint-Aygulf était une cité balnéaire charmante, sans la foule et les embouteillages de sa célèbre voisine, mais tout aussi belle. En fait, cette exquise villa, adossée aux collines, avec sa vue imprenable sur la mer, était – et c'était un euphémisme – un petit paradis.

Il n'était pas propriétaire des lieux ; la villa appartenait à un célèbre acteur de Hollywood qui partageait sa vie entre la côte Ouest et la Côte d'Azur. Un coup de fil de son secrétaire à l'agent du comédien avait permis à Paul de réserver la propriété pour une semaine, même s'il escomptait y passer moins d'une journée.

Il était vingt et une heures bien sonnées quand un Français, la cinquantaine athlétique, franchit la porte vitrée coulissante de la bibliothèque, à l'arrière de la maison, pour gagner le patio. Il portait un blazer bleu et le col de sa chemise largement ouverte révélait un cou épais. Il arrivait tout droit de Cannes, et sa démarche assurée dénotait un caractère bien trempé.

Laska quitta sa chaise au bord de la piscine pour accueillir le visiteur.

« Quel plaisir de te revoir, Paul.

– Pareil pour moi, Fabrice. Tu m'as l'air en pleine forme. Toujours aussi bronzé.

– Et toi, tu me fais l'effet de t'être un peu trop surmené, là-bas en Amérique. Je ne cesse de te le dire : "Viens dans le midi de la France et tu vivras éternellement."

– Je te sers un cognac, avant le dîner ?

– Volontiers. »

Laska s'approcha d'une desserte près de sa table au bord de la piscine. Tandis que les deux hommes discutaient de la superbe villa de l'acteur – et de sa petite amie, tout aussi superbe –, le milliardaire tchèque leur servit deux verres de cognac. Bertrand-Morel prit le sien, goûta le breuvage et eut un hochement de tête approbateur.

Laska fit signe au Français de prendre place à table.

« Toujours un gentleman, mon cher Paul. »

Laska acquiesça, sourire aux lèvres, tout en réchauffant le verre entre ses mains.

Bertrand-Morel poursuivit son raisonnement : « Ce qui me fait penser, pourquoi diable as-tu laissé tes gardes du corps me palper – j'imagine à la recherche d'un micro ? C'était un rien cavalier. »

L'autre haussa les épaules. « Ah, ces Israéliens », dit-il simplement, comme si cela expliquait tout.

Bertrand-Morel passa outre. Il leva son verre au-dessus de la flamme d'une bougie de table pour le réchauffer. « Bref, Paul, je suis ravi de te revoir, même si, pour cela, j'ai dû soulever ma chemise et dégrafer ma ceinture. Ça fait un sacré bail. Mais je me disais, qu'est-ce qui peut bien être si important pour que tu aies besoin de me voir en personne ?

– Peut-être que ça pourra attendre la fin du dîner ?

– Non, dis-moi tout. Si c'est à ce point important, le dîner sera pour après. »

Laska sourit. « Fabrice, je te sais homme à pouvoir m'aider dans les affaires les plus délicates.

– Je suis à ton service, comme toujours.

– J'imagine que tu es au courant de cette affaire John Clark qui fait les manchettes aux États-Unis ? »

L'intonation de Laska pouvait laisser croire à une question alors qu'il était à peu près sûr que son interlocuteur savait déjà tout.

« Oui, l'affaire Clark, confirma le détective français. Le tueur à gages personnel de Jack Ryan, comme le titrent chez nous les journaux.

– Le scandale est effectivement de cette ampleur. J'ai besoin de toi, et de tes agents, pour retrouver M. Clark. »

Fabrice Bertrand-Morel arqua légèrement les sourcils ; il but une gorgée de cognac. « Je discerne les raisons pour lesquelles on peut me demander de participer à cette traque, puisque mes détectives couvrent tout le globe et qu'ils ont moult relations. Mais ce qui m'échappe totalement, c'est qu'une telle demande puisse émaner de toi. Qu'as-tu à voir avec cette histoire ? »

Laska détourna les yeux pour contempler la baie. « Je suis un citoyen préoccupé. »

Bertrand-Morel eut un petit rire qui fit tressauter sa grande carcasse. « Pardon, Paul, mais je dois en savoir un peu plus pour accepter une telle mission. »

Le Tchéco-Américain fixa son hôte. « Très bien, Fabrice. Je suis un citoyen préoccupé qui veillera à ce que ton agence reçoive la somme que tu jugeras convenable pour capturer M. Clark et le renvoyer aux États-Unis.

– C'est faisable, même si je crois savoir que la CIA est déjà sur le coup. J'ai donc peur de leur marcher sur les pieds.

– La CIA ne veut pas capturer le bonhomme. Aucun risque de les voir entraver quelqu'un d'aussi motivé que toi.

– Fais-tu cela pour aider Edward Kealty ? »

Laska acquiesça tout en dégustant une gorgée de cognac.

« Je comprends mieux maintenant pourquoi l'entourage du président Kealty ne m'a pas contacté directement. » Le Français hocha la tête. « Dois-je en déduire qu'il détient des informations susceptibles de gêner le candidat Ryan ?

– L'existence même de John Clark est une gêne pour le candidat Ryan. Mais sans sa capture, sans les images au journal télévisé de son arrivée, menotté, dans un commissariat de police, le président Kealty paraît impuissant et l'homme garde son aura de fascinant mystère. Ce n'est pas ce qu'on cherche. Ce qu'on cherche, c'est à le mettre en prison. Comme un criminel.

– "On", Paul ?

– Je parle en tant qu'Américain attaché au respect de la loi.

– Oui, bien sûr, *mon ami*[1]. Je vais sans tarder me mettre à la recherche de votre M. Clark. J'imagine que c'est toi qui vas régler la note, pas le contribuable américain ?

– Tu me feras directement parvenir le montant et je te ferai rembourser par ma fondation. Pas de facture, bien sûr.

– *Pas de problème*. Tu as toujours été considéré comme un bon payeur. »

---

1. Tous les mots et expressions en français dans le texte sont en italique accompagnés d'un astérisque.

49

EN DE TELLES CIRCONSTANCES, la fortune et les relations de Gerry Hendley s'avéraient bien pratiques. À quatre cents mètres par mer de la planque de Riaz Rehan se dressait, sur Palm Island, le luxueux hôtel Kempinski avec ses résidences privées. Or l'une d'elles – une villa de cinq pièces en bord de mer – appartenait à un ami britannique de Gerry qui travaillait dans l'industrie pétrolière. Hendley lui avait signalé qu'il en aurait besoin et aussitôt proposé de la lui louer, à la semaine, pour une somme astronomique. Tout n'étant pas parfait, l'habitation n'était pas vide. De fait, l'« ami de Gerry » était là, avec femme et enfant. Mais le pétrolier ne fut que trop ravi de faire ses bagages pour s'installer temporairement au Burj Al-Arab, l'exquis établissement six-étoiles en forme de voile qui se dressait sur un éperon s'enfonçant dans le golfe Persique. Tout ceci toujours aux frais de Gerry Hendley, bien entendu.

Le pétrolier débarrassa les lieux juste à temps. Le Gulfstream G550 se posa sur l'aéroport international de Dubaï et, passé le contrôle douanier, alla se garer au milieu d'un océan de jets privés dans la zone d'aviation générale.

Tandis que Ryan, Caruso et Chavez entreprenaient de

décharger la soute à bagages, Reid et son second se tenaient, figés, les yeux vitreux, sur le tarmac brûlant, moins par suite de l'épuisement à l'issue de ce long vol que de surprise au spectacle des cinq milliards de dollars de matériel garés autour d'eux.

Avions de luxe ou hélicoptères dernier cri, ils s'alignaient, bord à bord, et les deux pilotes avaient bien l'intention d'aller les examiner, un par un, de plus près.

Pour leur part, les trois agents du Campus comptaient inspecter un appareil en particulier : un Bell JetRanger aux couleurs de Kempinski prêt à les amener, eux et leurs bagages, directement à la résidence.

Vingt minutes après avoir débarqué du Gulfstream, Dom, Ding et Jack avaient donc repris l'air sous un éclatant soleil matinal. Ils longèrent tout d'abord le large chenal qui séparait la vieille ville, avec ses rues embouteillées et ses petits bâtiments bas en pierre, des gratte-ciel de la nouvelle Dubaï alignés le long de la côte.

Bientôt, ils obliquèrent vers la mer pour survoler Palm Island qui déployait sur cinq kilomètres son site gagné sur l'eau, dont les voies d'accès et les parcelles dessinaient la forme d'un palmier avec son tronc et ses quinze feuilles, le tout protégé par une île en forme de croissant qui servait de brise-lames.

C'est sur cette dernière que se dressait l'hôtel Kempinski avec ses résidences, et c'est là que l'hélicoptère se posa.

Les trois agents du Campus furent conduits vers leur propriété, un luxueux bungalow au bord d'un lagon tranquille. La planque de Rehan se dressait à l'extrémité d'une des feuilles de palmier, à quatre cents mètres de là. Ils pourraient donc la surveiller sans peine à travers les jumelles Leupold qu'ils avaient pris soin d'apporter, même s'ils avaient déjà prévu de l'examiner de bien plus près, sitôt la nuit tombée.

À deux heures trente du matin, assis dans un canot pneumatique, à mi-distance des résidences Kempinski et de la « branche de palmier » au bout de laquelle se dressait la planque du général pakistanais, Ryan, Chavez et Caruso observaient celle-ci avec leurs jumelles infrarouges. Ils relevèrent avec satisfaction qu'à l'exception des vigiles de permanence – un homme dans la guérite à l'entrée et deux autres patrouillant sur le terrain –, les alentours semblaient déserts. La propriété devait sans aucun doute être munie de caméras, de détecteurs de mouvements, voire de micros de surveillance, mais les trois hommes s'y étaient préparés, et c'était donc ce soir qu'ils allaient entamer la phase la plus dangereuse de l'opération.

Ils redoutaient bien moins de se faire repérer par cet arsenal de moyens de surveillance que de se faire canarder par les gardiens.

Ils avaient loué le canot et l'équipement de plongée dans une boutique située à deux pas de leur bungalow. Tous trois étaient des plongeurs expérimentés, même si Domingo ne manqua pas de leur rappeler que John Clark avait plus d'heures de plongée à son actif, rien qu'en six mois chez les commandos de marine qu'eux trois réunis durant toute leur vie. Toutefois, les eaux étaient calmes et ils n'avaient pas l'intention de plonger profond ni de rester longtemps immergés.

Le petit canot pneumatique n'était pas l'idéal pour cette opération ; pas plus du reste que l'équipement de plongée.

Mais c'étaient les seuls disponibles, aussi quand Ryan s'était plaint de leur piètre qualité, Chavez l'avait-il remis à sa place en lui disant qu'ils « n'auraient qu'à faire avec ».

S'ils avaient voulu pénétrer incognito dans la propriété par la mer, ils auraient dû privilégier l'usage de détendeurs munis d'un système de recyclage, qui évitait toute émission de bulles en récupérant les gaz expirés avant de les enrichir en oxygène. Un tel équipement était indispensable pour des plongées discrètes mais, même si celui qu'ils avaient loué, avec un circuit ouvert classique, allait libérer quantité de bulles lorsqu'ils seraient en immersion, ils émergeraient assez loin du rivage pour ne pas éveiller l'attention.

Ils jetèrent l'ancre et se glissèrent en silence dans les flots. Ryan passa aux deux hommes par-dessus bord des caisses lestées étanches, avant d'enjamber à son tour le boudin de caoutchouc et, une fois dans l'eau, d'attacher ses palmes.

Bientôt, chacun avec une caisse dans la main, les trois hommes descendirent à trois mètres de profondeur, puis après avoir repéré, en consultant leur ordinateur de plongée, la direction à prendre, ils s'ébranlèrent, Chavez en tête de file.

Ryan fermait la marche. Les pulsations de son cœur, mêlées aux sifflements de sa respiration filtrée par le détendeur, composaient un étrange rythme techno. Les eaux noires et chaudes l'enserraient à présent dans un cocon qui lui donnait l'impression d'être seul au monde. Il n'y avait que le battement rythmé des palmes de son cousin Dominic, trois mètres devant lui, pour lui rappeler qu'il était entouré de ses camarades – une pensée réconfortante.

Enfin, au bout de dix minutes d'immersion, le front de Jack vint taper doucement contre la bouteille de Dom. Ce dernier avait stoppé, tout comme Ding ; ils avaient atteint un palier sablonneux en contrebas de la plage étroite qui bordait la route d'Al-Khisab. La profondeur ici était inférieure à deux mètres cinquante et Chavez leur indiqua, à l'aide d'une discrète lampe électrique rouge, l'endroit où ils allaient pouvoir déposer leur équipement de plongée. Les hommes se défirent de leurs bouteilles, les attachèrent toutes ensemble et les arrimèrent à un rocher immergé ; puis chacun prit une dernière goulée d'air à son régulateur. Cela fait, ils gagnèrent le rivage et sortirent, vêtus de leur combinaison de néoprène noir et lestés de leurs caisses étanches.

Dix minutes après avoir laissé l'océan derrière eux, Dom, Ding et Jack se retrouvèrent dans une propriété située trois parcelles avant celle de Rehan et dépourvue de mur d'enceinte. Plongée dans l'obscurité, la maison était sans surveillance, aussi prirent-ils le risque d'y pénétrer en comptant également sur l'absence de détecteur de mouvements. Les hommes allèrent se dissimuler derrière l'imposant abri édifié au bord de la piscine et là, ils entreprirent l'assemblage du matériel qu'ils avaient sorti des caisses étanches. Les préparatifs leur prirent un bon quart d'heure, chacun se livrant à la tâche qu'on lui avait assignée, mais peu après trois heures du matin, Chavez leva le pouce, sans un mot, et Ryan s'assit, adossé au mur de l'abri. Puis il chaussa des lunettes vidéo et sortit d'une des caisses un boîtier de télécommande de la taille d'une boîte à chaussures.

Désormais et jusqu'à la fin du déploiement de l'équipement de surveillance, Jack Ryan Junior allait prendre en charge cette mission.

D'un geste bien rodé, Jack bascula un interrupteur sur la télécommande et mit en route le dispositif. Ses lunettes affichèrent aussitôt l'image transmise par la caméra infrarouge fixée sur une tourelle rotative disposée sous l'hélicoptère miniature radiocommandé, encore posé sur une feuille de plastique, à quelques pas de là. Avec ses deux rotors super-posés d'à peine trente-cinq centimètres de diamètre, l'engin n'avait pas l'air si différent d'un jouet perfectionné.

Mais ce n'en était pas un, pour preuve, le bruit qu'il émit sitôt que Jack eut lancé le moteur. Un bruit réduit des deux tiers par rapport à celui d'un jouet équivalent disponible dans le commerce. En outre, l'appareil pouvait transporter sous son ventre une charge largable par télécommande.

La société allemande qui fabriquait le micro-hélico le pré-sentait comme un système de visualisation et de transport destiné aux sites de stockage de déchets issus des industries nucléaires et biologiques, permettant à un opérateur de surveiller à distance des zones à risque et d'y déposer divers équipements, sondes ou caméras. Lorsque le Campus, l'année précédente, avait plus ou moins quitté son statut d'officine de barbouzes pour endosser celui, plus respectable, de service de renseignement traditionnel, il leur avait fallu trouver de nouvelles technologies adaptées à leurs missions. Avec seule-ment cinq agents en tout et pour tout, il devenait, en effet, essentiel d'alléger leur tâche à l'aide de solutions high-tech.

Jack avait donc un total de cinq chargements à déployer cette nuit avec son micro-hélico ; il ne perdit donc pas un seul instant et fit aussitôt décoller l'appareil.

Lorsque celui-ci fut parvenu à quinze mètres au-dessus de son aire d'atterrissage, Jack manipula un interrupteur à bas-cule logé sur le côté droit de sa télécommande. Ce faisant, il inclina vers le bas la caméra montée sur la tourelle sous le nez et, une fois celle-ci basculée de quatre-vingt-dix degrés, il put se contempler, flanqué de ses deux collègues, tapis dans l'ombre de l'abri bordant la piscine. Il annonça alors, à voix basse, à l'intention de Dom : « Calibrage point Alpha. »

Caruso vint s'installer auprès de lui, son ordinateur portable ouvert sur les genoux. L'écran affichait l'image transmise par la minuscule caméra embarquée. D'un clic, Dom créa un point de départ sur l'itinéraire de l'hélico, de sorte qu'il suffirait de rappeler ce point « Alpha » pour que, guidé par son pilote automatique asservi à un GPS, l'appareil rallie directement cette position à la verticale de sa base.

Après avoir pianoté les indications requises, Dom annonça : « Point Alpha calibré. »

Jack fit alors grimper l'appareil jusqu'à soixante mètres. Une fois cette altitude atteinte, il lui fit survoler les trois propriétés qui les séparaient de celle de Rehan. Il avait légèrement redressé l'azimut de la caméra sur tourelle afin d'embrasser à la fois le sol et le ciel.

Lorsqu'il eut positionné l'hélico lesté de sa charge à la verticale de la partie terrasse du toit, il lança à Dom : « Calibrage Bravo. »

Peu après, vint la réponse : « Point Bravo calibré. »

L'objectif de Jack était la large bouche de climatisation installée sur le toit, mais il n'avait pas besoin de descendre tout de suite. Il commuta d'abord la caméra en visée infrarouge pour se mettre à la recherche des vigiles de Rehan. À la faveur de l'obscurité, il redoutait moins d'être repéré en visuel que par le bruit du moteur. Certes discrète, la machine n'était pas totalement silencieuse, surtout quand elle survolait une propriété déserte située au bout d'une impasse, au beau milieu de la nuit. Ryan devait être absolument certain qu'il n'y avait personne, ni sur le toit, ni en patrouille dans le jardin à l'angle nord-est de la maison.

La technologie employée avait d'autres limites que Jack ne devait pas perdre de vue : ainsi, du fait de la légèreté de la machine, et malgré la présence d'un gyroscope stabilisateur, sa sensibilité au vent de travers. Jack devait donc prendre garde à ce qu'une brise de mer ne vienne dévier l'appareil, le désorienter et l'envoyer valdinguer contre un mur ou dans un palmier. Sa seule parade alors serait de gagner de l'altitude ou de demander à Dom de ramener l'hélico au point bravo, mais il savait qu'il n'aurait pas beaucoup de temps pour se décider une fois qu'il se trouverait plus près du sol.

Jack scruta lentement la zone. Dans ses lunettes vidéo, il ne pouvait voir que le champ défini par la minuscule caméra, vu de soixante mètres de haut et à cent cinquante mètres de distance. Dom et lui étaient entièrement concentrés sur leur tâche, aussi Chavez avait-il celle d'assurer la sécurité de l'équipe. N'ayant ni lunettes ni écran pour le distraire ou obstruer son champ visuel, il s'était installé au bord de la piscine et surveillait les alentours à travers le viseur infrarouge de sa mitraillette HK MP7 à silencieux.

À travers ses lunettes, Jack repéra l'empreinte thermique de l'homme posté à la grille d'entrée, puis celle d'un collègue devant la guérite en conversation avec lui. En revenant vers la maison, il identifia une troisième signature, celle d'une sentinelle en train de se balader d'un pas tranquille du côté du court de tennis. Il estima que les trois hommes étaient bien trop loin pour détecter le bruit de l'hélico.

Il s'offrit alors une seconde de répit pour essuyer sur son front la sueur qui menaçait de lui couler dans les yeux. Au cours des prochaines minutes, tout – à savoir l'ensemble de cette mission qui représentait leur meilleure chance d'obtenir des données exploitables sur le général Riaz Rehan –, tout allait dépendre de sa dextérité et de son esprit de décision.

« J'y vais », murmura-t-il et il effleura le contrôle d'altitude de la télécommande pour descendre d'abord à cinquante mètres, puis à trente et enfin à quinze. Il murmura : « Calibrage point Charlie.

– Calibré », confirma Dom.

Il ramena prestement l'objectif de la caméra vers la guérite à l'entrée avant de revenir à sa cible. Il localisa les trois vigiles et put confirmer que, là où ils se trouvaient, ils ne constituaient aucune menace pour la suite de l'opération. Nouvelle inspection du toit : rien à signaler.

Une brise de mer dévia l'appareil vers la gauche. Il compensa avec la manette directionnelle. Installé comme il l'était au ras du sol près de la piscine, il ne sentait pas le vent mais là-haut, à quinze mètres d'altitude, la rafale avait bien failli envoyer au tapis son hélico. Certes, il y en avait un de rechange dans une des caisses, mais le préparer leur ferait perdre un temps précieux. Ils avaient décidé que si jamais ils perdaient le premier appareil lors de l'insertion, ils utiliseraient le second pour tenter de récupérer l'épave : il n'était pas question d'abandonner en terrain ennemi un engin radio-commandé doté d'une caméra et d'un émetteur dernier cri, au risque de révéler aux gardes leur mission de reconnaissance.

Caruso se pencha pour parler à l'oreille de son cousin. « Pas grave, Jack. Recommence, c'est tout. Prends ton temps. »

Jack était à présent trempé de sueur. Cela n'avait rien à voir avec le toit du parking au siège de la firme. Ici, on était sur le terrain, dans le monde réel, sans grand rapport avec son entraînement.

Jack laissa la transpiration couler dans ses yeux, tout à sa tâche de faire atterrir l'engin radiocommandé.

Il se posa en douceur sur le toit, à proximité d'une buse d'aération. Aussitôt, Jack coupa le moteur, posa sa télécommande et tâtonna dans l'herbe pour en saisir une autre. Celle-ci, trois fois plus petite, tenait dans une seule main. Elle n'était dotée que d'un simple bouton-poussoir. À présent, ses lunettes lui transmettaient une autre image. Provenant d'une caméra ultrasensible, elle lui montrait, par en dessous, une des poutrelles de l'hélico, au-dessus des patins d'atterrissage et, derrière, les fines persiennes de la bouche de ventilation.

Cette seconde caméra était fixée au sommet d'un robot de dix centimètres sur cinq et haut de trois à peine, retenu par un électro-aimant sous la coque de l'hélicoptère. Une pression sur le bouton de la télécommande le libéra et quand Ryan le mit en service, deux rangées de pattes minuscules se déployèrent et le robot – qui évoquait désormais un mille-pattes – se mit à progresser sur le toit.

Ryan testa la marche avant et la marche arrière, puis il fit tourner la caméra full-HD dans toutes les directions. Satisfait du fonctionnement de ce nouveau gadget, il l'éteignit et reprit la première télécommande pour ordonner à l'hélico de rentrer au bercail, en repassant par les trois points précédemment définis.

Cinq minutes plus tard, l'hélico déposait un second micro-robot espion juste à côté du premier. Dans l'intervalle, le vent avait fraîchi, si bien que cette deuxième sortie prit presque deux fois plus de temps que la précédente.

« Paré pour le numéro trois », murmura Jack quand l'hélicoptère fut revenu se poser.

Chavez installa le troisième robot sous l'appareil. « Microhélico paré à larguer charge utile numéro trois.

– Est-ce qu'on est toujours dans les temps ? » demanda Ryan.

Après un instant d'hésitation, Chavez répondit. « À peu près. Pas besoin de te dépêcher, mais ne traîne pas non plus.

– Compris. »

Et Jack commuta de nouveau les lunettes vidéo sur la caméra embarquée sous le nez de l'appareil.

Après la livraison d'un troisième, puis d'un quatrième microrobot près de la buse de ventilation sur la terrasse du bâtiment, Jack ramena l'hélico vers le point Alpha, soixante mètres au-dessus de sa tête, en vue de le poser. Chavez était déjà prêt, muni de la cinquième charge utile, mais aussi d'une batterie chargée car ils avaient calculé que l'engin ne pouvait pas voler plus d'une heure sur la même charge.

« OK, dit Jack. Je le ramène au sol. »

En cet instant précis, un brusque coup de vent fit dévier l'hélico vers l'intérieur des terres. Jack avait déjà dû affronter une demi-douzaine d'incidents analogues au cours des quarante-cinq dernières minutes, aussi réagit-il sans paniquer. Il ramena d'abord l'appareil au-dessus de l'eau, attendit une seconde qu'il se redresse, puis crut alors l'avoir repris en main. Mais l'engin dériva de nouveau, puis une troisième fois encore alors qu'il entamait sa descente.

« Putain, lâcha-t-il, je crois bien que je suis en train de le perdre. »

Caruso surveillait la transmission sur son écran. « T'as qu'à descendre un poil plus vite.

– OK. » Là-haut, l'appareil fit une embardée et Ryan dut le redresser. « Je perds le guidage GPS. Ce doit être la batterie qui est en train de flancher.

– Ding, est-ce que tu le vois ? » demanda Caruso.

Chavez scruta le ciel nocturne. « Négatif.

– Garde l'œil ouvert, il se pourrait que tu doives le récupérer. »

Mais il était trop tard. Jack vit l'horizon marin et les lumières de l'hôtel Kempinski sortir de son champ visuel alors que l'appareil entamait une lente rotation tout en perdant rapidement de l'altitude.

« Merde ! s'exclama-t-il au mépris de toute discrétion. Il est H.S. Il dégringole.

– Putain, j'y vois goutte, dit Chavez qui tournait en rond, les yeux au ciel. Il descend vite ? »

Au même moment, l'hélico vint s'écraser dans l'herbe à trois mètres de son aire de lancement. Il explosa en une douzaine de morceaux.

Jack ôta ses lunettes. « Putain de merde. Prépare le second hélico. »

Mais Chavez – qui s'approchait déjà de l'épave – objecta aussitôt : « Négatif. On fera avec les quatre robots déjà sur zone. Pas le choix. Trop tard pour lancer l'autre machine.

– Compris », fit Jack, secrètement soulagé.

Il était vanné, après la tension consécutive au pilotage du minuscule appareil jusqu'à sa cible et il avait hâte d'être de retour pour enfin laisser à Caruso la charge de piloter à distance les micro-robots dans les conduits de ventilation.

50

I L ÉTAIT BIENTÔT cinq heures du matin quand les trois hommes réintégrèrent leur bungalow. Jack était complètement lessivé. Tandis que Domingo et Dominic installaient l'équipement nécessaire à la télécommande des micro-robots, Ryan se laissa choir sur le canapé, sans même avoir pris la peine de se sécher après sa plongée. Cela fit rire Dom ; il avait connu le même genre d'effort physique que son cousin mais Junior avait dû subir en plus la tension mentale consécutive au décollage, au vol et à l'atterrissage de l'hélicoptère radiocommandé.

C'était maintenant au tour de Caruso de piloter.

Dominic avait étudié les plans de plusieurs résidences construites à Palm Jumeirah dans l'idée d'y trouver les points d'entrée les mieux adaptés à leurs robots. Il avait opté en définitive pour les buses de ventilation débouchant sur les toits en terrasse et, sitôt que l'ancien agent du FBI eut fait pénétrer son premier micro-robot dans le conduit, il nota, soulagé, qu'aucune grille métallique risquant d'entraver sa progression n'avait été ajoutée ultérieurement.

Les pattes minuscules du robot pouvaient être magnétisées pour faciliter ses évolutions sur des parois métalliques verticales – comme celles qu'on pouvait trouver dans les conduits du réseau de climatisation. Il n'eut ainsi aucun problème pour se déplacer sur tous les axes, alors qu'il s'enfonçait à l'intérieur de la planque de Rehan.

La vidéo était d'une qualité remarquable, malgré quelques décrochages inhérents aux fluctuations du débit de transmission. Dom et les autres opérateurs du Campus avaient eu l'occasion de tester également la caméra infrarouge, analogue – mais d'une qualité supérieure – à celle installée dans le nez de l'hélico. Mais en définitive, ils avaient décidé qu'ils n'en auraient pas besoin pour cette phase de leur insertion, sans compter que les caméras infrarouges consommaient plus de courant, au détriment de l'autonomie des drones.

Au bout de vingt minutes, il avait réussi à placer son premier robot à l'entrée de la bouche inférieure de ventilation de la chambre principale. Dom ajusta l'inclinaison de la caméra et vérifia que rien n'obstruait la vue. Puis il ajusta la balance des blancs et peaufina la mise au point.

L'écran du portable leur afficha une image en couleurs absolument impeccable et, même si le silence régnait pour l'instant, le bruit de l'air soufflé par la buse de ventilation lui confirma que le micro fonctionnait parfaitement.

Dominic Caruso répéta la manœuvre deux fois au cours de l'heure qui suivit. Le deuxième robot fut installé au débouché de la buse supérieure du séjour. La caméra ne lui offrait qu'une vue limitée à une zone réduite allant du canapé à l'entrée, mais Caruso estima que le micro était idéalement placé pour capter tout ce qui pourrait se dire dans la pièce.

Le troisième micro-robot avait démarré sans encombre mais presque aussitôt, il s'immobilisa à moins de trente centimètres de la buse d'aération. Dom et Jack passèrent plusieurs minutes à tenter de régler le problème avant d'y renoncer, incapables qu'ils étaient de décider s'il s'agissait d'une panne mécanique ou logicielle. Le robot fut donc déclaré hors-service et Caruso passa au quatrième et dernier. Celui-ci put sans problème être placé en surveillance d'un espace de bureau situé au premier étage.

À sept heures du matin, la mise en place était achevée et Dominic éteignit toutes les caméras. Ces équipements de surveillance – caméras et micros – étaient passifs et il fallait donc les activer à distance. Mais cela prolongeait considérablement leur autonomie électrique, un point essentiel dans le cadre d'une opération prévue pour durer une semaine, voire plus.

Caruso appela Granger au siège et ce dernier lui confirma qu'ils avaient pu récupérer les images et le son transmis par les trois robots, et ce dans d'aussi bonnes conditions que les trois hommes dans leur bungalow. Il était en effet nécessaire de transmettre les signaux en direct au Campus car, supposait-on, Rehan s'exprimerait dans sa langue natale, or Rick Bell pouvait disposer en permanence d'un analyste parlant l'urdu.

Caruso demanda à Granger s'il y avait du nouveau concernant Clark mais John ne s'était toujours pas manifesté. Sam Granger ajouta que Driscoll n'était toujours pas revenu au bercail, mais il précisa aussitôt qu'ils n'avaient aucune raison de suspecter un problème.

L'entretien terminé, Chavez alla s'effondrer sur le canapé à côté de Ryan. Les deux hommes étaient comme Jack, lessivés.

Au début, Jack Junior s'était senti déprimé par les résultats de la mission. « Tout ce boulot et, au final, juste trois caméras sur cinq en ligne ? Vous rigolez ou quoi ? Pour autant qu'on sache, Rehan aime bien bosser attablé dans sa cuisine. Si c'est le cas, on est baisés : on n'entendra rien, vu qu'on a posté nos micros dans le séjour, le bureau et la chambre. »

Mais Domingo apaisa son jeune collègue. « N'oublie jamais ça, *'mano*, dans le monde réel, ça ne se passe pas comme dans les films. Si tu veux mon avis, trois sur cinq, c'est une réussite. On est dans la place. Peu importe qu'il y ait une caméra ou cent. On y est, bordel ! Et crois-moi, on va ramasser le gros lot ! »

Chavez insista pour que ses deux camarades se joignent à lui pour fêter ça avec un copieux petit déjeuner. Ryan déclina d'abord, assurant qu'il avait du sommeil en retard, mais sitôt que le champagne, les omelettes et les pâtisseries furent livrés, il se ravisa et se régala avec les deux autres.

Après le petit déjeuner, ils nettoyèrent leur matériel de plongée.

Et puis, enfin, ils dormirent.

51

CLARK MIT PLUSIEURS JOURS pour localiser sa cible en Allemagne. L'homme qu'il recherchait s'appelait Manfred Kromm et ledit Kromm s'était révélé un client particulièrement difficile à trouver. Il n'agissait pas dans la clandestinité, il ne cherchait pas délibérément à se dissimuler. Non, si Manfred Kromm était difficile à localiser, c'était parce qu'il était un citoyen lambda.

Trente ans plus tôt, il avait joué un certain rôle dans le milieu du renseignement est-allemand. Lui et son partenaire avaient commis un acte illégal et l'on avait fait appel à Clark pour débrouiller la question. Aujourd'hui, l'homme était un septuagénaire, il avait quitté Berlin, il était à la retraite et n'intéressait plus personne.

Clark savait qu'il était toujours vivant parce que les questions que le FBI avait posées à Hardesty ne pouvaient qu'émaner de lui. Certes, il était possible qu'il ait couché par écrit sa version des faits survenus dans ce passé lointain, puis qu'il l'ait transmise dans l'intervalle, mais Clark avait du mal à l'imaginer rédigeant de son plein gré une telle confession écrite, et il ne voyait pas de raison pour que cette information remonte à la surface précisément aujourd'hui, sauf si Kromm avait raconté son histoire tout récemment.

Kromm vivait désormais à Cologne, en Rhénanie-du-Nord-Westphalie, au bord du Rhin. Clark l'avait retrouvé, en définitive, après s'être rendu à sa dernière adresse connue, dans un immeuble bas du quartier berlinois d'Haselhorst, en se faisant passer pour un parent éloigné de retour après une longue absence. La nouvelle locataire savait que Kromm avait déménagé à Cologne, elle précisa par ailleurs qu'il avait une jambe équipée d'un appareil orthopédique, suite aux lésions nerveuses occasionnées par son diabète. Clark nota l'information et mit le cap sur Cologne où il passa trois journées interminables à se faire passer pour le représentant d'un fournisseur américain d'équipement médical. Il fit même imprimer des cartes de visite, fabriqua des fausses factures et bidonna des échanges de fax avant de faire la tournée de tous les fournisseurs de matériel orthopédique de la capitale rhénane. Il prétendait que sa firme avait fabriqué sur mesure une prothèse orthopédique commandée par un certain Kromm et demandait qu'on l'aide à retrouver l'adresse actuelle de son client.

Il fut éconduit à plusieurs reprises sans autre forme de procès mais la plupart des commerçants consentirent à éplucher leur fichier clients et l'un d'eux possédait en effet les coordonnées d'un dénommé Manfred Kromm, soixante-quatorze ans, résidant au 13 Thieboldgasse, appartement 3A, à qui l'on envoyait chaque mois son lot de seringues et de bandes de test d'insuline.

Et voilà, c'est ainsi que John Clark avait retrouvé son homme.

Son domicile se trouvait dans la vieille ville de Cologne. Le 13 Thieboldgasse était un immeuble de trois étages crépi de blanc, un parmi la cinquantaine de bâtiments analogues édifiés de chaque côté de la rue avec, çà et là, un arbre planté sur la pelouse aménagée au pied de la façade. D'étroites allées pavées de larges dalles et bordées d'une haie basse traversaient l'herbe pour desservir chaque porte d'entrée à un seul battant vitré.

John passa une heure à sillonner le quartier sous une averse d'après-midi, excellent prétexte pour déployer un parapluie, remonter le col de son imper et ainsi dissimuler ses traits. Il avait l'intention de déterminer des itinéraires de fuite au cas où l'entretien se passerait mal. Il rejoignit l'arrêt de bus, puis celui du tram et, planqué sous l'abri, s'assura qu'aucun flic ou postier en goguette ne risquait de le déranger en passant dans la rue au mauvais moment. Tous ces appartements étaient loués et il nota suffisamment d'allées et venues pour être, là aussi, rassuré : il ne risquerait pas d'attirer l'attention des passants. Après avoir surveillé les alentours pendant une heure, il concentra son attention sur le numéro 13.

Le bâtiment était relativement récent selon des critères européens ; il faut dire que le centre-ville avait été entièrement rasé par les bombardements alliés de la Seconde Guerre mondiale. Au bout de longues minutes d'examen détaillé du 13 Thieboldgasse, sous la pluie, depuis le trottoir d'en face, l'immeuble finit par lui paraître aussi moche et terne que la guerre froide.

En ce temps-là, celui d'une guerre qui n'était jamais trop froide pour les hommes qui, comme lui, se retrouvaient en première ligne, Clark s'était rendu en Allemagne pour une opération spéciale. À l'époque, il était au service action de la CIA – le SAD, service des activités spéciales.

On était allé le chercher lors d'un stage d'entraînement en

Caroline du Nord avec des membres de la toute récente unité d'élite de l'armée, la Force Delta, on l'avait mis dans un Lear-Jet 35A de la CIA et expédié en Europe. Après une escale sur la base de Mildenhall dans le Suffolk pour ravitailler, son avion avait repris l'air.

Personne ne lui avait indiqué où il devait se rendre et ce qu'il était censé y faire.

Il atterrit à Berlin-Tempelhof et fut aussitôt transféré dans une planque située à portée de fusil du Mur.

Là, il rencontra un vieil ami du nom de Gene Lilly. Ils avaient travaillé ensemble au Vietnam et Lilly était désormais le chef d'antenne de la CIA à Berlin. Il expliqua à Clark qu'il devait effectuer une banale livraison de l'autre côté de la frontière, mais ce dernier avait aussitôt flairé un lézard. Il savait bien qu'on n'avait pas besoin d'un homme du SAD pour une telle tâche. Il fit part de ses doutes à Lilly et c'est à ce moment que son supérieur éclata en sanglots.

Gene expliqua qu'il s'était fait piéger par une prostituée qui travaillait avec deux agents de la Stasi devenus proxénètes pour arrondir leurs fins de mois. Ils lui avaient extorqué toutes ses économies et il avait besoin de John pour leur remettre la sacoche remplie de billets en échange d'une pochette remplie de négatifs. Clark ne lui demanda pas ce qu'il y avait dessus – il préférait surtout de ne pas savoir.

Lilly lui fit bien comprendre qu'il ne pouvait se fier à personne d'autre dans le service, et Clark, qui avait alors trente-trois ans, promit d'aider son vieil ami.

Quelques minutes plus tard, John se vit confier une sacoche pleine de marks et fut conduit à la station de métro. Il s'engouffra dans un train à moitié vide.

L'échange entre Clark et les maîtres chanteurs de la Stasi

s'était déroulé dans un endroit surréaliste, un lieu unique à Berlin et durant la guerre froide. Le réseau de métro berlinois avait plusieurs lignes qui, sur une partie de leur trajet, passaient sous le territoire de Berlin-Est. Après la partition de la ville en 1961, les rames de ces lignes se virent interdire de marquer l'arrêt aux stations situées de l'autre côté. Les Allemands de l'Est barricadèrent ou murèrent les bouches de métro, dans certains cas, on construisit même des appartements par-dessus et ces arrêts disparurent des plans édités à Berlin-Est. En sous-sol, ces quais et ce dédale de couloirs sombres et déserts prirent le nom de *Geisterbahnhöfe* – « stations fantômes ».

Peu après minuit, John Clark se laissa choir de l'arrière de la dernière voiture d'un train de la ligne 8, alors qu'elle passait sous le quartier de Mitte, à Berlin-Est. Tandis que la rame s'éloignait dans le tunnel en cliquetant, l'Américain sortit une lampe torche, rajusta la sacoche passée à son épaule et s'ébranla. Après quelques minutes, il avait rejoint la station fantôme de Weinmeisterstrasse. Il attendit sur le quai plongé dans les ténèbres, seulement dérangé par le bruit des rats à ses pieds et des chauves-souris au-dessus de sa tête.

Bientôt, le faisceau d'une torche surgit dans l'escalier. Un homme apparut qui braqua sa lumière sur Clark et lui dit d'ouvrir la sacoche. Clark obéit et l'homme déposa sur le béton poussiéreux une pochette qu'il fit glisser vers l'Américain.

Clark la ramassa, vérifia qu'elle contenait bien les négatifs, puis il déposa la sacoche.

L'affaire aurait pu – aurait *dû* – en rester là.

Mais les escrocs de la Stasi étaient trop gourmands et ils avaient bien l'intention de récupérer leurs négatifs et de pouvoir ainsi recommencer leur chantage.

John Clark s'était tourné pour redescendre sur les voies,

mais il entendit alors un bruit venant du quai opposé. Il braqua sa torche juste à temps pour voir un homme lever un pistolet vers lui. Clark plongea et roula sur le béton du quai tandis qu'un coup de feu se réverbérait dans le dédale de galeries et de tunnels.

L'agent de la CIA se rétablit, cette fois avec en main un Colt 45 modèle 1911. Il tira à deux reprises, atteignit les deux fois en plein torse le tireur qui tomba raide mort.

Clark se retourna ensuite vers le complice qui avait récupéré l'argent. L'homme de la STASI avait déjà rebroussé chemin et gravissait l'escalier. Clark tira mais le rata juste avant qu'il ne disparaisse à sa vue. L'idée lui vint de se lancer à sa poursuite, c'était le penchant naturel d'un expert en action directe comme lui, d'autant que rien ne lui garantissait que l'homme n'allait pas se raviser et s'en prendre à lui. Mais juste à cet instant, une nouvelle rame approcha de la station et Clark dut aller se planquer précipitamment derrière une colonne en béton. Les lumières des voitures dessinèrent des ombres allongées sur le quai poussiéreux. Clark se coula vers le mur carrelé et, profitant de la lumière, risqua un regard dans le couloir pour voir par où l'Allemand de l'Est avait disparu. Il ne put rien distinguer et il savait par ailleurs que, s'il ratait ce train, il allait devoir attendre dix minutes la rame suivante.

Clark calcula à la perfection son embarquement au vol. Il saisit la main courante de la dernière porte de la dernière voiture, puis se glissa jusqu'à l'arrière de celle-ci. Il resta planqué là dans le noir pendant plusieurs minutes, le temps que la rame soit de retour à Berlin-Ouest ; il descendit alors à la première station et se fondit dans le flot clairsemé des voyageurs.

Une demi-heure plus tard, il était dans un tram rempli d'Allemands de l'Est qui rentraient chez eux après leur travail de nuit. Encore une demi-heure et il remettait les négatifs à Gene Lilly.

Le lendemain, il quittait Berlin sur un vol commercial, certain que rien de cette aventure ne serait consigné dans les dossiers de la CIA ou du Staatssicherheitsdienst est-allemand.

Toujours debout sous la pluie de Cologne, Clark évacua ces souvenirs pour regarder autour de lui. L'Allemagne d'aujourd'hui n'avait plus grand rapport avec la nation divisée qu'il avait connue trente ans plus tôt. Puis il se rappela que les problèmes du jour exigeaient toute son attention.

À seize heures, alors que le ciel gris s'assombrissait, une lumière apparut dans le hall étroit du 13, Thieboldgasse. Il aperçut au bas de l'escalier une dame âgée en train de mettre la laisse à son chien. Clark se dépêcha de traverser la rue, il remonta son col et se plaça sur le côté de la porte au moment précis où la dame au chien l'ouvrait pour sortir, les yeux déjà fixés sur la rue devant elle. Avant que la porte n'ait eu le temps de se refermer, John Clark s'avança en rasant le mur et pénétra discrètement dans le hall.

Il était déjà à mi-étage, le pistolet SIG Sauer dans la main, quand il entendit derrière lui la gâche électrique se verrouiller de nouveau.

Manfred Kromm réagit en grognant aux coups frappés à la porte. Ce devait être Herta, sa voisine de palier, qui avait dû, encore une fois, s'enfermer dehors après avoir promené son affreux caniche gris, et il savait qu'il allait devoir, pour la centième fois, crocheter sa serrure.

Il ne lui avait jamais dit d'où il tenait ce talent. Elle ne le lui avait pas demandé non plus.

Qu'elle se boucle dehors exprès pour qu'il lui prête attention ne faisait que l'irriter davantage. Il n'avait rien à cirer de cette vieille mégère. C'était une enquiquineuse de première, tout juste moins pénible que les jappements de son *Hündschen* Fifi. Manfred Kromm s'abstenait néanmoins de laisser paraître qu'il avait vu clair dans son jeu. Lui qui vivait en solitaire, pour ne pas dire en ermite, ne voulait surtout pas donner l'impression qu'il pouvait attirer la curiosité de ses semblables, si bien qu'il affichait toujours un sourire mais n'en pensait pas moins, quand il devait se résoudre à crocheter la *gottverdammte* porte de cette vieille sorcière, chaque fois qu'elle frappait chez lui.

Il quitta donc sa chaise, se traîna d'un pas lent jusqu'à la porte et récupéra son rossignol posé sur la table dans l'entrée. Il posa la main sur la poignée et s'apprêta à sortir sur le palier. Ce n'est que par la force de l'habitude qu'il jeta distraitement un coup d'œil par le judas. Satisfait de son examen, il allait ouvrir machinalement quand il eut un sursaut et retourna regarder. Non, il n'avait pas eu la berlue : il y avait bien sur le palier un homme en imperméable.

Et dans sa main, il y avait un pistolet automatique muni d'un silencieux, qu'il pointait directement sur la porte de Manfred Kromm.

L'homme s'exprima en anglais, assez fort pour être entendu à travers l'épaisseur du battant. « À moins que votre porte soit en acier blindé ou que vous soyez capable de courir plus vite qu'une balle, vous feriez mieux de m'ouvrir.

– *Wer ist denn da ?* » – « Enfin, qui est là ? » demanda Kromm, d'une voix rauque.

Ayant appris l'anglais, il avait compris l'avertissement, mais n'ayant plus pratiqué depuis des lustres, il avait préféré répondre dans sa langue natale.

« Quelqu'un de votre passé. »

Et soudain, Kromm sut. Il sut exactement qui était cet homme.

Et il sut qu'il allait mourir.

Il ouvrit la porte.

« Je reconnais votre visage. Il est plus âgé. Mais je me souviens de vous », dit Kromm. Obéissant à Clark, il était retourné s'asseoir devant le téléviseur. Les mains posées sur les genoux, il croisait et décroisait lentement ses doigts gonflés par l'arthrite.

Clark était resté debout et le tenait toujours en respect avec son arme.

« Tu es seul ? » Clark avait posé la question mais, sans attendre de réponse, il avait déjà entrepris d'explorer le minuscule appartement.

Manfred Kromm hocha la tête. « *Selbsverständlich* ». Évidemment.

Clark poursuivait son inspection, sans cesser de braquer son SIG sur la poitrine du vieil homme. Il avertit : « Pas un geste. J'ai bu pas mal de café aujourd'hui, alors un bon conseil, mieux vaudrait ne pas mettre ma nervosité à l'épreuve.

– Je ne bougerai pas », promit le vieil Allemand. Avant d'ajouter : « Ce flingue, dans votre main, est la seule arme de cet appartement. »

Clark termina son inspection. Ce ne fut pas long. L'appartement mesurait moins de quarante mètres carrés en tout. Mis à part la cuisine qui donnait sur un escalier de service, il n'y avait aucun aménagement qualifiable de luxueux. « Eh bien, trente ans de service dans la Stasi, et c'est tout ce que tu en as retiré ? »

Le vieil Allemand eut un petit sourire. « Si j'en crois les commentaires de votre gouvernement sur votre compte, Herr Clark, il ne semble pas que votre organisation ait mieux récompensé vos efforts. »

Clark ne put réprimer à son tour un sourire. Puis, du bout du pied, il poussa une table basse contre la porte d'entrée. Ça ralentirait toujours un éventuel intrus. Certes, pas des masses de temps sans doute. Clark s'était posté près de la porte, le canon de son arme toujours braqué sur le vieil homme solidement charpenté assis, mal à l'aise, dans son fauteuil.

« Tu as raconté des histoires.

— Je n'ai rien dit du tout.

— Je ne te crois pas. Et c'est là le problème. »

Pointant toujours son arme, Clark se glissa vers l'angle de la pièce. Un grand vaisselier se dressait contre le mur voisin. Il le poussa devant la porte de la cuisine, bloquant ainsi l'escalier de service. Les piles d'assiettes oscillèrent et plusieurs tombèrent avant qu'il ait fini de caler le meuble. La seule porte encore libre était désormais celle donnant accès à la chambre, derrière Manfred.

« Raconte-moi ce que tu leur as dit. Intégralement.

— Monsieur Clark, je n'ai pas la moindre idée de ce que…

— Il y a trente ans, trois individus ont pénétré dans la Geisterbahnhof. Deux en sont ressortis vivant. À l'époque, tu travaillais pour la Stasi, tout comme ton collègue, mais sans vraiment suivre les règles de la maison puisque vous arrondissiez vos fins de mois en pratiquant l'extorsion de fonds.

On m'avait donné l'ordre de vous laisser filer mais ton partenaire, Lukas Schuman, a tenté de me tuer après que tu a eu récupéré les billets.

« J'ai tué Lukas Schuman et tu as filé, et j'ai su d'emblée que tu n'allais pas retourner voir Markus Wolf et lui raconter comment votre petit commerce illégal avait mal tourné. Non, il te fallait rester bouche cousue pour ne pas avoir à restituer l'argent. »

Kromm ne dit rien, se contentant de presser les mains sur ses genoux, comme s'il travaillait des *Brötschen* avant de les mettre au four.

Clark poursuivit : « Et de mon côté, j'avais ordre de ne pas consigner l'affaire dans les registres officiels de l'Agence. La seule personne, en dehors de nous deux et de l'infortuné Lukas Schuman, à savoir ce qui s'était réellement passé cette nuit-là dans la station fantôme était mon supérieur, et il est mort il y a quinze ans sans avoir jamais soufflé mot à quiconque de cette histoire.

– Je n'ai plus un sou de cet argent, dit Kromm. J'ai tout dépensé. »

Clark soupira, comme dépité par la révélation de l'Allemand. « Mais bien sûr, Manfred, parce que je suis revenu trente ans plus tard récupérer une sacoche remplie de vieux billets sans valeur.

– Dans ce cas, que voulez-vous ?

– Je veux savoir à qui tu as parlé. »

Kromm hocha la tête. « Ça pourra ressembler à un cliché de film d'espionnage hollywoodien, mais c'est la vérité : si je parle, ils me tueront.

– Qui ça, *ils*, Manfred ?

– Je ne suis pas allé les chercher. C'est eux qui m'ont contacté. Je n'avais aucun intérêt à déterrer les squelettes de notre passé commun. »

Clark leva son pistolet et mit l'Allemand en joue.

« Qui, Manfred ? À qui as-tu parlé de 1981 ?

– À l'Obtshak ! »

Clark pencha la tête, rabaissa son arme. « Qui ça ?

– L'Obtshak, ce n'est pas un individu, c'est une organisation. La mafia estonienne. Pour ainsi dire une filiale de son homologue russe. »

John ne chercha pas à dissimuler sa perplexité. « Et ils t'ont interrogé ? En me citant nommément ?

– *Nein*, ce n'était pas un interrogatoire au sens habituel. Ils m'ont frappé. Puis ils ont cassé une cannette de bière, ont plaqué le tesson contre ma gorge, et alors seulement, ils m'ont interrogé.

– Et tu leur as parlé de Berlin.

– *Natürlich !* Vous pouvez me tuer si ça vous chante, mais pourquoi aurais-je dû vous protéger ? »

Une idée vint à Clark. « Comment pouvais-tu savoir qu'ils étaient de l'Obtshak ? »

Kromm haussa les épaules. « C'étaient des Estoniens. Ils parlaient la langue. Si quelqu'un se conduit en voyou et qu'il est estonien, je présume qu'il appartient à l'Obtshak.

– Et ils sont venus jusqu'ici ?

– À mon domicile ? *Nein*. Ils m'avaient fixé rendez-vous dans un entrepôt à Deutz. En me disant qu'il y avait de l'argent à se faire. Dans la sécurité.

– La sécurité ? Ne me raconte pas de craques, Kromm. Personne ne va t'engager pour ce genre de boulot. »

L'Allemand commença à lever les mains pour protester, mais le canon du SIG de Clark revint sur lui en une fraction de seconde. Kromm abaissa les bras.

« Il m'est déjà arrivé, dans le temps, de… faire des travaux pour la communauté d'immigrants d'Europe de l'Est.

– Quel genre ? Des faux papiers ? »

Kromm fit non de la tête. Mais il était trop fier pour garder le silence. « Des travaux de serrurerie. Crocheter des serrures.

– De voitures ? »

Cette fois, le vieil Allemand sourit. « De voitures ? Non, d'*entrepôts* de voitures. Des concessions automobiles. Pour arrondir ma maigre retraite. Toujours est-il que ça m'a fait rencontrer des Estoniens. Je connaissais celui qui m'avait donné rendez-vous, sinon jamais je n'aurais accepté de m'y rendre. »

Clark fourra la main dans la poche de son imper, en sortit un carnet et un crayon qu'il lança au vieillard. « Je veux son nom, son adresse, et tous les autres noms qui te reviennent. Ceux des Estoniens qui travaillent pour l'Obtshak. »

Kromm se tassa dans son siège. « Ils me tueront.

– Eh bien, file. Tout de suite. Fais-moi confiance, celui qui t'a posé des questions sur moi s'est barré depuis longtemps. C'est précisément lui que je recherche. Quant à ceux qui t'ont piégé, ce ne sont que de petits voyous du coin. Éloigne-toi de Cologne et ils te ficheront la paix. »

Kromm ne bougea pas. Il se contenta de lever les yeux vers Clark.

« Quant à moi, je m'en vais te tuer, ici et maintenant, si tu ne fais pas ce que je t'ai demandé. »

Kromm se mit lentement à écrire, puis il leva de nouveau les yeux, ignorant le canon du pistolet, comme s'il avait quelque chose à dire.

« Écris ou parle, dit Clark, mais décide-toi ou je te loge une balle dans un de tes genoux arthritiques. »

Le retraité allemand dit alors : « Après ma capture, j'ai passé une journée à l'hôpital. J'ai dit au toubib qu'on m'avait agressé. Puis je suis rentré chez moi, bien décidé à me venger de ces types. Le chef, celui qui avait posé les questions, n'était pas allemand. Il ne parlait qu'en estonien et en russe.

– Continue.

– J'ai encore un ami à Moscou. Il a roulé sa bosse.

– Au côté de la mafia, c'est ça ? »

Kromm haussa les épaules. « C'est un entrepreneur. Toujours est-il que je l'ai appelé pour lui demander des renseignements sur l'Obtshak. Je ne lui ai pas dit pourquoi. Je suis certain qu'il a dû s'imaginer que j'étais en affaires. Je lui ai décrit l'homme qui m'avait interrogé. La cinquantaine, mais les cheveux teints comme ceux d'un chanteur de punk-rock.

– Et ton ami t'a donné un nom ?

– Oui.

– Et qu'as-tu fait alors ? »

Nouveau haussement d'épaules. Kromm baissa les yeux, l'air humilié. « Que pouvais-je faire ? J'étais beurré quand j'avais décidé de me venger. J'avais eu le temps de dessoûler.

– Donne-moi le nom de ce type.

– Si je le fais, si je vous dis le nom de l'homme de Tallin qui est venu ici demander aux autres de me tabasser, est-ce que vous laisserez tomber les voyous de Cologne ? Peut-être que si vous filez direct en Estonie, ils ne sauront pas que je vous ai informé.

– Ça me convient parfaitement, Manfred.

– *Sehr gut* », et Kromm lui livra un nom alors que les dernières lueurs de l'après-midi quittaient le ciel.

52

À LA DIFFÉRENCE des services gouvernementaux lancés à la recherche du fugitif international dénommé John Clark, l'agence du détective Fabrice Bertrand-Morel facturait ses services à l'homme-heure, si bien qu'elle employait beaucoup d'hommes qui travaillaient beaucoup d'heures.

Et seul ce maillage intense de points stratégiques dans toute l'Europe leur permit de localiser leur proie. Bertrand-Morel avait concentré sa traque sur le vieux continent parce qu'Alden lui avait passé, via Laska, une copie du dossier de l'ex-agent de la CIA. Le FBI avait décidé que ses récentes activités en Europe, au sein du groupe Rainbow de l'OTAN, avaient dû lui permettre d'y conserver des contacts bien disposés à son égard.

FBM avait donc dépêché ses détectives dans soixante-quatre gares parmi les plus fréquentées d'Europe avec pour mission, par tranches de quatorze heures, de distribuer des avis de recherche et de montrer des photos de Clark aux employés des chemins de fer. Après plusieurs jours de veille et d'attente, ils n'étaient pas plus avancés. Et puis finalement, un vendeur de bretzels dans la gare centrale de Cologne crut entrevoir une silhouette dans la foule des voyageurs. Il regarda la photo imprimée sur la petite carte que lui avait laissée trois jours plus tôt un Français au crâne dégarni et, sans plus attendre, composa le numéro de téléphone inscrit sur la carte.

Le Français avait offert une grosse récompense, payable en espèces.

Vingt minutes plus tard, le premier détective de l'agence FBM débarquait dans la gare pour interroger le vendeur de bretzels. L'homme d'âge mûr lui apparut lucide et convaincant ; il confirma que John Clark était passé devant lui, se dirigeant vers la sortie principale de la gare.

Bientôt, trois autres agents de FBM – en fait, tous ceux qui se trouvaient dans un rayon de cent kilomètres – se retrouvèrent dans la gare pour élaborer un plan d'action. Ils n'avaient pas grand-chose à se mettre sous la dent, en dehors de la confirmation que leur homme était en ville ; à quatre, ils ne pouvaient pas se disperser pour arpenter, chacun de son côté, la quatrième métropole d'Allemagne.

Aussi laissèrent-ils simplement un des leurs à la gare, tandis que les trois autres se chargeaient de visiter les hôtels et pensions de famille des alentours.

Ce fut à l'agent resté sur place que la chance sourit. Un peu après vingt et une heures, dans le froid et la pluie, le détective de Bertrand-Morel, un Lyonnais de quarante ans du nom de Luc Patin, fumait une cigarette à l'entrée de la gare. Il levait parfois les yeux pour admirer l'incroyable cathédrale qui se dressait juste sur sa gauche, mais le plus clair du temps, il surveillait la foule des piétons qui se hâtaient de gagner les quais derrière lui. Et puis soudain, au milieu d'un groupe compact, il avisa un homme, aux traits assez comparables à ceux de sa cible. L'individu avait remonté le col de son imper.

Luc Patin murmura « *Bonsoir, mon ami** », puis il plongea la main dans sa poche pour sortir son mobile.

L'opération de surveillance de la planque de Rehan qu'avait montée Domingo Chavez était bien plus artisanale que celle fourbie par ses deux jeunes collègues avec leurs caméras robots et leurs micros espions. L'une des trois chambres du bungalow donnait sur le lagon, du côté du chenal séparant le brise-lames en croissant, sur lequel était édifié le Kempinski, de la péninsule en forme de feuille de palmier sur laquelle se trouvait la villa de Rehan. Quatre cents bons mètres séparaient les deux mais n'étaient pas un obstacle pour le joujou personnel que Chavez avait amené tout exprès des États-Unis.

Il installa sur son trépied la lunette Zeiss Victory FL équipée d'un zoom et posa le tout sur un bureau disposé devant la fenêtre de la chambre. Il pouvait surveiller ainsi, depuis son fauteuil, le mur à l'arrière de la propriété de Rehan et plusieurs fenêtres du premier étage. Les stores étaient restés fermés, tout comme le portail de l'entrée de service, mais il espérait que les lieux s'animeraient un peu lorsqu'ils seraient occupés par Rehan et sa suite à leur arrivée d'Islamabad.

S'étant donc rendu compte qu'il avait une vue directe sur la propriété, une autre idée lui vint. Si Rehan était vraiment aussi dangereux que tendaient à l'indiquer leurs investigations, le Campus n'allait-il pas, tôt ou tard – sans doute tôt – décider de l'éliminer en envoyant un petit commando assassiner le général ? Mais dans ce cas, ne serait-il pas bien plus simple d'agir ici même, tout de suite ? Avec un fusil à longue portée et une bonne lunette de visée, au lieu de devoir attendre une autre occasion favorable de s'approcher de lui, soit à Dubaï, soit – ce qu'à Dieu ne plaise – à Islamabad ?

Chavez estima qu'il pourrait abattre le général Rehan si ce dernier sortait sur le balcon du premier ou se montrait simplement à l'une des fenêtres de l'étage. Il fit part de son idée à Ryan et Caruso. Tous deux se dirent prêts à obéir à un ordre d'élimination émis par Hendley et Granger, aussi Chavez appela-t-il ce dernier en lui demandant qu'on leur envoie du matériel afin qu'il soit prêt à tirer si jamais leur surveillance les conduisait à obtenir le feu vert pour abattre Rehan.

Le Gulfstream apporterait le matériel d'ici quarante-huit heures, ce qui voulait dire que Ding serait fin prêt largement avant l'arrivée prévue de sa cible potentielle.

Clark vit le guetteur un peu après vingt et une heures. Il venait de terminer sa deuxième toilette expéditive de la soirée avant de retourner à la gare ; il n'avait relevé aucune filature depuis le début de sa visite à Cologne, mais lorsqu'il se mit à faire la queue au guichet pour s'acheter une place avec couchette pour Berlin, un discret coup d'œil aux alentours lui permit de repérer un homme qui l'observait à trente-cinq mètres de là. Un nouveau coup d'œil quelques secondes plus tard le lui confirma.

Il s'était fait repérer.

John quitta la queue. Ce n'était pas vraiment discret mais ça valait bougrement mieux que d'attendre de voir arriver les renforts du guetteur. Il traversa donc la gare d'un pas tranquille pour rejoindre la sortie nord, et presque aussitôt il releva que deux nouveaux individus s'étaient joints à la traque.

Il les vit se radiner avant même d'être sorti de la gare. Il les avait repérés tout de suite ; après tout, il éventait déjà des filatures quand ces voyous étaient encore dans les langes. Deux types bruns, collier de barbe, à peu près le même âge, la même carrure, le même genre d'imper. Ils étaient entrés dans la gare au moment où il se dirigeait vers la sortie, deux minutes plus tôt, et ils le filaient à présent, une trentaine de mètres en retrait, légèrement sur la droite, alors que John tournait devant la cathédrale et se dirigeait vers le sud.

Une averse de neige fondue se mit à tomber.

John n'était pas excessivement ravi de se retrouver suivi, mais il n'allait pas se laisser abattre par une petite filature. Il savait qu'il pourrait les semer dans la foule des piétons à la faveur de la nuit, avant de reprendre son chemin en un rien de temps. Au sortir du parvis, il prit à gauche et longea le flanc sud de la cathédrale pour gagner la rive gauche du Rhin. Après avoir emprunté un tronçon d'une ancienne voie romaine, il essaya d'apercevoir ses suiveurs dans le reflet des vitres de l'hôtel Dorint. Les deux hommes étaient bien là, au coude à coude, guère plus de vingt-cinq mètres derrière lui. Il se demanda si le troisième larron ne cherchait pas en ce moment à le devancer.

Clark tourna à droite, vers le sud, rejoignant la Mauthgasse et ses restaurants dont les terrasses chauffées s'étendaient jusqu'à la berge, avec leurs tables garnies de convives qui dînaient, riaient et discutaient. L'inquiétude due à son statut de criminel recherché par toutes les polices n'avait d'égale que sa crainte des hommes lancés à ses trousses. Et les gens du coin étaient tout aussi dangereux que les touristes. Comme aux États-Unis, son visage avait dû apparaître sur tous les écrans d'Europe, même s'il n'avait pas eu l'occasion de regarder la télé au cours de la semaine écoulée. Redoublant de prudence – éviter si possible de renverser un garçon de café –, il rabaissa la capuche sur son front et s'engouffra rapidement dans une petite rue tranquille.

John parcourut la ruelle pavée qui montait en tournant vers la gauche. Les autres étaient toujours vingt-cinq mètres derrière lui. Il se retrouva bientôt devant le Heumarkt, là aussi bondé, et repartit en direction du nord. Tout du long, il n'avait cessé de surveiller ses arrières dans le reflet des devantures pour estimer la position de ses poursuivants quand il réussissait à les apercevoir. Il en vint à se dire que ces types n'attendaient pas de renforts pour procéder à son arrestation, même si, jusqu'ici, ils n'avaient pas fait mine de réduire l'écart.

Il traversa l'Alter Markt, le Vieux Marché, poursuivant toujours vers le nord, parallèlement au Rhin, à quelques rues de distance sur sa droite. Un bref coup d'œil vers un miroir installé au débouché d'une impasse lui révéla qu'un des poursuivants s'était apparemment éclipsé tandis que son collègue s'était encore rapproché – il se trouvait à moins de quinze mètres. Tout en sinuant entre les piétons, John commença à se faire du souci. Il y avait désormais deux hommes qui pouvaient fort bien tenter en ce moment de le dépasser pour se rabattre sur lui et l'épingler au prochain coin de rue. Il estima ses chances en cas de rencontre mais la proximité de civils et de flics pouvait rapidement rendre la gestion ingérable.

Clark hâta le pas et, au détour du musée de la bière, il prit de nouveau à droite. Il se trouvait à présent sur la berge.

Il caressa l'idée de cesser de fuir pour se retourner et affronter celui qui le talonnait. Il n'allait sûrement pas se laisser faire mais, en cas d'altercation en pleine rue, il risquait surtout d'être remarqué, reconnu et dénoncé à la police. Une menace devenue bien réelle.

John prit de nouveau à droite juste après le Fischmarkt – le marché aux poissons –, cherchant une fois encore à éviter la foule. Il s'enfonça dans une ruelle mal éclairée.

À gauche maintenant. L'allée était tout aussi déserte et sombre. La plaque de rue indiquait « Auf dem Rothenberg ». John pressa le pas.

Le deuxième homme, celui qui avait décroché peu auparavant, surgit de l'obscurité devant lui. Il tenait un pistolet dans la main droite. « Monsieur Clark, veuillez vous approcher rapidement si vous ne voulez pas avoir d'ennuis. »

John s'immobilisa à six ou sept mètres de l'homme armé. Il entendit derrière lui son comparse s'immobiliser à son tour dans la ruelle.

L'Américain hocha la tête, avança d'un pas, puis pivotant d'un seul coup, il se précipita vers la porte de service d'une pizzeria, laissant ses poursuivants sur place.

John n'était pas rapide. La rapidité, il le savait, c'était pour les jeunes. Mais chacun de ses pas reflétait ses années d'expérience sur le terrain – l'amenant à obliquer ici, plonger dans l'ombre là. Il traversa la cuisine du restaurant tenu par des Croates, renversant sur son passage plat, poêles et casseroles sur le chemin des deux hommes qui venaient d'entrer à leur tour. Il fila vers la salle – étroite – bouscula les clients qui faisaient la queue pour récupérer leurs commandes à emporter, en renversant même plusieurs pour ralentir un peu plus ses poursuivants.

De retour dans la rue, côté devanture de la pizzéria, il décida de filer tout droit et de traverser la chaussée pour s'engouffrer dans l'entrée, restée ouverte, d'un immeuble d'appartements datant des années cinquante. Ignorant si les autres l'avaient vu disparaître, il grimpa l'escalier quatre à quatre, le souffle rauque, la respiration sifflante.

L'immeuble comportait trois étages et il était flanqué de part et d'autre de bâtiments mitoyens identiques. Clark envisagea de monter jusque sur le toit afin de prendre le large en passant d'un toit à un autre, exactement comme il l'avait fait avec ses collègues à Paris. Mais arrivé au second, il entendit du bruit au-dessus : un groupe compact descendait du troisième à sa rencontre. Sans doute une bande de jeunes en route pour passer la soirée dehors. À entendre leurs rires et leurs voix haut perchées, ils ne ressemblaient pas à un commando du FBI. Mais Clark était seul à présent et il ne voulait pas tomber sur un groupe de gens susceptibles de l'identifier ou de dire à ses poursuivants vers où il allait.

Clark quitta donc la cage d'escalier pour emprunter le couloir de l'étage. Il avisa une fenêtre tout au bout. Et découvrit derrière, sous l'éclairage blafard d'une lampe électrique, une issue de secours. Il se précipita, épuisé, quasiment hors d'haleine et ouvrit le battant.

Il se retrouva aussitôt sous la pluie. L'escalier métallique craqua et oscilla sous son poids, mais il lui parut assez résistant pour lui permettre de rejoindre le sol. Il venait de s'écarter de la fenêtre et de saisir la rampe pour poser le pied sur la première marche branlante, quand un homme apparut en dessous de lui. Clark ne l'avait pas entendu monter, avec tout le boucan qu'il avait fait en enjambant la fenêtre pour accéder à la plate-forme métallique.

« Non ! » s'exclama John en voyant que l'homme – celui-là-même qu'il avait repéré à la gare, alors qu'il faisait la queue devant un guichet – dégainait un pistolet automatique argenté et tentait de le mettre en joue. Mais les deux hommes étaient trop proches l'un de l'autre sur ces marches humides et raides et, d'un coup de pied, Clark vit valser le flingue de la main de l'homme. L'arme passa par-dessus la balustrade, l'homme glissa et dévala jusqu'au palier inférieur, un mètre environ au-dessous de Clark.

Les deux adversaires se dévisagèrent en silence durant une seconde. John avait son arme contre la hanche mais ne chercha pas à dégainer. Il n'allait pas tirer sur un agent du FBI, un détective français, un espion de la CIA ou un flic allemand. Qui que soit le bonhomme, il n'avait nulle intention de le tuer.

Mais quand le type glissa la main à l'intérieur de son imper, Clark se jeta sur lui. Il devait réduire la distance avant qu'une autre arme n'apparaisse.

Luc Patin eut la trouille quand Clark, d'un coup de pied, le priva de son arme. Il saisit le couteau qu'il gardait sous sa chemise, dans une gaine accrochée au cou par une chaîne métallique. Il le sortit et sa lame fendit l'air sous le nez de l'Américain.

John avait vu le geste et levé le bras pour parer le coup, mais le couteau lui lacéra le dos de la main. Il poussa un cri de douleur et leva le bras droit devant lui et sa main droite, paume levée, atteignit le détective français juste sous le menton.

L'uppercut projeta en arrière la tête de Luc Patin qui recula, glissa, perdit pied, sa hanche heurtant violemment la rambarde, et il bascula dans le vide. Clark se précipita pour le rattraper par un pan de son imper mais la pluie et le sang qui rendait sa main glissante se conjuguèrent pour lui faire lâcher prise presque aussitôt ; le Français dégringola du deuxième étage pour s'écraser sur le pavé de la cour. Le bruit évoqua le choc d'une pastèque frappée par une batte de base-ball.

Et merde, pensa Clark. Il n'avait pas eu l'intention de le tuer mais il s'en préoccuperait plus tard. Pour l'heure, il quitta l'escalier de secours au premier en forçant la porte en bois d'une cuisine. Il y trouva un rouleau d'essuie-tout, se confectionna un pansement de fortune, puis il ressortit de l'appartement par la porte principale, enfila le couloir et dévala l'escalier pour regagner la rue.

Trois minutes plus tard, il passa devant une bouche de métro puis, se ravisant, fit demi-tour. Alors qu'il descendait les marches, il risqua un œil derrière lui. Il vit deux poursuivants, deux hommes en imper qui, sous la pluie battante, traversaient au pas de course une intersection, vingt-cinq mètres derrière lui. Une Peugeot dut faire un écart pour les éviter. Le chauffeur klaxonna. Clark eut l'impression que les types ne l'avaient pas repéré, mais il semblait manifeste qu'ils avaient appris la mort de leur collègue.

John acheta un ticket et se précipita sur le quai. Il rata de peu la rame. Il reprit son souffle pour ne pas se mettre en hyperventilation. *Cool, mec, reste calme.* Et il attendit au bord du quai, avec une douzaine d'autres voyageurs, la rame suivante.

John avait du mal à y croire. Une veine de cocu. Sans trop savoir comment, il avait réussi à descendre dans le métro à l'insu de ses poursuivants. Et tandis qu'il essayait de remplir à nouveau d'oxygène ses poumons douloureux, il s'assura une fois encore de ne pas avoir été suivi. Mais non. Il pouvait désormais sauter dans un train, n'importe lequel, et rejoindre un endroit sûr.

Enfin, relativement sûr.

Il sentit, émanant du tunnel sur sa gauche, une brise fraîche annonciatrice de l'arrivée imminente d'une rame. Il s'approcha encore du bord du quai pour être sûr d'être le premier à monter. Encore un coup d'œil vers l'escalier à gauche. RAS. Puis il regarda négligemment derrière lui sur sa droite, alors que le train débouchait du tunnel pour entrer dans la station.

Ils étaient là. Deux hommes. Des nouveaux, mais à coup sûr de la même équipe. Ils s'approchaient, le regard dur.

Il savait qu'il leur avait facilité la tâche. Comme il s'était placé tout au bord du quai, il leur suffisait de le pousser un petit coup pour que c'en soit fini de lui. S'ils n'avaient pas envisagé de le tuer jusqu'ici, il ne doutait pas que le décès de leur collègue allait modifier leurs intentions, quels qu'aient été leurs ordres initiaux.

Il leur tourna de nouveau le dos pour faire face aux voies. Le train n'était plus qu'à quinze mètres et se rapprochait à toute vitesse. John sauta du bord du quai, jusqu'aux voies, un mètre plus bas.

Les autres voyageurs poussèrent des cris affolés.

John traversa juste devant la rame. Pour ce faire, il dut agripper la barrière de sécurité centrale, ce qui n'était pas évident, avec sa main ensanglantée et ses élancements au bras consécutifs à sa blessure du mois précédent. Il enjamba le grillage noir alors que gémissaient et crissaient les freins de la machine. La première voiture heurta son pied droit et il eut l'impression d'avoir reçu un coup de batte. Il bascula de l'autre côté et atterrit à quatre pattes au milieu de la voie opposée. Effaré comme un gibier pris dans le faisceau de phares, il découvrit qu'une autre rame, venant en sens inverse, déboulait sur lui. Il entendait crier les voyageurs sur le quai voisin. Il se releva et d'un bond – douloureux à cause de sa cheville abîmée – il réussit à rejoindre le rebord du quai sans toucher les rails. Il essaya de se hisser avant l'arrivée du train mais les muscles de ses bras fléchirent. Il retomba, vidé.

En se tournant, il vit débouler le train qui allait le tuer.

« *Achtung !* »

Deux hommes en maillot de foot s'étaient portés à sa rescousse. Ils s'agenouillèrent au bord du quai et réussirent à le prendre par le col et le hisser. C'est qu'ils étaient jeunes et baraqués, bien plus musclés que lui ; il essaya bien de les aider mais ses bras étaient devenus inertes.

La rame passa à l'endroit même où il se trouvait trois secondes plus tôt.

John se retrouva assis sur le béton froid du quai, les deux mains entourant sa cheville douloureuse.

Les deux gars criaient en lui donnant de grandes tapes sur les épaules. John reconnut les mots « vieux bonhomme ». L'un des types l'aida à se relever en riant avant de lui redonner une tape dans le dos.

Une femme âgée pointa vers lui son parapluie, avec un air de réprimande. Un autre voyageur le traita d'*Arschloch*. Trou-du-cul.

John essaya tant bien que mal de faire porter son poids sur son pied blessé, puis il remercia d'un signe de tête et d'un sourire les deux hommes qui lui avaient sauvé la vie, avant de monter clopin-clopant dans le train qui avait bien failli l'écraser. Il fut le seul à monter. La rame s'ébranla de nouveau et, par la fenêtre, il regarda le quai opposé. Ses deux poursuivants s'y trouvaient toujours.

Et le regardaient leur échapper.

53

LES JOURNALISTES ACCRÉDITÉS à la Maison Blanche s'empressèrent de gagner la salle de conférences. Le Président devait d'ici peu y faire une brève déclaration.

Moins de cinq minutes plus tard – un exploit pour ceux qui avaient pris l'habitude de l'attendre –, le président Kealty apparut et s'approcha du microphone. « Je viens de m'entretenir avec des responsables des ministères des Affaires étrangères et de la justice. On m'a appris, ma foi avec un degré de certitude raisonnable, que le fugitif – John Clark – avait été impliqué hier soir aux environs de vingt-deux heures, heure locale, dans le meurtre d'un homme d'affaires français, dans la ville allemande de Cologne. Je n'ai pas encore tous les détails, mais je suis sûr que les services du ministre de la Justice Brannigan auront plus d'informations dans les prochaines heures. Cet événement dramatique souligne, s'il le fallait encore, combien il est important que nous puissions capturer cet individu et le mettre sous les verrous. J'ai reçu pas mal de critiques émanant de nombre de mes adversaires politiques, en majorité dans le camp Ryan, m'accusant de m'en prendre à Clark à cause des grâces présidentielles accordées par Ryan et de ses relations avec cet homme.

« Eh bien… vous pouvez constater désormais qu'il ne s'agit en rien ici d'une affaire politique. C'est juste une affaire criminelle. Je regrette simplement que ma décision concernant John Clark se soit vue justifiée à un tel prix.

« M. Clark a fui les États-Unis, mais je tiens à assurer à tous – y compris nos amis allemands et tous les autres de par le monde – que nous n'aurons de cesse d'avoir ramené cet individu sur le sol américain et l'avoir mis en prison. Nous continuerons d'œuvrer avec nos partenaires allemands, européens et de partout ailleurs, et je puis vous garantir que nous le trouverons, quel que soit le rocher sous lequel il aura choisi de se planquer. »

Une journaliste de MSNBC lança, criant pour couvrir les voix de ses collègues : « Monsieur le Président, dans cette chasse à l'homme, ne craignez-vous pas d'être pris par le temps ? En d'autres termes, en cas de défaite la semaine prochaine et si vous n'avez pas réussi d'ici là à capturer John Clark, ne craignez-vous pas que le président Ryan mette fin aux poursuites ? »

Kealty, qui s'était déjà éloigné du micro, y revint aussitôt. « Je vais gagner l'élection de mardi, Megan. Ceci posé, quels que soient les soutiens dont bénéficie Jack Ryan, il n'a pas été élu par les citoyens américains pour décider de la culpabilité ou de l'innocence des individus. Il a déjà pratiqué la chose jadis en accordant sa grâce à ce meurtrier et… ma foi, regardez où cela nous a menés. Cette tâche revient à nos institutions judiciaires. M. Clark est un tueur, un assassin. Je n'ose imaginer ce qu'il nous reste encore à apprendre du passé de ce personnage. De ses crimes ». Le visage de Kealty était légèrement congestionné. « Aussi, à vous tous des médias, j'aimerais vous dire que si Jack Ryan tente de glisser sous le tapis les crimes passés et présents de cet individu... eh bien, vous êtes le quatrième pouvoir. Vous avez la responsabilité d'empêcher que cela se produise. »

Sur ces fortes paroles, Kealty tourna le dos aux journalistes et quitta la salle sans attendre d'autres questions.

Une heure plus tard, Jack Ryan Sr. se fendait lui aussi d'une déclaration personnelle, depuis l'allée de sa résidence de Baltimore. Cathy, son épouse, était à ses côtés. « Je n'ai aucune information détaillée sur les charges portées contre John Clark. J'ignore ce qui s'est produit à Cologne et j'ignore absolument si M. Clark est impliqué, mais je connais John Clark depuis assez longtemps pour savoir que s'il a bien tué M. Patin, c'est que cette personne représentait pour lui une réelle menace. »

Un journaliste de CNN demanda : « Êtes-vous en train de dire que M. Patin méritait la mort ?

– Ce que je dis, c'est que si le président Kealty veut s'en prendre à un détenteur de la Médaille d'honneur et le placer sur la liste des dix criminels les plus recherchés par le FBI, eh bien, je ne peux pas l'en empêcher. Mais je puis vous assurer, à vous tous, que ce pays a envers lui une dette incommensurable pour tous les services qu'il lui a rendus. Et qu'il ne mérite certainement pas le traitement que lui inflige le président sortant. »

Le journaliste de CNN insista : « À vous entendre, on croirait que votre ami est au-dessus des lois.

– Non, ce n'est pas ce que je dis. Il n'est pas au-dessus des lois. Mais il est à coup sûr au-dessus de ces manœuvres politiciennes maquillées en arguments juridiques. De telles pratiques sont écœurantes. Mon épouse m'a fort justement reproché, par le passé, cette manie que j'ai de tordre le nez chaque fois que j'entends le nom d'Ed Kealty. J'ai fait de mon mieux pour le cacher. Mais en cet instant, je veux que tout le monde constate mon degré de répulsion devant ce qu'on est en train de faire subir à John Clark. »

Ryan avait à peine réintégré son logis, après avoir traversé la cuisine, qu'Arnie van Damm le prenait à partie : « Bon Dieu, Jack !

— Ce que j'ai dit est la stricte vérité, Arnie.

— J'en suis convaincu. Mais as-tu songé aux conséquences ?

— Je me contrefiche des conséquences. Je n'ai pas l'intention de mâcher mes mots. Nous avons là un héros de la patrie que l'on pourchasse comme un chien galeux. Je ne vais quand même pas rester les bras ballants comme si de rien n'était.

— Mais…

— Mais rien ! coupa Ryan, d'un ton sec. Et maintenant, sujet suivant. Qu'y a-t-il de prévu sur mon emploi du temps ? »

Arnie van Damm considéra longuement son patron. Il finit par hocher la tête. « Et si on se prenait notre après-midi, Jack ? Avec l'équipe de campagne, on va te laisser avec ta petite famille. Louez-vous un film. Mangez une pizza. Tu l'as bien mérité. Tu te casses le cul depuis plusieurs jours. »

Jack s'apaisa aussitôt. Il hocha la tête. « T'as bossé encore plus que moi. Désolé de t'avoir ainsi sauté dessus.

— Le stress est inhérent à toutes les campagnes normales. Et celle-ci est loin de l'être.

— Tu peux le dire. Mais ça va. Remettons-nous au boulot.

— Comme tu voudras, Jack. »

54

GERRY HENDLEY vivait seul. Depuis la disparition de son épouse et de son enfant dans un accident de voiture, il s'était immergé dans son travail, avait poursuivi avec un mandat de sénateur avant de quitter officiellement la fonction publique pour prendre la tête du service d'espionnage sans doute le plus clandestin de la planète.

Son travail chez Hendley Associates, en façade comme en sous-main, le tenait occupé au bas mot soixante heures par semaine et, même chez lui, il continuait à surveiller l'évolution des marchés sur FBN et Bloomberg pour se tenir au fait de ses activités de façade, tandis qu'il lisait *Global Security*, *Foreign Affairs*, *Jane's* et *The Economist* pour ne rien rater des événements susceptibles d'impacter ses activités clandestines.

Gerry avait du mal à dormir, ce qui était compréhensible, vu l'intensité des pressions inhérentes à son activité mais aussi à la perte cruelle qu'il avait subie, celle de sa famille. Même si la disparition de Brian Caruso, l'année passée et les retombées actuelles de l'affaire John Clark y avaient également leur part.

Pour Hendley, le sommeil était un luxe rare et précieux, aussi, lorsque son téléphone sonna au beau milieu de la nuit, il eut d'abord un sursaut de colère avant de s'interroger avec inquiétude sur les nouvelles que ce coup de fil allait lui apporter.

Il était trois heures vingt.

« Ouais ? répondit-il d'un ton bourru.

– Bonjour, monsieur. Nigel Embling. Je vous appelle du Pakistan.

– Bonjour.

– J'ai peur qu'on ait un problème.

– J'écoute. »

Hendley s'assit sans le lit. Toute colère avait disparu, remplacée par de l'inquiétude.

« Je viens d'apprendre que votre agent, Sam, a disparu près de Miran Shah. »

À présent, Gerry s'était levé pour gagner son bureau et consulter son ordinateur. « Comment ça, disparu ?

– L'unité de soldats avec laquelle il se trouvait s'est fait attaquer par des combattants du réseau Haqqani, il y a quelques jours. Je crois savoir qu'il y a eu de lourdes pertes de chaque côté. Sam et les autres étaient en train de s'échapper à bord d'un véhicule ; mon contact, le commandant al-Darkur, était à l'avant. Votre homme à l'arrière. Il est possible qu'il soit tombé du véhicule durant la fuite. »

D'emblée, Hendley jugea l'explication totalement abracadabrante. Son inclination première était de penser que l'agent de l'ISI qu'Embling avait jugé fiable les avait trahis sur le terrain. Mais pour l'heure, il n'avait pas suffisamment de données concrètes pour étayer pareille accusation ; une certitude, toutefois : il avait plus que jamais besoin de l'aide d'Embling, aussi s'abstint-il de l'accabler de critiques.

Sa longue expérience de sénateur lui avait appris à savoir mesurer ses paroles.

« Je comprends. Bref, rien ne permet de dire s'il est déjà mort ou encore en vie.

– Mon agent est retourné sur les lieux de l'escarmouche avec trois hélicoptères bourrés d'hommes. Les militants d'Haqqani avaient laissé sur place les cadavres de leurs camarades mêlés à ceux de plusieurs hommes d'al-Darkur, mais nulle trace du corps de Sam. Le commandant pense qu'il aura sans doute été capturé par l'ennemi. »

Hendley serra les dents. Il pressentait que mourir au combat pouvait bien être un sort plus enviable pour Driscoll que finir entre les mains des talibans. « Qu'est-ce que vous me suggérez de faire de mon côté ? »

Embling hésita un instant avant de répondre : « Je sais très bien de quoi ça a l'air. Ça semble indiquer que le commandant n'a pas été franc du collier. Mais je fais ce boulot depuis assez longtemps pour savoir discerner quand on me mène en bateau. Je fais confiance à ce jeune type. Il m'a promis qu'il s'efforçait de localiser votre homme et qu'il ferait le point de la situation avec moi plusieurs fois par jour. J'aimerais juste pouvoir vous relayer ces infos aussitôt que je les aurai. Peut-être qu'à nous trois, nous arriverons à déboucher sur quelque chose. »

Gerry sentit qu'il n'avait guère le choix. Il observa malgré tout : « Je veux d'abord que mes hommes rencontrent ce commandant.

– Je comprends, répondit Embling.

– Or ils sont à Dubaï pour le moment.

– Alors, allons les voir ensemble. Tant qu'on n'aura pas découvert ce qui a compromis l'opération à Miran Shah, je ne pense pas qu'il soit judicieux d'envoyer là-bas quelqu'un d'autre.

– Entièrement d'accord. Je vous laisse arranger tout ça et de mon côté, je préviens mes hommes. »

Hendley raccrocha et appela aussitôt Sam Granger.

« Sam ? C'est Gerry. On a encore perdu un agent. Je veux voir les responsables de tous les services à mon bureau dans une heure. »

La deuxième attaque de Riaz Rehan contre l'Inde survint quinze jours après la première.

L'attentat de Bangalore ayant été particulièrement sanglant, on avait eu d'emblée tendance à l'attribuer à une cellule de Lashkar-i-Taïba. Et s'il était de notoriété publique qu'il s'agissait d'une organisation terroriste pakistanaise et si la majorité des spécialistes s'accordait pour penser qu'elle était, plus ou moins, affiliée aux « barbus » de l'ISI, ce massacre n'avait toutefois pas la signature d'un « complot terroriste international ».

Et cela parce que le plan de Rehan avait été mûrement réfléchi. Attaquer avec un événement spectaculaire propre à ouvrir les yeux du monde entier sans pour autant attirer l'intérêt sur son organisation. Le plan avait marché et même presque trop bien ; toutefois le bilan élevé pour le moins inattendu n'avait eu jusqu'ici, à sa connaissance, aucun effet négatif tel que des arrestations massives de ses agents de LiT.

Non, tout se déroulait comme prévu et il était donc temps de passer à la phase deux.

Cette fois, il s'agissait d'attaques par air, par terre et par mer. Dans les airs, quatre agents de Lashkar munis de faux passeports indiens atterrirent à l'aéroport de Delhi où ils retrouvèrent les quatre membres d'une cellule dormante qui attendaient depuis plus d'un an d'être activés depuis le Pakistan par leur agent traitant.

Par voie de terre, sept hommes franchirent sans encombre par la route la frontière avec l'État du Jammu et se rendirent dans la ville du même nom pour s'installer dans une pension de famille remplie de travailleurs musulmans.

Enfin par mer, quatre canots pneumatiques à coque rigide accostèrent en deux points éloignés des côtes indiennes. Deux côté ouest à Goa et deux autres côté est à Chennai. Chaque embarcation transportait huit terroristes avec leur équipement, soit un total de seize hommes pour chaque site.

Ce qui faisait en tout quarante-sept hommes répartis sur quatre régions de l'Inde ; chacun d'eux avait un mobile doté d'un banal système de cryptage disponible dans le commerce, bien suffisant pour ralentir la réponse du renseignement et de l'armée à ces attaques, même si Rehan se doutait bien qu'on finirait par déchiffrer leurs conversations.

Les seize hommes de Goa se divisèrent en huit groupes et chaque binôme choisit un restaurant du front de mer sur les plages de Baga et de Candolim et l'attaqua à la grenade et à la Kalachnikov. Avant que la police ne parvienne à tuer tous les terroristes, cent quarante-neuf clients et employés avaient trouvé la mort.

À Jammu, une ville de plus de quatre cent mille âmes, les sept hommes arrivés du Pakistan par la frontière terrestre se répartirent en deux équipes qui forcèrent, à vingt heures, les sorties de secours de deux cinémas situés à chaque bout de la ville. Les terroristes, trois d'un côté, quatre de l'autre, pénétrèrent dans la salle et, s'étant placés sous l'écran, ils ouvrirent le feu sur l'assistance, nombreuse en ce vendredi soir.

Quarante-trois Indiens furent tués dans le premier cinéma, vingt-neuf dans le second. Sans compter au total plus de deux cents blessés.

Dans l'importante cité balnéaire de Chennai, les seize terroristes s'en prirent à un tournoi international de cricket. Après l'attentat de Bangalore, la sécurité avait été renforcée, ce qui, sans aucun doute, sauva des centaines de vies humaines. Tous les terroristes furent abattus, non sans avoir toutefois massacré vingt-deux civils et policiers et blessé presque soixante personnes.

À Delhi, les huit hommes entrèrent dans le hall du Sheraton situé dans le quartier de Saket et, après voir tué les vigiles, ils se divisèrent en deux groupes. Quatre hommes empruntèrent l'escalier et se mirent à tirer méthodiquement sur tout ce qui bougeait, chambre après chambre, étage par étage. Les quatre autres s'invitèrent dans un salon où ils arrosèrent à l'arme automatique une réception de mariage.

Quatre-vingt-huit innocents avaient trouvé la mort avant que les huit terroristes de LiT ne soient traqués par la Force d'intervention rapide de la police indienne.

Le cerveau de ces attaques coordonnées avait été Riaz Rehan, épaulé par ses principaux collaborateurs. Ils avaient piloté l'ensemble des opérations depuis une planque située à Karachi, restant par téléphone en liaison permanente avec leurs hommes dans le but de faire un maximum de victimes. À trois reprises durant cette soirée, Rehan – connu des terroristes en Inde sous le nom de Mansour – pria avec les membres de chaque cellule avant que ses hommes ne se jettent délibérément devant les armes de la police. Il avait expliqué aux quarante-sept djihadistes de Lashkar que toute l'opération et tout l'avenir du Pakistan reposaient sur le fait que pas un seul ne fût pris vivant.

Pas un seul des quarante-sept n'en réchappa.

Riaz Rehan avait délibérément organisé l'opération pour lui donner des allures incroyablement complexes et donc, *a priori*, hors de portée de la direction de Lashkar, car il voulait que l'Inde y vît la preuve d'un complot ourdi par le voisin pakistanais. Cela marcha comme prévu puisque, dès l'aube du 18 octobre, le gouvernement indien mettait ses forces armées en état d'alerte maximale. Le Premier ministre indien Priyanka Pandiyan et le président pakistanais Haroun Zahid passèrent chacun de son côté la matinée en consultations avec leur état-major militaire et en réunions extraordinaires du conseil des ministres et, dès midi, le Pakistan avait à son tour renforcé le niveau d'alerte de ses forces armées au cas où l'Inde profiterait de la confusion provoquée par les attentats pour franchir la frontière en représailles.

Riaz Rehan n'aurait pu être plus satisfait de la tournure qu'avaient prise les événements, car une telle réaction était indispensable à la poursuite de l'opération Sacre.

Une fois cette première phase achevée, Rehan, ses officiers et son état-major mirent le cap sur Dubaï pour éviter la curiosité de la faction non islamiste au sein de l'ISI.

55

L ES ÉMIRATS ARABES UNIS sont une nation fondée sur le commerce et le capitalisme mais qui possède en parallèle un noyau dur, influent d'islamistes traditionalistes. Or, c'est au confluent de ces deux tendances contradictoires, dans ce lien étroit entre la barbarie d'une religion ancienne et la violence aveugle du capitalisme financier, que Riaz Rehan trouvait ses meilleurs soutiens.

Ces hommes pesaient également sur toutes les décisions du gouvernement, ils hantaient les couloirs du pouvoir, ils s'étaient infiltrés dans tous les rouages de la vie des Émirats. Si Rehan désirait des informations sur tel ou tel aspect de la société ou de l'économie du pays, il n'avait qu'à leur demander.

Et c'est ainsi qu'il apprit que le commandant Mohammed al-Darkur, accompagné d'un expatrié britannique voyageant avec un passeport néerlandais, devait atterrir sur l'aéroport international de Dubaï à dix-neuf heures trente-six.

Rehan et son contingent de policiers et d'agents de l'ISI en civil et en uniforme devant arriver à Dubaï le lendemain en début de matinée, le général pakistanais en déduisit qu'al-Darkur et l'espion britannique étaient en ville pour recueillir des informations sur lui. Manifestement, l'action du jeune commandant à Miran Shah, coïncidant avec l'entraînement d'éléments de Sharia Jamaat dans le camp d'Haqqani, était la preuve qu'al-Darkur enquêtait sur lui. Il n'aurait eu sinon aucune raison de se manifester, sauf s'il voulait justement compléter ses informations sur la direction de l'espionnage pakistanais.

La curiosité du commandant à son égard et cette visite à Dubaï avec son associé ne le dérangeaient pas outre mesure. Riaz y voyait au contraire une chance inespérée.

Alors qu'une confrontation avec ces mêmes hommes, si elle avait dû survenir au Pakistan, aurait pu lui causer un problème, lui qui était soucieux de rester discret, ici à Dubaï, en revanche, Riaz Rehan pouvait se débarrasser d'eux une bonne fois pour toutes et sans le moindre souci.

Embling et al-Darkur louèrent une voiture pour se rendre à leur appartement situé dans l'incroyable tour Burj Khalifa, le bâtiment le plus haut du monde. Ils étaient venus rencontrer des membres du Campus mais, pout des raisons de sécurité, Gerry Hendley avait interdit à ses agents de dévoiler à Embling, et surtout à son douteux informateur de l'ISI, la moindre indication sur leur point de chute à Dubaï, aussi al-Darkur s'était-il chargé personnellement de l'intendance. L'imposant gratte-ciel avec ses cent soixante-trois niveaux habitables (surmontés d'une aiguille équivalant à quarante-trois étages supplémentaires) était une destination évidente et pratique. Embling et al-Darkur y partageaient une suite de deux chambres au cent septième étage.

Mohammed ne se fiait guère plus à l'ISI que Gerry Hendley. Aussi avait-il utilisé une carte de crédit personnelle pour réserver le voyage depuis l'ordinateur d'un cybercafé de Peshawar, de peur que son organisme de tutelle n'eût vent de ses projets de déplacement.

Une fois installé dans la suite, Embling appela un numéro que lui avait fourni Hendley. C'était celui du téléphone satellite d'un des deux agents du Campus rencontrés l'année précédente à Peshawar, cet Américain d'une quarantaine d'années, d'origine mexicaine, prénommé Domingo.

Ils convinrent aussitôt de se retrouver dans la chambre d'Embling au Burj Khalifa.

Au moment précis où le vol de Pakistan International Airlines en provenance d'Islamabad avec Rehan à son bord se posait sur l'aéroport de Dubaï, Jack Ryan, Dom Caruso et Domingo Chavez montaient dans un des ascenseurs du Burj Khalifa. Sans grande surprise les ascenseurs du plus haut bâtiment du monde étaient aussi les plus rapides et ils propulsèrent les trois Américains vers le sommet à plus de soixante-dix kilomètres-heure. En entrant dans l'appartement, ils découvrirent une mezzanine qui ouvrait sur un vaste salon en contrebas ; les sièges faisaient face à une large baie vitrée du sol au plafond derrière laquelle se déployait un panorama sur le golfe Persique vu d'une altitude quasiment équivalente à la hauteur de l'Empire State Building.

Debout dans le séjour au mobilier contemporain qui mêlait acier, verre et bois sombre, Nigel Embling admirait cette vue à couper le souffle. C'était un Anglais à la carrure imposante, chevelure clairsemée blanche comme neige et barbe fournie.

Il portait un blazer légèrement froissé sur une chemise au col à pointes boutonnées, laissé ouvert. Il était chaussé de mocassins marron.

« Mon cher ami Domingo, dit-il d'emblée sur un ton compatissant. Avant d'en venir à cet autre désastre qui a endeuillé votre organisation, je dois d'abord vous dire à quel point je suis retourné par cette affaire impliquant John Clark. »

Chavez haussa les épaules. « Et moi, donc. Mais on va très vite tirer les choses au clair.

– J'en suis persuadé.

– Évitez simplement de prêter crédit aux ragots qu'on peut entendre », ajouta Ding.

Embling balaya la remarque d'un geste : « Tout ce que j'ai pu entendre jusqu'ici ne m'a fichtrement pas paru différent d'une journée de bureau ordinaire pour un homme de la profession de M. Clark. J'ai beau être vieux et ramolli, je n'ai pas encore oublié les pratiques du métier. »

Chavez s'abstint de tout commentaire et présenta ses compagnons : « Mes associés, Jack et Dominic.

– Monsieur Embling », dit Jack en serrant la main de leur hôte.

L'Anglais avait bien sûr reconnu le fils de l'ancien – et sans doute prochain – président des États-Unis, mais il fit comme si de rien n'était.

Il conduisit ensuite les trois Américains auprès du seul autre occupant de la suite, un Pakistanais athlétique au teint cannelle, portant jean noir et chemisette.

Ils furent surpris d'apprendre que c'était lui, le fameux commandant de l'ISI. « Mohammed al-Darkur, à votre service. » Le séduisant jeune homme tendit la main à Chavez mais ce dernier s'abstint de la serrer.

C'est que les trois agents du Campus le tenaient pour responsable de la perte de leur ami. Alors qu'Hendley avait pris soin de ne pas dévoiler ses soupçons à Embling, Domingo Chavez n'avait pas l'intention de faire risette à l'enfoiré qui avait sans doute, par sa faute, entraîné la mort de son collègue, au fin fond des zones tribales pakistanaises en pleine anarchie.

« Donnez-moi, commandant al-Darkur, une bonne raison de ne pas vous fracasser la tête contre le mur ? »

Al-Darkur parut déconcerté mais Embling intervint : « Domingo, essayez de comprendre, s'il vous plaît. Vous n'avez certes guère de raisons de lui faire confiance mais j'espère qu'à tout le moins vous pouvez en avoir de me croire, moi. Au cours des derniers mois, je me suis donné pour mission d'enquêter sur les antécédents du commandant, et il est dans le bon camp, je vous le garantis. »

Dom Caruso s'adressa de son côté à l'Anglais : « Ma foi, je ne vous connais pas, et je ne connais certainement pas ce connard, mais je sais ce que l'ISI a fait ces trente dernières années, alors, pas question pour moi de me fier à ce salopard, tant qu'on n'aura pas récupéré notre homme. »

Ryan n'eut pas le temps de renchérir car le Pakistanais répliquait déjà. « Je comprends parfaitement votre point de vue, messieurs. Je suis venu aujourd'hui simplement vous demander de m'accorder quelques jours encore pour travailler avec mes contacts dans la région. Si monsieur Sam est détenu par le réseau Haqqani, je ferai tout ce qui est en mon pouvoir pour obtenir sa libération ou sinon organiser une opération en vue de le récupérer.

– Vous étiez avec lui lors de sa capture ? demanda Chavez.

– J'y étais, en effet. Il s'est battu avec courage.

– J'ai entendu dire que le choc avait été rude.

– Il y a eu de lourdes pertes de part et d'autre, admit al-Darkur.

– Je ne peux m'empêcher de remarquer que vous ne semblez pas affecté outre mesure.

– Plaît-il ?

– Où avez-vous été touché ? Vous avez reçu des balles, des éclats ? »

Mohammed al-Darkur baissa les yeux en rougissant. « La situation était chaotique. Je n'ai pas été gravement blessé mais mes voisins de gauche et de droite ont trouvé la mort. »

Chavez ricana. « Écoutez, commandant, je ne vous crois pas, mon organisation non plus, mais nous faisons confiance en revanche à M. Embling. Nous croyons possible que vous ayez réussi à l'embobiner d'une manière ou de l'autre, mais je ne pense pas que vous réussirez de même avec nous. Nous réagirons favorablement aux résultats, pas aux promesses. Si vous et vos collègues parvenez à trouver notre homme, nous voulons en être informés aussitôt.

– Et vous le serez, je vous le promets. J'ai mis des hommes sur le coup, tout comme j'en ai déjà qui enquêtent sur les liens entre Haqqani et l'ISI.

– Encore une fois, ce sont les résultats concrets qui m'impressionnent.

– Entendu. Mais j'ai encore une question cependant.

– Laquelle ?

– J'ai cru comprendre que vous étiez à Dubaï pour surveiller le général Rehan. Est-ce ce à quoi s'emploie le reste de votre équipe en ce moment ? »

Il n'y avait pas de « reste » de leur équipe, mais Chavez s'abstint de le préciser. Il se contenta de répondre : « Faites-moi confiance, dès son arrivée à Dubaï, nous ne le lâcherons plus. »

Ce fut cette fois al-Darkur qui arqua les sourcils. « Mes sources indiquent qu'il est arrivé à Dubaï ce matin. J'avais même pensé pouvoir vous servir d'interprète pour traduire les entretiens qu'il mène dans sa planque. »

Chavez regarda ses deux camarades. Leurs espions électroniques attendaient bien tranquillement dans les conduits d'aération de la villa du général. Si leur cible était bel et bien arrivée, alors ils devaient retourner au Kempinski les activer afin d'entamer leur surveillance.

Ding hocha lentement la tête. « Nous avons des interprètes. Ils préviendront mon équipe sitôt que Rehan aura gagné sa résidence. »

Al-Darkur parut satisfait de la réponse et bientôt Chavez quitta l'appartement avec ses deux compagnons.

Revenu devant les ascenseurs, Jack observa : « Si Rehan est ici, alors un truc important nous a d'ores et déjà échappé.

– Ouais, confirma Chavez. Dépêchez-vous de retourner tous les deux au bungalow tirer ça au clair. De mon côté, je dois filer à l'aéroport récupérer l'équipement apporté par l'avion ; mais tout d'abord, il faut que je prenne Embling à part pour le mettre en garde contre le commandant et le tenir au fait. Je vous rejoins dans quelques heures. »

Chavez passa trois heures en discussions dans la suite au cent septième étage. La première fut entièrement dévolue à un entretien en tête à tête avec Embling. L'expatrié britannique passa l'essentiel de ce temps à récapituler tout ce qu'il avait appris de Mohammed al-Darkur au cours des six dernières semaines. Il ajouta que ses autres contacts dans l'armée pakistanaise l'avaient convaincu que, ni le 7ᵉ bataillon du groupe des services spéciaux – autrement dit les commandos Zarrar, au sein desquels al-Darkur était déployé –, ni le bureau du renseignement extérieur interarmées, dépendant de l'ISI, n'avaient été noyautés par les islamistes radicaux ou même soumis à leur influence. Tout au contraire, les actions qu'avait menées al-Darkur contre des groupes terroristes à la tête d'une unité des services spéciaux – dans la vallée de Swat mais aussi à Chitral – lui avaient valu des éloges qui auraient pu faire de lui la cible idéale des barbus de l'armée.

Pour couronner le tout, Embling assura Ding Chavez qu'il pouvait témoigner avoir vu de ses propres yeux Sam Driscoll insister pour participer à l'opération de Miran Shah. Alors même que le commandant al-Darkur s'était montré réticent et n'avait accepté qu'à contrecœur que l'Américain y participe.

Tout cela prit une bonne heure mais, au bout du compte, Chavez fut convaincu. Il passa deux heures encore à discuter avec al-Darkur du déroulement de l'opération au cours de laquelle Driscoll avait disparu, puis il l'interrogea sur les effectifs et les contacts qu'il prétendait pouvoir mobiliser pour obtenir des informations sur la situation actuelle de l'Américain disparu. Finalement, c'est aux alentours de midi que Chavez laissa les hommes dans leur suite pour se rendre à l'aéroport afin de récupérer le fusil de précision et le reste de l'équipement chargé à bord du Gulfstream.

Ryan et Caruso retournèrent à leur bungalow des résidences Kempinski et activèrent à distance leurs équipements d'écoute. Les premières images envoyées par les caméras leur confirmèrent qu'il y avait bel et bien de l'activité dans la villa, même si aucune ne révéla d'emblée la présence de Rehan. Ils patientèrent, l'œil rivé aux écrans qui leur montraient des hommes parlant l'urdu et vaquant à leurs occupations dans l'entrée et la pièce principale ; ils en profitèrent pour appeler Rick Bell. Il n'était guère plus de deux heures du matin dans le Maryland, mais Rick leur promit qu'un analyste et un interprète l'auraient rejoint chez Hendley dans les quarante-cinq minutes. Ryan et Caruso décidèrent donc, d'ici là, d'enregistrer images et dialogues aux fins de décryptage ultérieur.

Il était un peu plus de onze heures locales – soit deux bonnes heures après le retour de Dom et Jack au bungalow – quand une agitation notable s'empara des gardes de la résidence. Ils resserrèrent leur nœud de cravate et prirent place aux angles des pièces, tandis que d'autres hommes apparaissaient à l'entrée, lestés de valises, précédant un individu de haute taille arborant une barbe bien taillée. Ce dernier salua tour à tour chaque garde avec un baiser sur la joue et une poignée de main, puis, accompagné d'un officier – apparemment un haut gradé –, il pénétra dans la vaste salle de séjour. Tous deux semblaient plongés dans une conversation animée.

« Le plus grand, c'est Rehan, précisa Caruso. Il n'a pas l'air d'avoir trop changé depuis sa dernière apparition au Caire, en septembre.

– J'envoie un mail à Bell pour lui confirmer que tu l'as identifié.

– J'aurais dû le descendre à ce moment-là, cet enfoiré. »

Ryan resta songeur. Ses inquiétudes au sujet de Sam au Waziristan et de Clark en Europe le rongeaient et il savait que c'était pis encore pour son cousin. L'année passée, le frère jumeau de ce dernier avait trouvé la mort lors d'une opération du Campus en Libye. L'éventualité de perdre deux agents de plus avait dû peser lourd sur les épaules de Caruso.

« Nous allons ramener Sam, Dom. »

L'intéressé hocha distraitement la tête, sans quitter son écran des yeux.

« Quant à Clark, soit il va régler la question lui-même, soit il va se tenir à carreau jusqu'à ce que mon père ait repris les rênes du pouvoir et puisse s'occuper de lui.

– Ton père risque de subir des pressions considérables pour l'inciter à ne pas intervenir. »

Jack renifla dédaigneusement. « Papa serait prêt à risquer sa vie pour John Clark. Ce ne sont pas les états d'âme de quelques députés au cœur sensible qui vont l'arrêter. »

L'observation fit rire Dom et mit un terme au débat.

Peu après, Dominic, resté dans la chambre pour surveiller à la lunette la planque de Rehan, héla Ryan. « Eh ! on dirait que tout le monde est sur le départ !

– Sûr qu'il se démène, le bougre, pas vrai ? » constata Jack en observant la scène à son tour.

Rehan avait ôté son pardessus et il était en chemise blanche et pantalon noir. Flanqué de celui qui semblait décidément son second, il se trouvait à présent dans l'entrée, au milieu d'un groupe composé de huit hommes, le gros de la force de sécurité qui les avait accompagnés, plus deux autres individus que Ryan identifia comme les gardiens habituels de la résidence.

La qualité du son était bonne, de sorte que Dominic et Ryan entendaient l'entretien à la perfection, mais comme aucun des deux ne parlait urdu, ils allaient devoir attendre que l'interprète, là-bas dans le Maryland, leur traduise ce dialogue pour remettre la scène dans son contexte.

Quelques secondes plus tard, Rehan et sa suite quittaient la résidence.

« J'imagine que la première partie du spectacle est terminée, observa Dom. Je vais en profiter pour me faire un sandwich. »

Vingt minutes après que Domingo Chavez eut quitté la suite occupée par al-Darkur et Embling, on frappa à leur porte. L'officier pakistanais était au téléphone avec son état-major à Peshawar, ce fut donc Embling qui se déplaça. Il savait que la sécurité de l'hôtel veillait à ce que nul ne pût accéder à cet étage sans une autorisation expresse des clients qui l'occupaient, aussi alla-t-il ouvrir en toute confiance. En regardant par l'œilleton, il vit en effet un garçon en smoking blanc avec un seau à glace dans lequel se trouvait une bouteille de champagne.

« Puis-je vous aider ? » demanda-t-il à travers la porte. Avant d'ajouter *in petto*, « En vous soulageant de cette sublime bouteille de Dom Pérignon ? »

« Avec les compliments de la direction, monsieur. Bienvenue à Dubaï. »

Embling sourit, ouvrit la porte et c'est à cet instant seulement qu'il vit dans le couloir les autres hommes qui se précipitaient. Il voulut refermer en hâte mais le garçon s'était débarrassé du seau à champagne pour dégainer un pistolet automatique Steyr qu'il braqua sur le front de Nigel Embling.

Ce dernier se figea.

Surgit alors un homme resté caché jusque-là : le général Riaz Rehan du renseignement extérieur pakistanais. Lui aussi était armé d'un automatique.

« En effet, cher ami britannique. Bienvenue à Dubaï. »

Et neuf hommes de se ruer dans l'appartement en bousculant Nigel, l'arme au poing.

56

MAINTENANT que Caruso avait terminé son sandwich, il s'apprêtait, aidé de Ryan, à mettre en veille leurs mini-robots de surveillance pour en économiser les batteries. Ils attendraient le soir pour les remettre en service, espérant qu'entretemps Rehan serait revenu.

Le téléphone satellite posé sur la table se mit à sonner. Caruso répondit.

« Ouais ?

– Dom ? C'est Bell.

– Quoi de neuf, Rick ?

– On a un problème. Sitôt arrivés au bureau, nous avons décidé de prendre votre transmission audio depuis le début, de sorte que nous avons une quinzaine de minutes de décalage avec le direct.

– Pas grave. Rehan est sorti tout à l'heure, alors on a mis en veille nos...

– Si, c'est grave. Nous venons de traduire ses dernières paroles, juste avant qu'il sorte. »

Domingo Chavez se retrouva pris dans les embouteillages à quatre cents mètres de l'aérogare. Alors qu'il avait pu récupérer sans encombre le fusil de précision et ses munitions dans la soute du Gulfstream d'Hendley Associates, il se retrouvait bloqué à cause d'un grave accident survenu sur le pont au-dessus de Business Bay. Ne lui restait plus qu'à prendre son mal en patience. Encore heureux que la BMW fût climatisée car il avait l'impression que le bouchon allait durer.

Sur sa droite, distante de cinq kilomètres, la tour du Burj Khalifa s'élevait vers le ciel. Droit devant, à l'autre bout du front de mer, se trouvait Palm Jumeirah, sa destination.

Son mobile sonna. « Oui ? »

C'était Jack. D'une voix précipitée, il expliqua : « Rehan sait qu'Embling et al-Darkur sont descendus au Burj Khalifa ! Il est en train de s'y rendre avec sa bande de gros bras.

– Merde. Préviens Nigel.

– Je l'ai fait. Pas de réponse. J'ai essayé par le standard de l'hôtel. Sa chambre ne répond pas non plus.

– Putain ! Filez là-bas au plus vite. Moi, je suis bloqué dans les embouteillages.

– On est en route. Mais ça va nous prendre vingt bonnes minutes.

– Eh bien, magne-toi le cul, fiston ! Ils sont notre seul lien avec Sam. On ne peut pas les perdre.

– Je sais ! »

Toujours bloqué à l'est du pont, Domingo Chavez tapa sur le volant, exaspéré. « Bordel de merde ! »

Mohammed al-Darkur et Nigel Embling avaient été ligotés, les mains dans le dos, à l'aide de serre-câbles en plastique. On leur avait également entravé les chevilles. Rehan avait ordonné à ses hommes de plaquer leurs prisonniers contre les baies panoramiques, le dos contre la vitre. Le général était assis devant eux dans le grand canapé, les jambes croisées, les bras relevés et posés sur le haut du dossier. Il se retrouvait dans son élément, ainsi confortablement installé face à des prisonniers à sa merci.

Les hommes du général – le colonel Khan avec une escouade de huit hommes – s'étaient répartis dans le salon. Une sentinelle était restée de faction dans l'entrée. Tous étaient armés, selon leur préférence, de pistolets Steyr, Sig ou CZ. Quant à Rehan et Khan, ils avaient chacun un Beretta dans un étui d'épaule.

Si Nigel Embling nourrissait encore l'ombre d'un doute sur la fiabilité du commandant Mohammed al-Darkur, il n'en eut bientôt plus du tout. Les hommes de Rehan cognèrent à plusieurs reprises la tête du commandant contre la vitre et ce dernier agonit d'injures son aîné.

Nigel n'avait nul besoin de ses quarante années d'expérience des mœurs locales pour deviner que ces deux Pakistanais étaient loin de filer le parfait amour.

Al-Darkur interpella Rehan. Cette fois, en anglais. « Qu'as-tu fait de l'Américain à Miran Shah ? »

Le général, toujours aussi flegmatique, sourit et répondit dans la même langue : « Je l'ai rencontré en personne. Il n'avait pas grand-chose à dire. Alors, j'ai ordonné qu'on le torture pour obtenir des informations sur tes plans. Je suppose que tes futurs projets n'ont plus la même importance que naguère, quand j'ai donné ces ordres, vu que tu n'as précisément aucun avenir. »

Al-Darkur répliqua avec aplomb : « D'autres sont déjà à tes trousses. Nous savons que tu collabores avec les factieux, nous savons que tu as entraîné une force étrangère au camp d'Haqqani proche de Miran Shah. D'autres prendront ma suite et ils t'empêcheront de nuire, *Inchallah* !

– Tiens donc, rit Rehan. *Inchallah* ? Si Dieu le veut ? Voyons voir lequel de nous deux Il veut voir réussir. » Il reporta son regard vers les deux hommes qui encadraient le prisonnier devant la baie. « On étouffe dans cette suite prétentieuse. Ouvrez la fenêtre. »

Les deux gardes sortirent leur pistolet et, comme un seul homme, se mirent à tirer sur le vitrage de trois mètres sur trois auquel étaient adossés les deux prisonniers. La vitre ne céda pas tout de suite mais au bout d'une vingtaine d'impacts, des fissures commencèrent d'apparaître entre les trous. Les hommes rechargèrent, tandis que les craquements se multipliaient, jusqu'à ce que finalement tout le panneau se rompe, expédiant des fragments acérés cent sept étages plus bas.

Un vent chaud s'engouffra aussitôt dans la suite luxueuse, emportant quelques éclats de verre minuscules et obligeant Rehan et ses hommes à se protéger les yeux avant que la poussière retombe. Le sifflement de l'air qui remontait à présent le long de la façade pour s'introduire par l'ouverture obligea Rehan à se lever pour aller parler aux prisonniers.

Il regarda un bon moment le commandant al-Darkur avant de se tourner vers Nigel Embling, toujours plaqué, pieds et poings liés, contre la baie restée intacte, juste à côté de l'ouverture béante. « J'ai regardé ton passé. Tu dates d'un autre siècle, Embling. L'espion expatrié d'une puissance coloniale qui semble n'avoir toujours pas capté qu'elle n'avait plus de colonies. C'est pathétique. Toi et les autres infidèles occidentaux, vous avez pendant si longtemps violé les enfants d'Allah que vous n'arrivez même plus à comprendre que votre temps est révolu. Mais maintenant, pauvre imbécile, maintenant, le califat est revenu ! N'es-tu donc pas capable de le voir, Embling ? N'es-tu pas capable de voir à quel point la destruction du colonialisme britannique a réussi à planter le décor parfait de mon ascension vers le pouvoir ? »

Embling répondit, l'écume aux lèvres, au gros Pakistanais qui se tenait à quelques pas de lui : « Ton ascension vers le pouvoir ? Mais c'est toi et ta bande qui détruisez le Pakistan ! Et ce sont les hommes courageux, les gens bien comme le commandant qui sortiront ton pays de l'abîme, pas les monstres dans ton genre ! »

Riaz balaya la péroraison d'un geste de la main. « Retourne donc chez toi, par la voie des airs. » Et sur ces mots, il adressa un bref signe de tête aux deux agents de l'ISI qui se tenaient près de Nigel Embling. Ils s'approchèrent de lui, le prirent aux épaules pour le déséquilibrer tout en le tirant vers la fenêtre désormais béante.

Embling poussa un cri d'horreur quand ils le poussèrent par-dessus le rebord avant de le lâcher. Il bascula et tomba à la renverse, s'écartant de la façade et tournoyant follement dans le vent torride du désert pour dégringoler les cent sept étages jusqu'au sol en béton.

Le commandant Mohammed al-Darkur s'en prit à Rehan. Il hurla : « *Kutaï ka bacha* ! » – Fils de chien. Bien qu'entravé, il essaya de s'écarter de la baie pour se précipiter vers le général. Deux hommes de l'ISI le saisirent avant qu'il ne s'étale sur la moquette et, après une lutte intense, ils réussirent à le repousser près de l'ouverture béante de la baie vitrée.

Les hommes de Rehan attendirent les ordres de leur supérieur.

Le général Rehan se contenta de hocher la tête avec un petit sourire. « Envoyez-le donc rejoindre son ami britannique. »

Al-Darkur jura, hurla, tenta de se débattre. Il réussit à libérer un de ses bras de l'étreinte de l'homme qui le traînait vers l'extérieur, mais un autre rengaina son arme pour prêter main-forte à son collègue. Les agents de l'ISI se battaient à présent à trois contre lui ; tous roulaient sur le sol constellé de fragments de verre.

Cela prit un moment mais ils réussirent à maîtriser al-Darkur. Les autres gardes présents dans la pièce regardaient, hilares, le commandant de l'ISI se débattre en remuant seulement le torse et les épaules.

Al-Darkur cria à Rehan : « *Mather Chot* ! » – Enculé de ta mère !

Les trois gardes le traînèrent jusqu'au bord de la fenêtre. Mohammed avait renoncé à lutter. Le vent chaud du désert qui remontait contre la façade de verre et d'acier brûlants chassait les cheveux bruns du Pakistanais dans ses yeux, alors il les ferma, serra les paupières et se mit à prier.

Les trois hommes armés le prirent sous les aisselles et le soulevèrent en l'agrippant également par la ceinture. Comme un seul homme, ils le traînèrent, prêts à le jeter dehors vers le soleil.

Mais leurs mouvements furent loin d'être synchrones : celui qui tenait l'épaule gauche d'al-Darkur sursauta en pivotant vers l'arrière ; il lâcha le commandant et, ce faisant, fit lâcher prise aux deux autres.

Avant que quiconque ait pu réagir, un deuxième homme, celui de droite, s'écarta brusquement pour tomber à la renverse dans l'appartement et s'affaler près du canapé.

Rehan se tourna vers lui pour comprendre quelle mouche les avait piqués, mais en fait ses yeux se portèrent vers le canapé de cuir crème à présent tout éclaboussé de sang.

Il reporta son regard vers la fenêtre. Très loin, il repéra une tache noire dans le ciel, à quelques dizaines de mètres au-dessus de la tour de l'hôtel. Un hélicoptère ? Une seconde plus tard, alors que le troisième homme s'effondrait en portant la main à sa jambe ensanglantée, le général Riaz Rehan se mit à hurler au reste de sa troupe : « Un sniper ! »

Le colonel Khan sauta par-dessus le divan et plaqua au sol le général au moment précis où une balle lui frôlait le sommet du crâne.

57

« RAPPROCHE-MOI, HICKS ! » cria Domingo Chavez dans le micro intégré à son casque, tout en introduisant un second chargeur de cinq cartouches dans le magasin de son fusil de précision HK PSG-1. Ses deux derniers tirs avaient raté leur cible, il en était certain. Ce n'était qu'en se rapprochant qu'il pourrait dégommer Rehan et ses hommes qu'il voyait à présent en train de courir ou de ramper pour se mettre à l'abri au plus vite.

« Compris », répondit Hicks avec son accent traînant du Kentucky. Le Bell JetRanger se rapprocha de l'imposant gratte-ciel.

Même avec la baie brisée du salon, Chavez n'aurait jamais pu identifier la suite occupée par Embling et al-Darkur s'il n'avait pas entrevu, dans sa lunette de visée, une masse sombre en train de dégringoler en tournoyant le long de la façade.

Un homme, Ding le sut d'instinct, même s'il ne perdit pas de temps à vouloir identifier le malheureux qui allait s'écraser au sol. Il lui fallait plutôt régler son arme pour un tir à cinq cents mètres et faire de son mieux pour aligner ses objectifs dans la croisée du viseur.

Même si Chavez n'avait pas passé des masses de temps à

s'entraîner au stand de tir au cours de l'année écoulée, il se sentait encore apte à pouvoir faire mouche à cinq cents mètres de distance – dans des conditions normales. Mais entre les vibrations de l'hélicoptère, le souffle des rotors et les courants ascendants contre la façade, cela faisait beaucoup de paramètres à intégrer s'il voulait réussir un tir de précision.

Aussi Chavez ne chercha-t-il pas à finasser. Il fit de son mieux pour tout prendre en compte, puis il visa pour atteindre ses cibles en plein bide. Le centre de masse. Ce n'était peut-être pas l'idéal pour un tir de précision. En général, on visait la tête. Mais son choix lui laissait une plus grande marge d'erreur, et il savait qu'il ne pouvait espérer mieux, compte tenu des conditions.

Il tirait depuis le siège arrière de l'hélico, le canon dépassant dehors. De quoi ruiner totalement ses harmoniques calibrées avec soin, mais là encore, se rapprocher réglerait le problème.

« Plus près, mon frère !

– Occupe-toi de ton gadget et laisse-moi m'occuper du mien », répondit Hicks.

Dire que l'appel de Chavez vingt minutes plus tôt avait surpris Chester Hicks, resté dans la cabine de pilotage du Gulfstream, était une litote. Il était en train de remplir des formulaires avec Adara Sherman quand son mobile sonna.

« Allô ?

– Country, je rebrousse chemin. Il faut que tu me déniches un hélico dans les dix minutes. Tu crois pouvoir y arriver ?

– Je veux, mon neveu. Il y a un service de navettes, pile à côté de moi, au terminal d'aviation générale. Où dois-je leur demander de te conduire ?

– Je veux que ce soit toi qui pilotes. Et il y a de grandes chances qu'on doive engager le combat.

– Tu blagues, non ?

– C'est une question de vie ou de mort, *'mano*. »

Un bref silence, puis : « Alors, radine-toi fissa. Je nous trouve un zinc. »

Dès lors, Hicks n'avait pas eu le temps de se prélasser. Suivi d'Adara Sherman, il descendit sur le tarmac pour filer au petit trot vers un JetRanger garé tout à côté. L'hélico appartenait à un hôtel situé en bord de mer, une trentaine de kilomètres au nord. Il y avait alentour quantité d'appareils plus récents ou plus luxueux, mais Hicks en avait déjà piloté un identique, il s'était entraîné sur des hélicoptères Bell, et il décida que le facteur le plus important pour cette mission improvisée en hâte serait l'habileté du pilote, bien plus que l'avance technologique. Après une rapide inspection de l'engin, il envoya Sherman au bureau du terminal récupérer les clés, par la force s'il le fallait. Pendant ce temps, il ôta les cales et vérifia les niveaux d'huile et de kérosène, et avant même qu'il n'ait eu le temps de s'installer aux commandes, Sherman était de retour et lui lançait les clés.

« Vaut-il mieux que j'ignore comment tu as procédé ?

– Le bureau était désert. J'aurais sans doute pu piquer le Boeing d'un cheikh si j'avais voulu. »

Chavez arriva cinq minutes plus tard et à peine s'était-il attaché qu'ils avaient pris l'air.

Pendant que Ding chargeait son fusil de précision, Hicks demanda, par l'interphone : « Notre destination ?

– Le gratte-ciel le plus haut du monde, je doute que tu puisses le manquer.

– Compris. »

Hicks orienta le nez du JetRanger vers le Burj Khalifa et l'appareil prit de la vitesse et de l'altitude.

Rehan et Khan rampaient sur le sol de la suite pour gagner la porte donnant sur l'entrée. Le colonel essayait de se placer entre le tireur et le général pour protéger ce dernier, jusqu'à ce qu'un autre agent se glisse à ses côtés pour prendre le relais et couvrir le général Rehan.

Au moment précis où ce dernier pénétrait dans l'entrée et, d'une roulade, sortait de la ligne de mire du tireur, l'un de ses agents de sécurité le prit par le col pour l'entraîner, *manu militari*, vers l'ascenseur. L'homme était presque aussi massif que le général, un colosse d'un mètre quatre-vingt-quinze en complet noir, armé d'un gros pistolet HK. Il écrasa son poing sur le bouton « descente » et s'assura que Rehan et Khan étaient encore avec lui. Il regagnerait la suite dès qu'ils seraient en sécurité dans l'ascenseur.

Ryan et Caruso furent surpris par la taille du Pakistanais armé qui était soudainement apparu devant eux sur le palier, à l'ouverture des portes de l'ascenseur, mais ils s'étaient attendus à du grabuge. Les deux hommes tenaient leur pistolet levé. Ils se laissèrent tomber à genoux, tandis que l'agent de l'ISI les découvrait, les yeux écarquillés. Lui aussi leva son arme mais les deux hommes du Campus l'avaient devancé : ils tirèrent dans le large torse du colosse, à moins de deux mètres de distance.

Au lieu de basculer en arrière, l'homme plongea directement dans la cabine. Ryan et Caruso se remirent à tirer, criblant de balles la poitrine de l'agent de l'ISI mais celui-ci s'effondra sur Jack Junior et le cloua dans un angle, tout en lui donnant un coup de boule, de toutes les forces qui lui restaient. Il avait tiré en même temps mais, en baissant le bras et la balle traversa le pantalon de Ryan, juste au-dessus du genou, sans l'atteindre – un miracle.

D'autres agents de l'ISI étaient apparus dans le couloir et s'étaient mis eux aussi à tirer sur la cabine. Ryan était toujours immobilisé par le cadavre mais Caruso s'était tapi au sol pour riposter. Il vit du coin de l'œil le général Rehan qui détalait, filant dans la direction opposée à l'appartement d'Embling, mais il devait se concentrer sur les hommes qui les canardaient, Jack et lui. Il atteignit au bas-ventre un autre membre de l'escouade du général et, en trois coups de feu, il provoqua la fuite des derniers assaillants jusqu'à l'autre bout du couloir. Ils disparurent dans la cage d'escalier jouxtant la chambre d'Embling.

De son côté, Rehan s'était déjà engagé dans l'autre cage d'escalier, sans doute pour prendre l'ascenseur à l'étage inférieur.

« Soulage-moi de ce gros connard ! » s'écria Ryan.

Dom l'aida à faire rouler le pesant cadavre et aussitôt, il vit du sang sur le visage de Jack. « T'es blessé ? »

Jack ignora le gnon qu'il avait pris à l'œil droit pour tendre la main vers sa jambe. Il avait senti un projectile l'effleurer, au ras de son genou. Il localisa le trou dans son pantalon, y glissa le doigt, tâta pour sentir s'il y avait du sang. Quand son doigt ressortit, il répondit : « RAS. Allons-y ! » Et ils filèrent vers l'appartement d'Embling, redoutant déjà ce qu'ils allaient y trouver.

À peine entrés, Dominic et Jack tombèrent sur al-Darkur. Le commandant pakistanais essayait vainement de cisailler ses liens avec un éclat de verre. Caruso sortit un canif et coupa prestement les entraves en plastique, puis Ryan et lui aidèrent Mohammed à se relever.

« Où est Embling ? » Ryan devait crier pour s'entendre – ses oreilles carillonnaient après la fusillade dans le hall.

Al-Darkur hocha la tête. « Rehan l'a tué. »

Caruso enregistra machinalement l'information avant de saisir al-Darkur par le bras : « Vous venez avec nous.

– Bien sûr. »

Dom fit signe à l'hélico et Hicks écarta de la tour l'appareil « emprunté » pour regagner l'aéroport.

Les sonneries d'alarme retentissaient dans le couloir du cent septième mais les ascenseurs étaient toujours en service. Toutefois Mohammed, Jack et Dom étaient à peu près sûrs que la police les avait déjà investis. Cependant, ils n'avaient pas encore dû monter bien haut depuis le début de la fusillade, aussi les trois hommes coururent-ils sans hésiter vers la cage d'escalier. Ils parvinrent à dévaler dix-huit étages en trois minutes de cavalcade effrénée. Parvenus au quatre-vingt-neuvième, ils prirent un ascenseur occupé par quelques hommes d'affaires moyen-orientaux qu'ils eurent du mal à convaincre d'évacuer, ces derniers protestant qu'ils n'avaient pas senti de fumée et qu'il n'y avait sans doute pas d'incendie. Mais le visage contusionné d'al-Darkur, le nez, les yeux ensanglantés de Ryan, et les visages dégoulinant de sueur des trois hommes leur firent néanmoins un choc.

Quand l'un des hommes d'affaires leva son téléphone pour prendre en photo al-Darkur, Dom Caruso le lui subtilisa aussitôt. Un autre voulut le bousculer mais Ryan dégaina son pistolet en leur fit signe de se plaquer contre le fond de la cabine.

Tandis que l'ascenseur dégringolait à soixante-dix kilomètres-heure, le commandant pakistanais et les deux Américains récupérèrent les téléphones mobiles des trois hommes et les écrasèrent sous leurs talons, puis ils arrêtèrent la cabine au neuvième étage. Là, ils ordonnèrent aux hommes d'affaires de sortir avant d'appuyer sur le bouton du parking au deuxième sous-sol.

Quelques minutes plus tard, ils sortaient du parking et se retrouvaient au milieu des passants, en plein soleil. Ils croisèrent des policiers, des pompiers et des secouristes qui se bousculaient pour entrer dans l'hôtel et s'éloignèrent dans la chaleur de l'après-midi pour trouver un taxi.

Tandis que Jack, Dom et le commandant se dépêchaient de rejoindre l'aéroport, Chavez avait demandé à Hicks de le déposer sur un parking près de la plage. Hicks regagna seul l'aéroport et Ding prit un taxi pour retourner au bungalow du Kempinski remballer tout leur matériel de surveillance.

Leur mission à Dubaï contre Rehan était compromise – c'était le moins qu'on pût dire. Il était désormais hors de question que les trois hommes s'installent au bungalow pour y attendre le retour du général ; après cette fusillade spectaculaire, il n'allait pas faire bon traîner dans les parages. Les journaux du soir allaient ouvrir sur le spectacle de cadavres dans une ville jusqu'ici plutôt épargnée par la criminalité et toutes les allées et venues d'étrangers seraient dorénavant soumises à une surveillance accrue. Ding avait donc ordonné à Hicks de rappeler la capitaine Reid et de préparer le

Gulfstream pour un décollage immédiat mais Chavez ne serait pas du voyage. Il allait lui falloir quelques heures de plus pour effacer toute trace de leurs activités au Kempinski. Il devrait ensuite trouver un autre moyen de quitter le pays.

Hicks posa l'hélicoptère à l'emplacement précis où il l'avait pris, puis il retrouva Sherman au pied de la passerelle du Gulfstream. La jeune femme avait donné dix mille euros au responsable de permanence au terminal d'aviation générale, après que ce dernier eut constaté la disparition de l'hélico, et elle était à peu près sûre qu'il se tairait au moins jusqu'à ce qu'ils aient redécollé.

Sitôt descendus de leur taxi, Jack, Dom et Mohammed embarquèrent dans l'avion et Helen Reid appela la tour de contrôle pour annoncer qu'ils étaient prêts à exécuter leur plan de vol.

L'hôtesse Sherman s'était également occupée des formalités douanières – démarche facilitée par une autre liasse de dix mille euros.

Ils déposèrent Mohammed al-Darkur à Istanbul. De là, il comptait regagner Peshawar par ses propres moyens. Tous étaient pourtant convenus qu'il serait dangereux pour lui de retourner au Pakistan. Un Rehan prêt à des actions aussi spectaculaires et radicales que son attaque à Dubaï n'aurait sans aucun doute aucun scrupule à le faire liquider, sitôt qu'il aurait mis le pied dans son pays natal. Mais Mohammed assura aux Américains qu'il connaissait un endroit discret où il pourrait se tapir, à l'abri des éléments de l'ISI qui fomentaient leur coup d'État contre le pouvoir civil. Il leur promit, en outre, de trouver où était détenu Sam Driscoll et de les en informer au plus vite.

58

QUATRE JOURS APRÈS leur retour de Dubaï, Jack Ryan Jr. avait un rendez-vous qu'il était exclu d'annuler. On était le 6 novembre, le jour de l'élection présidentielle, aussi, un peu avant midi, avait-il pris la route de Baltimore pour y rejoindre sa famille.

Dans la matinée, Jack Ryan Sr., entouré de journalistes, s'était rendu à son bureau de vote accompagné de Cathy. Puis il était retourné chez lui passer le reste de la journée en famille. Il comptait se rendre à l'hôtel Marriott Waterfront pour y prononcer dans la soirée son allocution de remerciement.

Ou bien concéder sa défaite, cela dépendrait des résultats dans quelques États où il se disputait avec Kealty.

La controverse autour de Clark l'avait blessé, c'était indéniable. Toutes les émissions politiques avaient, chacune à sa manière, abordé l'affaire et, aux journaux télévisés, tous les commentateurs avaient émis leur avis sur la question. Ryan avait essayé de prendre de la hauteur durant ces dernières semaines de campagne, il avait fait une déclaration pour défendre son ami et s'était employé à donner à l'affaire un tour politique, y voyant une attaque personnelle contre lui, Jack Ryan, bien loin de la recherche de la vérité par la justice.

Cela marcha avec sa base, et il réussit même à ramener à lui quelques indécis. Mais pour la grande masse des autres, les questions restées sans réponses sur la nature réelle de ses liens avec ce mystérieux personnage qui cherchait à échapper à la police les avaient fait basculer vers Edward Kealty. Les médias avaient caricaturé la relation Ryan-Clark, présentant le second en tueur à gages du premier.

Et, quoi qu'on pût penser du président sortant, il était plus qu'improbable qu'il ait ce genre de squelette dans son placard.

Quand Jack Jr. arriva au domicile familial en début d'après-midi, il passa sans s'arrêter devant le cordon de sécurité et plusieurs membres de la presse le prirent en photo au volant de son Hummer jaune – mais les vitres étaient teintées et Jack avait chaussé des lunettes noires d'aviateur.

Quand il entra dans la cuisine, il y découvrit son père, seul, en bras de chemise.

Les deux hommes s'étreignirent et puis le père recula d'un pas.

« C'est quoi, ces lunettes noires ? »

Jack Junior les ôta, révélant son œil au beurre noir. Le coquard était encore bien visible, preuve de la violence du coup.

En plus des ecchymoses, l'œil était toujours injecté de sang.

Ryan Sr. contempla un long moment le visage de son fils avant de dire : « Vite, avant que ta mère ne descende. File dans le bureau. »

Une minute plus tard, les deux hommes s'y retrouvèrent, derrière la porte close. Toujours à voix basse, le père demanda : « Bon Dieu, fiston, que t'est-il arrivé ?

– J'aime mieux ne pas en parler.

– Taratata. De quoi ont l'air les autres parties de ton corps qui échappent à ma vue ? »

Jack sourit. Parfois son vieux disait des choses qui laissaient entendre qu'il n'était pas dupe. « Présentables. Il y a déjà du mieux.

– Ça t'est arrivé sur le terrain ?

– Ouais. Et je n'en dirai pas plus. Pas pour moi. Pour toi. Après tout, tu t'apprêtes à devenir président. »

Le père eut un lent soupir, puis, se penchant en avant, il examina l'œil droit de son fils. « Ta mère va faire une atta...

– Je garderai mes lunettes.

– Fiston, avertit Senior. Je n'aurais pas osé faire le coup à ta mère, même il y a trente ans. Alors, aujourd'hui...

– Alors, je fais quoi ? »

Senior réfléchit un instant. « Tu lui montres. Elle est chirurgien ophtalmologiste, après tout ! Je veux qu'elle t'examine. Dis-lui que tu ne vas pas en parler. Ça ne lui plaira pas, mais alors pas du tout, mais tu ne mens pas à ta mère. On peut lui cacher les détails, sans mentir pour autant.

– OK.

– La pente est savonneuse mais on n'a pas trop le choix.

– Ouais. »

Le docteur Cathy Ryan pénétra dans le bureau une minute plus tard et, moins d'une seconde après, elle attrapait son fils par le bras pour le conduire dans la salle de bains. Là, elle le fit asseoir devant la coiffeuse et procéda à un examen approfondi de son œil blessé à l'aide d'une lampe crayon.

« Comment est-ce arrivé ? » Le ton était froid, professionnel. Les yeux, c'était la spécialité de sa mère et Jack espérait qu'elle examinerait cette blessure en professionnelle, d'une manière objective.

« J'ai reçu un truc dans l'œil. »

Sans interrompre son examen, elle observa : « Non, pas possible ? Et quoi, au juste ? »

Son mari avait raison – Cathy n'aimait pas qu'on cherche à esquiver ses questions sur l'origine d'une blessure.

Jack Jr. répondit avec circonspection : « J'imagine qu'on pourrait dire que je me suis cogné la tête contre quelqu'un.

– Des problèmes de vision ? Des maux de tête ?

– Au début, oui. J'ai un peu saigné, à cause de cette entaille au nez. Mais c'est fini.

– N'empêche, il n'a pas raté ton orbite. C'est un méchant hématome sous-cutané. Ça remonte à quand ?

– Cinq jours, plus ou moins. »

Cathy interrompit son examen et recula. « Tu aurais dû venir tout de suite. Le traumatisme nécessaire pour causer une telle hémorragie dans l'œil et les tissus environnants aurait fort bien pu entraîner un décollement de la rétine. »

Jack voulut répondre par un mot d'esprit, mais il surprit à ce moment un regard de son père. Ce n'était pas le moment de faire son malin. « OK. Si ça se reproduit, je le ferai ex...

– Et pourquoi cela devrait-il se reproduire ? »

Junior haussa les épaules. « Ça ne se reproduira pas. Merci pour l'examen. » Il fit mine de se lever.

« Rassieds-toi. Je ne peux rien faire pour l'hématome sous-cutané mais je peux au moins dissimuler le bleu sur le nez et l'orbite.

– Comment ?

– Je vais te mettre du fond de teint pour masquer tout ça. »

Junior râla. « Ce n'est quand même pas si grave, m'man.

– Ça l'est suffisamment. On va te prendre en photo ce soir, que ça te plaise ou non, et je suis sûre que tu n'aimerais pas voir diffusé partout un portrait de toi dans cet état. »

Le père était d'accord. « Fiston, la moitié des journaux titreront que je t'ai tabassé en apprenant que tu votais pour Kealty. »

L'idée fit rire Jack Junior. Il savait qu'il était inutile de discuter. « OK. Papa se laisse maquiller chaque fois qu'il passe à la télé, alors j'imagine que ça ne va pas me tuer. »

Les premiers résultats arrivèrent en tout début de soirée. La famille, rejointe par quelques proches de l'équipe de campagne, s'était installée dans le salon d'une suite au Marriott Waterfront, même si Ryan père avait passé une bonne partie de ce temps réfugié dans la cuisine, à discuter avec ses enfants ou son directeur de campagne, préférant entendre le son des résultats en provenance du séjour plutôt que de suivre les commentaires en pontifiant.

À vingt et une heures, l'avantage tourna pour les républicains quand les États de l'Ohio et du Michigan lui apportèrent leurs voix. Pour la Floride, la décision resta indécise jusqu'à vingt-deux heures, mais au moment de la clôture des bureaux de vote sur la côte Ouest, l'affaire était entendue.

John Patrick Ryan Sr. avait gagné avec cinquante-deux pour cent des voix, un écart plus réduit que le chiffre donné par les sondages au cours du dernier mois de campagne, et la plupart des commentateurs y voyaient la conséquence de la capture de l'Émir par le gouvernement Kealty et l'association trouble de Ryan avec un individu recherché pour plusieurs meurtres.

C'était à porter au discrédit de Kealty que Ryan fût parvenu malgré tout à surmonter ces deux handicaps.

Jack Ryan apparut sur une estrade dans un des salons de l'hôtel, avec sa femme et ses enfants. On lança des ballons, il y eut une fanfare. Quand enfin il s'adressa à la foule de ses adorateurs, ce fut d'abord pour remercier sa famille, puis le peuple américain de lui avoir donné l'occasion de le représenter pour un nouveau mandat de quatre ans.

Son allocution respirait l'optimisme, la sincérité, avec parfois même une pointe d'humour. Mais il en vint bien vite aux deux sujets principaux de ce sprint final. Il en appela au président Kealty pour qu'il fît cesser les poursuites du ministère public contre Saïf Yacine. Ryan expliqua que ce serait jeter de l'argent par les fenêtres puisque lui-même comptait, dès son investiture, ordonner la remise de l'Émir aux autorités militaires.

Il demanda ensuite au président Kealty de révéler à son équipe de transition les détails de l'acte d'accusation secret lancé contre Clark. Il évita les expressions du genre « tu mets les cartes sur table ou tu la fermes », mais c'était le message implicite.

Le président nouvellement élu réitéra son soutien à Clark et à l'ensemble des militaires et des membres des services de renseignement, hommes ou femmes.

Sitôt qu'ils furent descendus de l'estrade, Jack Junior appela Melanie. Il ne l'avait vue qu'une seule fois depuis son retour de Dubaï. Il avait justifié son absence par un voyage d'affaires en Suisse et expliqué ses ecchymoses par un choc contre une branche d'arbre, lors d'une séance d'initiation au snow-board avec ses collègues.

Elle lui manquait ce soir, il aurait tant voulu qu'elle fût auprès de lui, au milieu de la liesse et des festivités. Mais tous deux savaient que si elle apparaissait au bras du fils de l'ancien – et prochain – président des États-Unis, cela susciterait immanquablement une curiosité considérable. Or, Melanie n'avait même pas encore rencontré les parents de Jack Jr. et ça ne semblait pas être l'endroit idéal pour de telles présentations.

Mais Jack trouva un divan dans une des suites réservées par l'équipe de campagne pour la soirée et il s'y assit afin de bavarder avec la jeune femme jusqu'à ce que le reste de la famille fût enfin prête à retourner au bercail.

59

L E SIÈGE de Kosmos Space Flight Corporation à Moscou
est situé au 7, rue Sergeya Makeeva dans le quartier de
Krasnaya Presnya ; il occupe un bâtiment ultramoderne de
verre et d'acier qui domine le célèbre cimetière de Vagan-
kovo, datant du dix-huitième siècle.

C'est dans ces bureaux que Georgi Safronov passait de longues heures à travailler, gérer avec zèle son personnel, les ressources logistiques de son entreprise – et ses propres facultés
intellectuelles – pour préparer le lancement de trois fusées
Dniepr-1 au cours du mois suivant.

Aleksandr Verbov, le directeur des opérations de lancement de KSFC était un homme affable à forte carrure. Un
peu plus âgé que Georgi, il se montrait loyal et travailleur.
Tous deux étaient amis depuis les années quatre-vingt. En
temps normal, Verbov s'occupait au quotidien des préparatifs
de lancements programmés sans l'aide du président de la
compagnie pour régler les moindres détails de cette entreprise
complexe. Mais Georgi avait quasiment secondé son ami en
vue de ce triple lancement qui faisait la une des médias. Aleksandr était conscient que ce projet lui tenait à cœur, et en
outre il savait que Safronov possédait des compétences tech-

niques équivalentes à celles des autres cadres de l'entreprise. Georgi avait du reste occupé le poste de directeur des lancements avant lui, quand Verbov n'était encore qu'ingénieur qualifié.

Si Georgi tenait à ce point à presser lui-même le bouton de lancement des trois fusées – et s'il voulait subir les tempêtes de neige sur le pas de tir pour intégrer les charges utiles aux lanceurs dans leurs silos, Alex Verbov n'allait sûrement pas l'en empêcher.

Mais l'un des aspects de l'intérêt de son patron intriguait de plus en plus Alex.

Les deux hommes se retrouvaient chaque jour dans le bureau de Georgi. C'est là qu'ils avaient travaillé côte à côte sur à peu près tous les aspects du lancement, depuis que Safronov était revenu de vacances. Verbov n'avait pas tari d'éloges sur la mine resplendissante de son patron après son séjour de trois semaines et demie dans un ranch touristique de l'ouest des États-Unis. Georgi semblait en pleine forme, même s'il avait encore les bras et les mains couverts de bleus et d'écorchures. C'est que prendre au lasso le bétail n'avait rien d'une sinécure, avait-il confié à Alexandr.

Verbov avait alors demandé à voir une photo de son patron en Stetson et jambières de cuir mais Georgi avait joué les timides.

Ce jour-là, comme tous les autres jours, ils étaient assis dans le bureau de Georgi et dégustaient du thé. Les deux hommes avaient ouvert leurs portables grand écran, et ils travaillaient – ensemble ou séparément – sur tel ou tel aspect des lancements à venir.

« Georgi Mikhaïlovitch, commença Alex, j'ai reçu les toutes dernières confirmations que les stations de suivi seront en ligne aux dates requises. Deux lancements vers le sud, un vers le nord. »

Georgi ne quitta pas des yeux son portable. « Très bien.

– Nous avons également reçu la dernière mise à jour du schéma électrique de la platine de raccordement, ce qui va nous permettre d'éliminer d'éventuels problèmes d'interface avec le satellite américain.

– OK. »

Alex pencha la tête. Il hésita une bonne demi-minute avant de poursuivre. « J'aimerais te poser une question.

– Laquelle ?

– À vrai dire, Georgi... ma foi, je commence à nourrir des soupçons. »

Georgi Safronov quitta des yeux son portable pour fixer son collègue, assis juste en face de lui. « Comment ça, des soupçons ? »

Alex Verbov se trémoussa sur sa chaise. « C'est juste que... tu m'as l'air plutôt moins intéressé par le déroulement du vol et la mise en orbite du satellite que par le tir proprement dit. Est-ce que je me trompe ? »

Safronov rabattit l'écran de son ordinateur et se pencha. « Qu'est-ce qui te fait penser ça ?

– C'est juste une impression. Aurais-tu un souci avec les lanceurs pour cette série de vols ?

– Mais non, Alex Petrovitch. Bien sûr que non. Où veux-tu en venir ?

– Honnêtement, mon ami, j'ai comme dans l'idée que tu n'es pas vraiment satisfait de mes derniers travaux. En particulier sur les vecteurs. »

Georgi se détendit légèrement. « Je suis absolument ravi de ton travail. Tu es certainement le meilleur directeur de lancement qu'on puisse trouver. Je peux m'estimer heureux de t'avoir pour travailler sur les lanceurs Dniepr plutôt que sur les Proton ou les Soyouz.

– Merci. Mais pourquoi ce manque d'intérêt pour la charge utile ? »

Safronov sourit. « Je confesse que j'ai cru bon de pouvoir te déléguer cette partie de la tâche. Je préfère me concentrer sur les lanceurs, voilà tout. La technologie des vecteurs n'a pas tant changé que ça ces quinze dernières années. Alors que les satellites, les communications et les systèmes de guidage et de suivi ont fait des progrès énormes depuis le temps où j'occupais ton poste. Je crains de ne pas m'être documenté autant que j'aurais dû pour rester à jour. Et donc, de ne pas faire un aussi bon boulot que toi, pour cause de paresse coupable. »

Alex poussa un soupir audible, vite suivi d'un gros rire. « Ça m'a tellement tracassé, Georgi. Mais bien sûr que tu pourrais maîtriser les technologies nouvelles ! Et sans doute mieux que moi. Si tu veux, je peux te guider pour... »

Alex vit Safronov relever l'écran de son ordinateur. Presque aussitôt, il se replongea dans son travail. Tout en tapant frénétiquement, il précisa : « Je te laisse faire de ton côté, et je me cantonnerai dans ce que je connais le mieux. Mais peut-être qu'après le triple lancement, j'aurai du temps pour une initiation. »

Verbov acquiesça. Pas mécontent que ses soupçons eussent été totalement infondés. Quelques instants plus tard, il s'était lui aussi remis au boulot et la question lui était sortie de l'esprit.

60

JUDITH COCHRANE regarda Saïf Yacine quitter son lit de béton pour se diriger vers la paroi de Plexiglas. On avait disposé dessous un siège et une petite écritoire sur laquelle se trouvaient son téléphone satellite, son calepin et ses crayons. Sur la table à côté du lit étaient disposés une haute pile de manuels de droit américain et d'autres documents imprimés pour lui permettre d'aider l'Initiative constitutionnelle progressiste à préparer sa défense.

Le ministère de la Justice avait quelque peu assoupli les règles édictées pour la défense de l'Émir. Il semblait que chaque jour Judy recevait un mail ou un coup de fil d'un responsable du ministère pour accorder à son client un plus large accès à l'information, aux contacts avec le monde extérieur, à diverses ressources, afin qu'il bâtisse une défense digne de ce nom. Aussitôt que la voie serait dégagée pour le transfert de Yacine dans une prison fédérale en Virginie, Judy réclamerait à la cour encore plus d'accès aux éléments confidentiels dont son client et elle auraient besoin pour démontrer l'illégalité de sa capture et, par conséquent, réclamer sa libération immédiate.

Paul Laska avait confié à Judy, quelques semaines auparavant, avoir appris de la CIA que les hommes qui avaient enlevé l'Émir dans les rues de Riyad étaient d'anciens membres de l'Agence, œuvrant en sous-main pour le gouvernement. Une complication de plus, pour l'un et l'autre camp, devant une cour fédérale, mais Judy faisait son possible pour tourner l'information à son avantage. Laska avait même précisé que Ryan pourrait bien avoir un lien avec les criminels qui avaient enlevé son client, aussi Judy comptait-elle menacer le nouveau pouvoir en braquant les projecteurs sur cette relation et mettre ainsi dans l'embarras le président des États-Unis.

Elle pressentait qu'elle avait pris Ryan la main dans le sac et que cela pousserait ce dernier à vouloir glisser l'Émir sous le tapis ; il lui suffisait de tenir sa promesse de campagne en le remettant à un tribunal militaire.

Mais elle avait un plan pour l'en empêcher.

« Bonjour, Judy. Vous avez l'air superbe aujourd'hui », dit Yacine en s'asseyant. Son sourire était séduisant mais l'avocate crut y lire une ombre de mélancolie.

« Merci. Avant que nous commencions, je me doute que vous devez vous sentir abattu aujourd'hui.

— Parce que Jack Ryan va devenir le nouveau président ? Oui, j'admets que la nouvelle est déprimante. Comment votre pays peut-il redonner les rênes du pouvoir à ce criminel ? »

Judith Cochrane hocha la tête. « Je n'en ai aucune idée. Pas un seul de mes amis ou collègues n'a voté pour lui, ça, je peux vous le promettre.

— Et il gagne, malgré tout ? »

Judy haussa les épaules. « Une bonne partie du pays, je suis désolée de le dire, est aux mains d'imbéciles racistes, ignares et bellicistes.

– Oui. Ce doit être vrai car il ne semble pas y avoir de justice pour un innocent dans votre pays, observa l'Émir avec une pointe de tristesse.

– Ne dites pas ça. Nous vous rendrons justice. Du reste, si je suis venue aujourd'hui, c'est pour vous annoncer qu'en fin de compte, la victoire de Ryan peut vous rendre service. »

L'Émir inclina la tête. « Comment ça ?

– Parce que l'ami de Ryan, John Clark, est l'un de vos ravisseurs. À l'heure qu'il est, il fuit la justice, mais une fois que les hommes de Kealty l'auront capturé, il se verra offrir une immunité totale s'il révèle pour qui il travaillait lors de votre arrestation. Jack Ryan se retrouvera dès lors compromis.

– Comment le savez-vous ?

– Parce qu'il se pourrait bien que Ryan soit le principal responsable. Et même s'il n'est pas impliqué directement, même s'il n'était pas au courant de votre enlèvement, nous trouverons bien un moyen détourné de le menacer. De lui faire passer le message que, si jamais il vous renvoie devant un tribunal militaire, nous n'aurons pas d'autre choix que de tout balancer aux médias – en particulier le fait qu'il a accordé en secret une grâce présidentielle à John Clark, preuve manifeste qu'il lui avait donné l'ordre implicite de tuer et d'enlever des innocents. Ryan pourra peut-être gagner devant un tribunal, mais face à l'opinion publique, et avec l'immense majorité des médias de notre côté, ce sera comme si le nouveau président vous avait lui-même tiré dessus, vous avait lui-même enlevé. Lui et son gouvernement n'auront d'autre choix dès lors que d'accéder à nos requêtes.

– Et quelles sont-elles ?

– Une sécurité réduite au minimum. Une sentence raisonnable. De quoi ne pas vous laisser moisir derrière les barreaux plus longtemps que la durée de son mandat. »

L'Émir sourit. « Pour un être aussi agréable et séduisant, vous ne manquez assurément pas d'astuce. »

Judy Cochrane rougit. « Et ce n'est qu'un début, Saïf. Croyez-moi. Vous gagnerez votre procès ou nous détruirons le président Ryan durant les audiences. »

À présent, le sourire de l'Émir avait effacé toute trace de sa mélancolie antérieure. « Est-ce trop espérer que d'imaginer voir se concrétiser les deux ? »

Judy sourit à son tour. « Non. Ce n'est absolument pas exclu. »

Cela faisait dix jours que Clark avait retrouvé Manfred Kromm à Cologne. Recherché, l'Américain avait passé l'essentiel de son temps à Varsovie. Il n'avait aucune raison opérationnelle de se rendre en Pologne mais la logique d'un tel choix s'imposa quand il devint manifeste qu'il lui fallait récupérer après cette soirée entière à fuir ses poursuivants en Allemagne. Sa cheville droite avait enflé et pris une couleur violacée, sa blessure à la main était longue à cicatriser et toutes ses articulations étaient douloureuses. Il était rompu, fourbu, et la douleur sourde qui lui engourdissait le bas du dos le premier matin s'était transformée en spasmes le second.

Varsovie n'était plus une simple ville étape entre l'Allemagne et l'Estonie. Elle était devenue une étape de repos indispensable.

Clark utilisa une fausse identité pour louer une chambre dans un petit hôtel anonyme du centre-ville. Il emplit la baignoire de sels d'Epsom, fit couler l'eau à une température propre à cuire un homard et s'y immergea intégralement, à deux extrémités près : son pied droit emmailloté dans un bandage de compression avec une vessie à glace, et sa main droite, qui tenait son SIG Sauer P. 220 calibre 45.

Le bain brûlant et les anti-inflammatoires délivrés sans ordonnance aidèrent à réduire les contractures.

En plus de ses divers bleus et bosses, Clark découvrit qu'il s'était chopé une belle sinusite. Voilà ce qui arrivait quand on courait sous une pluie glaciale. Là aussi, il dut recourir à des médicaments délivrés sans ordonnance, sans oublier une large provision de mouchoirs en papier.

Prendre des bains brûlants, avaler des comprimés, se moucher. Tel fut le programme auquel il dut rester abonné durant près d'une semaine avant de se sentir à nouveau, sinon comme un jeune homme, du moins comme un homme neuf.

Il se trouvait à ce moment-là à Tallin, capitale de l'Estonie. Il venait de franchir la porte de Viru, accédant aux rues pavées de la vieille ville. En deux semaines, il avait eu le temps de se laisser pousser la barbe et il avait troqué sa tenue d'hommes d'affaires d'âge mûr contre celle d'un robuste pêcheur revenu de tout. Il portait une casquette noire rabattue sur le front, un chandail noir sous un ciré bleu et avait chaussé des bottes de cuir pour maintenir le mieux possible sa cheville encore douloureuse.

On était vendredi soir et l'air de novembre était glacial, aussi n'y avait-il quasiment pas un chat dans les rues. Il était tout seul quand il s'engagea dans l'étroit passage Sainte-Catherine et c'était comme le reflet de sa solitude de ces dernières semaines. Quand il était jeune, bien plus jeune, il était capable d'opérer en solo, de garder l'incognito des semaines durant sans le moindre problème. Rien d'inhumain là-dedans, juste une aptitude à compartimenter sa vie pour se polariser entièrement sur l'action en cours. Mais à présent, il ne pouvait s'empêcher de songer à sa famille, à ses amis et collègues. Pas au point de tout laisser tomber pour les rejoindre, mais certainement trop à son goût.

C'était bizarre, s'avisa-t-il alors qu'il approchait de sa cible. Mais en cet instant, plus encore qu'à Sandy ou à Patsy, c'était d'abord à Ding qu'il avait envie de parler.

C'était dingue que son gringalet de gendre se retrouve ainsi au premier plan de ses pensées, et il s'en serait amusé si sa situation n'était pas devenue si dramatique. Mais après un instant d'introspection, ça lui parut logique. Sandy l'avait toujours soutenu, dans les bons comme dans les mauvais jours. Mais pas de la même façon que Chavez. Domingo et lui avaient traversé ensemble tant d'épreuves qu'ils n'arrivaient plus à les compter.

Malgré son désir, il ne songea pas une seconde à lui passer un petit coup de fil. Il avait pourtant dépassé bien des cabines – eh oui, il y en avait encore pas mal par ici – et il aurait été si bougrement facile de s'y arrêter.

Mais non. Pas encore. Sauf nécessité absolue.

Non, il devait opérer dans l'ombre. Demeurer invisible. Il ne pouvait contacter ses proches au risque de mettre leur vie en péril. Il ne doutait pas une seconde que Ding saurait s'occuper de sa femme, de sa fille et de ses petits-enfants, les tenir à l'écart des paparazzi, des tueurs en planque et de tous les autres connards prêts à tout pour nuire à la famille d'un ancien agent de la CIA.

Alors, même si Ding n'était pas à ses côtés, John Clark savait qu'il assurait toujours ses arrières.

Et pour l'heure, il allait devoir s'en contenter.

Ardo Ruul était le membre de la pègre estonienne qui avait envoyé ses hommes de main interroger Manfred Kromm. Les Russes avaient dans leurs dossiers une note du KGB de 1981 attestant qu'un gorille de la CIA, un certain Clark, était venu à Berlin le jour même où Lukas Schuman, agent de la Stasi, avait été tué par balle dans une station fantôme du métro de Berlin-Est. Le KGB avait interrogé son partenaire de l'époque, le dénommé Kromm, qui n'avait rien voulu confirmer. Mais la question restait toujours en suspens, consignée dans le dossier russe concernant John Clark, trente ans plus tard.

Aussi Valentin Kovalenko avait-il contacté Ardo Ruul. C'est que le truand estonien avait travaillé pour le renseignement de son pays quand il avait une vingtaine d'années et, maintenant qu'il avait quitté le service pour se mettre à son compte, il lui arrivait à l'occasion de dépanner le SVR. Cette fois-ci, Kovalenko lui avait demandé de retrouver ce fameux Kromm – s'il était encore de ce monde – pour avoir le fin mot de cette histoire. Ruul et ses hommes avaient localisé le bonhomme à Cologne. Ils avaient alors arrangé un rendez-vous avec le vieil Allemand crocheteur de serrures et ce dernier n'avait pas tardé à leur livrer une histoire qu'il n'avait jamais racontée à personne et il avait même fini par identifier Clark d'après photo.

Un jeu d'enfant pour l'Estonien. Il transmit simplement les informations à Valentin Kovalenko, puis revint à Tallin après avoir prolongé son week-end en Allemagne avec sa petite amie.

Il était à présent de retour à sa place habituelle dans sa boîte de nuit favorite et regardait les trop rares touristes se démener sur la piste, sous les lampes clignotantes.

Ruul était le propriétaire du Klub Hypnotek, un bar techno très chic situé sur Vana Turg, dans la vieille ville. Il y passait presque tous les soirs aux alentours de vingt-trois heures et ne s'éloignait jamais de son trône, un sofa d'angle, toujours flanqué de deux gardes du corps armés, sauf quand il devait monter – seul – dans son bureau, compter la recette ou surfer sur le Net.

Vers minuit, pris d'un besoin pressant, il prit l'escalier à vis pour gagner son antre au premier, tout en faisant signe à ses gorilles de rester en bas, puis il alla s'enfermer dans les toilettes minuscules attenantes à son bureau.

Il pissa, tira la chasse, remonta la fermeture Éclair, se retourna et se retrouva nez à nez avec le canon d'un revolver.

« Putain…, s'exclama-t-il en estonien.

– Tu me reconnais ? »

La question avait été posée en anglais.

Ruul contempla le silencieux sans rien dire.

« Je t'ai posé une question.

– Rabaissez arme, s'il vous plaît, pour que je voir vous », ânonna Ruul, d'une voix tremblante.

John Clark abaissa son pistolet. À présent, il visait le cœur. « Et maintenant ?

– Oui. Vous être cet Américain, John Clark, recherché par tout le monde dans votre pays ?

– Je suis surpris que tu ne te sois pas attendu à ma visite. » Clark jeta un bref coup d'œil derrière lui, vers l'escalier à vis.

« Tu ne t'attendais vraiment pas à moi, n'est-ce pas ? »

Ruul haussa les épaules. « Pourquoi, je devoir ?

– On a dit partout que j'étais à Cologne. Tu n'as pas eu l'idée que je pourrais être à la recherche de Kromm ?

– Kromm est mort. »

Première nouvelle pour Clark. « Tu l'as tué ? »

Le signe de dénégation de Ruul porta l'Américain à le croire.

« Eux m'avoir dit que lui être mort avant que vous parler à lui.

– Qui t'a dit ça ?

– Des gens que je craindre plus que vous, Américain.

– Alors, c'est que tu ne me connais pas ».

Clark arma son pistolet.

Ruul arqua les sourcils, mais il demanda néanmoins : « Nous rester dans toilettes encore longtemps ? »

Clark recula pour laisser l'homme regagner son bureau, sans toutefois cesser de braquer le canon sur sa poitrine. Ruul garda les mains en l'air mais il les rapprocha légèrement de sa tête pour caresser ses cheveux blonds en brosse, tout en jetant un coup d'œil à la dérobée vers la fenêtre et l'escalier d'incendie. « Vous venir par ma fenêtre. Au premier ? Vous besoin trouver fauteuil, ça être plus de votre âge.

– S'ils t'ont vraiment dit que je n'ai rien tiré de Kromm, c'est qu'ils voulaient t'utiliser comme appât. J'imagine qu'ils t'ont mis sous surveillance et qu'ils attendaient que je me pointe. »

L'idée n'était pas venue à Ruul. John crut déceler une lueur d'espoir dans l'œil de son interlocuteur, comme s'il escomptait voir quelqu'un venir à sa rescousse.

« Et s'ils ont tué Kromm, alors ils n'auront aucun scrupule à te tuer. »

Cette fois, le voyou estonien avait pigé. Il n'empêche qu'il ne cédait pas aisément.

« Alors... qui t'a envoyé chez Kromm ?

– *Kepi oma ema*, vieux fou, dit Ruul.

– Ça m'a tout l'air d'une injure. C'est ça ?

– Ça vouloir dire... Encule ta mère.

– Charmant. »

Clark releva son arme vers le front de l'Estonien.

« Si tu me tues, tu n'as aucune chance. Je avoir dix hommes armés dans bâtiment. Un bang de ton flingue et eux venir te tuer. Et si tu as raison pour les autres qui surveillent nous, alors tu devoir penser à ton propre... »

Il s'interrompit en voyant Clark rengainer son pistolet.

L'Américain s'approcha, prit Ardo Ruul par le bras, le retourna et lui fracassa la tête contre le mur.

« Je vais te faire un truc très douloureux. Tu auras envie de gueuler mais je te promets que si tu émets le moindre son, ton autre bras y passera.

– Quoi ? Non ! »

Clark lui retourna violemment le bras gauche, puis il fit peser son propre coude contre celui de l'Estonien.

Ardo Ruul se mit à hurler mais Clark lui saisit les cheveux et lui projeta le visage contre le mur.

Puis, tout contre son oreille, il indiqua : « J'insiste encore un peu, et ton articulation lâche. Tu peux encore la sauver si tu ne gueules pas.

– Je... Je vous dire qui m'a envoyé voir Manfred Kromm, haleta Ruul et Clark relâcha sa pression. Un enculé de Russe. Kovalenko être son nom. Lui appartenir à FSB ou SVR, je pas savoir lequel. Il m'a envoyé voir ce que Kromm savait sur vous à Berlin.

– Pourquoi ? »

Les genoux d'Ardo se dérobèrent et il glissa le long du mur. Clark l'aida à s'asseoir par terre. L'homme avait le visage livide, les yeux agrandis par la douleur. Il tenait son coude meurtri.

« Eh bien, Ruul ?

– Lui ne pas m'avoir dit pourquoi.

– Comment je fais pour le trouver ?

– Comment je sais, moi ? Lui s'appeler Kovalenko. Lui agent russe. Lui me payer argent. C'est tout ce que je sais. »

Venant de la salle, en bas, on entendit soudain le claquement d'une arme, suivi des cris des clients.

Clark se releva prestement pour se diriger vers la fenêtre.

« Où vous aller ? »

Clark ouvrit, regarda dehors, puis il se retourna vers le gangster estonien. « Avant qu'ils ne te tuent, n'oublie pas de leur dire que je suis aux trousses de Kovalenko. »

Ardo Ruul se redressa en prenant appui sur le bureau avec son bras valide. « Pas partir, Américain ! Nous les combattre ensemble ! »

Clark enjamba l'appui pour gagner l'escalier d'incendie. « Ces gars en bas, c'est ton souci. J'ai déjà mes problèmes. »

Et sur ces mots, il disparut dans la nuit glaciale.

Les deux hommes, l'Américain et l'Estonien, étaient à peu près du même âge. Presque de taille identique. Du même poids, à cinq kilos près. Tous deux avaient des cheveux poivre et sel taillés en brosse ; et tous deux avaient les traits burinés par l'âge et les épreuves de la vie.

Les similitudes s'arrêtaient là. L'Estonien était un ivrogne, un clodo, allongé sur le bitume froid, la tête relevée contre le mur, avec posé à côté de lui, un gros sac en plastique transparent contenant toutes ses possessions.

En dehors de la ressemblance physique, donc, rien à voir avec Clark.

Ce dernier s'était planqué dans le noir, sous les voies ferrées, pour mieux observer le clochard. Il l'étudia quelques instants encore, avec un rien de tristesse. Sans pour autant s'apitoyer sur son sort. John Clark n'était pas insensible, mais il était en mission. Il n'avait pas de temps à perdre en sentimentalisme.

Il traversa, s'agenouilla et dit en russe : « Cinquante euros pour tes fringues. »

L'Estonien plissa ses yeux à l'iris jauni et injecté de sang. « *Vabandust* ? Pardon ?

— OK, l'ami. T'es un coriace, toi. Je te les échange contre mes vêtements et je te file cent euros. »

Si l'ivrogne sans logis avait paru un instant perplexe, la lumière se fit en lui. Tout comme il devint clair que l'offre n'était pas à discuter.

C'était un ordre.

Cinq minutes plus tard, Clark entrait dans la gare principale de la vieille ville, titubant d'ombre en ombre, comme un clochard, et se mit à guetter le prochain train pour Moscou.

61

Jack Ryan Jr. passa la matinée dans son box chez Hendley Associates à parcourir les rapports qu'avait pondus Melanie Kraft au Centre national antiterroriste. L'analyse de la jeune femme portait sur la récente série d'attentats terroristes en Inde et elle émettait l'hypothèse que tous les commandos impliqués avaient travaillé sous l'égide d'un même chef opérationnel.

Ryan se sentait un peu gêné d'avoir l'impression de mater par-dessus l'épaule de la fille avec qui il flirtait, mais la gêne était compensée par l'assurance qu'il avait là une tâche cruciale à effectuer. La récente escalade de la violence de la part de Rehan, aussi bien au Waziristan du Nord qu'à Dubaï, prouvait à tous les membres du Campus que l'homme était dangereux car aux abois. Et maintenant, en examinant l'analyse de Melanie qui soulignait les similitudes entre tous les attentats sanglants d'un bout à l'autre du territoire indien, Ryan imaginait sans peine que Riaz Rehan, général de brigade des forces de défense pakistanaises et directeur du renseignement extérieur de l'ISI, pouvait bien être le personnage surnommé Forrest Gump figurant dans le mail de Melanie adressé à Mary Pat Foley.

Jack n'avait à présent qu'une envie : l'inviter à déjeuner sur-le-champ et la mettre au courant pour combler les blancs laissés dans son analyse et, en échange, tirer des données brutes qu'elle possédait les éléments susceptibles de répondre aux questions qu'ils se posaient, le Campus et lui, sur leurs cibles principales.

Mais parler à Melanie de son activité au Campus était absolument exclu.

Son téléphone sonna ; il tendit la main pour décrocher sans quitter des yeux son écran. « Ryan ?

– Eh, gamin. J'aurais besoin d'un service. C'était Clark.

– John ? Nom de Dieu. T'es OK ?

– Je tiens le coup, mais de justesse. Un petit coup de main ne serait pas de refus.

– Sans problème.

– Voilà : j'aimerais que tu te renseignes sur un espion russe du nom de Kovalenko.

– Un Russe ? OK. FSB, SVR ou renseignement militaire ?

– Aucune idée. Je me souviens d'un Kovalenko au KGB, dans les années quatre-vingt, mais le gars doit s'être rangé des voitures depuis belle lurette. Ce mec-ci pourrait être un parent, à moins que la similitude des noms ne soit qu'une coïncidence.

– Très bien. Que veux-tu savoir à son sujet ? »

Dans le même temps, Ryan griffonnait furieusement sur un calepin.

« J'ai besoin de savoir où il est. Je veux dire, physiquement.

– Pigé. »

Jack songea, mais sans le lui dire, que si Clark désirait tant retrouver ce Kovalenko, c'était sans doute pour lui serrer le kiki. *Ce Popov est un homme mort.*

John ajouta : « Et tout ce que tu pourras me trouver d'autre sur le bonhomme. Pour le moment, je suis dans le brouillard complet, alors tout tuyau sera le bienvenu.

– Je réunis une équipe pour examiner les données de la CIA, mais aussi celles en libre accès et on va tâcher de rassembler un maximum d'informations. Serait-il à l'origine de ces boules puantes ?

– Il doit y avoir un rapport – savoir s'il en est ou non le point de départ, ça reste à voir.

– Tu comptes me rappeler ?

– Dans trois heures ?

– Ça me va. D'ici là, tu ne bouges pas. »

Une minute et demie après le coup de fil de Clark, Ryan organisait une téléconférence avec une douzaines d'employés d'Hendley Associates, parmi lesquels Gerry Hendley, Rick Bell et Sam Granger. Bell monta une équipe pour creuser dans le passé de cet espion russe et tout le monde se mit aussitôt à l'ouvrage.

Il ne leur fallut pas longtemps pour se rendre compte que Clark avait raison au sujet du lien familial : le Kovalenko en question était bien le fils du Kovalenko agent du KGB dont Clark se souvenait. Oleg, le père, était à la retraite mais toujours en vie, et Valentin, le fils, était désormais *rezident* adjoint à l'antenne de Londres.

À vingt-cinq ans seulement, avoir ce poste dans la capitale britannique était une sacrée promotion, tous en convenaient, mais nul ne put établir comment leur homme pouvait avoir un quelconque rapport avec une opération qu'auraient pu monter les Russes contre Ryan.

Les analystes se mirent ensuite à chercher dans les communications de la CIA toute information relative à Valentin Kovalenko. Ils n'avaient pas vraiment l'habitude de pister des diplomates russes à longueur de journée, et ils y trouvèrent un petit côté distrayant. Au moins, Kovalenko n'était pas planqué dans une grotte au Waziristan comme tant d'autres cibles du Campus. La CIA détenait des informations – transmises pour l'essentiel par le MI5, le contre-espionnage britannique – sur son appartement londonien, les boutiques où il faisait ses emplettes et même l'école que fréquentait sa fille.

Il devint bien vite évident que le MI5 ne filait pas Kovalenko en permanence. Les données recueillies suffisaient toutefois à montrer que l'homme s'était rendu en avion à Moscou – sur un vol entre Heathrow et Domodedovo – pour un séjour de deux semaines en octobre, mais qu'il avait depuis regagné Londres.

Ryan commença à s'interroger sur le père de Valentin, Oleg Kovalenko. Clark avait dit qu'il avait entendu parler du bonhomme, même s'il ne semblait pas suspecter qu'il ait joué un rôle particulier dans ses malheurs actuels. Jack voyait toutefois quantité de brillants analystes fouiller dans la vie de Valentin. Ayant jugé qu'il ne servirait à rien de dupliquer leurs efforts, il choisit de tenter le tout pour le tout et de s'attacher plutôt au père, Oleg.

Durant la demi-heure qui suivit, il se plongea dans les archives de la CIA traitant de l'espion du KGB, en particulier de ses exploits en Tchécoslovaquie, en Allemagne de l'Est, à Beyrouth et au Danemark. Jack Jr. n'était dans le métier que depuis quelques années mais, à première vue, la carrière de Kovalenko père n'avait rien eu de particulièrement remarquable, en tout cas si on la comparait à celles d'autres espions russes qu'il avait eu l'occasion d'étudier.

Après avoir creusé le passé du personnage, Jack entra son nom dans une base de données du ministère de la Sécurité intérieure. Ainsi pourrait-il avoir la liste de ses éventuels déplacements vers des pays occidentaux.

Un seul apparut. Kovalenko père s'était rendu à Londres début octobre, sur un vol Virgin Atlantic.

« Rendre visite à son fils, peut-être ? » songea Jack.

S'il s'était bien agi d'une réunion de famille, elle avait été fort brève. Un séjour d'à peine trente heures.

Jack trouva cela curieux. Il pianota sur son bureau, puis se décida à appeler Gavin Biery.

« Eh, c'est Jack. Si je te donne le nom d'un ressortissant étranger, avec ses dates de séjour au Royaume-Uni, pourrais-tu retrouver ses cartes de crédit et me fournir la liste des transactions effectuées durant cette période, que je puisse localiser ses déplacements ? »

Jack entendit Biery siffler à l'autre bout du fil. « Bigre... peut-être.

– Il te faudra longtemps ?

– Deux jours, au moins.

– Tant pis », soupira Ryan.

Biery se mit à rire.

Quel connard, soupira Ryan, avant que, presque aussitôt, son interlocuteur enchaîne : « Mais non, je blaguais, Jack. Je peux t'avoir cette info dans les dix minutes. Envoie-moi par mail le nom du bonhomme et tout ce que tu as déjà sur lui. Je m'y colle aussitôt.

– Hum, entendu. »

De fait, dix minutes plus tard, le téléphone de Ryan sonna. Il répondit d'emblée par : « Alors, qu'est-ce que t'as trouvé ? »

Gavin Biery, conscient de la hâte de Ryan, répondit aussitôt : « Eh bien, voilà. Il était bien à Londres, aucun doute. Mais il n'a payé ni hôtel, ni location de voiture, ni rien de tout ça. Juste deux ou trois cadeaux et quelques faux frais. »

Soupir frustré de Ryan. « Donc, il semblerait que quelqu'un lui a payé son déplacement.

— Il a bien acheté son billet d'avion, c'est débité d'une de ses cartes. Mais une fois à Londres, tous ses frais ont été pris en charge par un tiers.

— OK... J'imagine que je ne suis guère plus avancé.

— Qu'espérais-tu trouver ?

— Je n'en sais rien. Sans doute dégoter un truc en rapport avec l'affaire Clark. J'imagine qu'en étant à même de suivre son itinéraire durant ces trente heures à Londres, je pourrais me faire une idée de...

— Je sais où il est descendu.

— C'est vrai ?

— Il a acheté une boîte de cigares à la boutique de cadeaux du Mandarin oriental à dix-neuf heures cinquante-six, puis une boîte de chocolats Cadbury dans la même boutique à huit heures vingt-deux le lendemain matin. À moins qu'il ait un attachement particulier pour ce magasin, on peut raison-nablement en déduire qu'il a passé la nuit là-bas. »

Jack réfléchit un instant. « Peux-tu jeter un coup d'œil à toutes les réservations pour la nuit en question ?

— Ouais, j'ai vérifié. Pas de Valentin Kovalenko.

— Oleg Kovalenko ?

— Non plus.

— Donc, quelqu'un d'autre – et pas son fils – a réglé sa note. Pouvons-nous avoir la liste de toutes les cartes de crédit qui ont servi à payer une chambre cette fameuse nuit ?

– Bien sûr. Je peux te rassembler ça. Tu me rappelles dans cinq minutes ?

– Je serai à ton bureau dans trois », répondit Ryan.

Ryan arriva muni de son ordinateur portable qu'il ouvrit sitôt qu'il se fut assis à côté de leur sorcier de l'informatique. Biery lui tendit une liste imprimée, ce qui permit aux deux hommes d'avoir les noms des clients qui avaient séjourné à l'hôtel cette nuit-là. Ryan ne savait pas trop ce qu'il cherchait, ce qui l'empêchait de donner la moindre piste à Gavin. En dehors du nom « Kovalenko », précédemment exclu, et de la découverte hautement improbable d'un « Edward Kealty », il ne voyait guère ce qui pourrait éveiller sa curiosité.

Il aurait tant voulu que Melanie fût ici à la place de Gavin. Elle lui aurait trouvé un nom, un indice, enfin quelque chose.

Et puis, l'idée lui vint, jaillie d'il ne savait où. Il s'écria : « Essayons la vodka ! »

Gavin sourit. « Mec, il est dix heures du matin. À moins que tu aies de quoi nous préparer un bloody mary... »

Mais Ryan n'écoutait pas. « Les diplomates russes en visite à New York avaient toujours des problèmes parce qu'ils éclusaient régulièrement toute la vodka du minibar.

– Qui t'a raconté ça ?

– Je ne sais pas, mais je l'ai entendu dire. C'est peut-être une rumeur mais regarde-moi la bobine de ce type. (Il afficha sur son écran une photo de l'intéressé.) Ne me dis pas qu'il ne marche pas à la Stoli.

– D'accord, je vois ce gros nez rouge mais franchement, quel rapport avec son voyage à Londres ?

– Cherche une chambre avec une note de minibar, ou une note de bar liée à une chambre. »

Biery refit un balayage avec son ordinateur, tout en rajoutant : « Sans oublier le service à la chambre. Pour un alcool fort.

– Exactement. »

Gavin se mit à parcourir les facturettes de cartes de crédit pour en extraire la liste des chambres dont les clients avaient commandé de l'alcool, soit en chambre, soit au bar de l'hôtel. Plusieurs numéros apparurent. Finalement, il restreignit son choix à l'un d'eux en particulier. « OK, nous y voilà. Une chambre avec une note réglée grâce à une carte American Express Centurion au nom de Carmela Zimmern.

– OK. Et alors ?

– Alors, il semble qu'une Mme Zimmern, lors de son unique nuitée au Mandarin oriental, ait festoyé avec deux portions de caviar beluga, quatre bouteilles de vodka finlandaise et trois films porno. »

Ryan regarda le détail de la facturette numérique affichée sur l'écran de Gavin. Et lui fit part de sa perplexité devant l'intitulé « divertissement en chambre ».

« Comment sais-tu que c'étaient des pornos ?

– Regarde. Ils ont été diffusés en même temps sur trois canaux. J'imagine qu'Oleg voulait pouvoir zapper entre les passages excitants.

– Oh », fit Ryan, toujours en train de reconstituer le puzzle. Il se remit à parcourir la liste de noms. « Attends voir. Carmela Zimmern a également réservé la suite royale, cette même nuit. Près de six mille dollars, quand même. Dans ce cas, que faisait Kovalenko dans l'autre chambre ? Il serait venu la voir, peut-être ?

– Ça paraît plausible. »

Merde, songea Jack. *Qui est cette Carmela Zimmern ?*

Une recherche sur Google ne donna rien. Enfin, presque, car il y avait plusieurs Carmella Zimmern. L'une était une adolescente de quatorze ans vivant dans le Kentucky et joueuse de lacrosse, une autre était une mère de quatre enfants, trente-cinq ans, habitant Vancouver et amateur de crochet. Ils examinèrent quand même cette liste en détail, mais aucune de ces Carmella n'était du genre à fréquenter les hôtels cinq étoiles ou à distraire les espions russes en goguette.

« Je vais retrouver l'adresse avec ses coordonnées de carte bancaire », indiqua Biery qui se remit à pianoter sur son ordinateur.

De son côté, Jack Jr. élargit sa recherche aux réseaux sociaux, à divers sites Internet, aux forums en accès libre. Au bout d'une minute à peine, il s'exclama : « Bon Dieu !

– Quoi ?

– Elle bosse pour Paul Laska.

– *Le* Paul Laska ?

– Ouaip. Carmella Zimmern, quarante-six ans, vivant à Newport, Rhode Island, employée par le Progressive Nations Institute. »

De son côté, Gavin avait terminé sa vérification de la carte Amex. « C'est bien notre nana. Elle réside à Newport.

– Curieux. La fondation de Laska a son siège à New York.

– Certes, mais Laska lui-même réside à Newport.

– Donc, elle travaille directement sous ses ordres.

– Ça m'en a tout l'air. »

Quand Clark rappela, la communication était retransmise dans la salle de conférences du huitième étage. Tous les principaux responsables de services étaient là, certains encore plongés dans les éléments que Ryan et Biery venaient de recueillir.

« John, c'est Ryan. Je t'ai mis en liaison avec tout le monde.

– Salut, les gars ! »

Chacun des participants se présenta rapidement.

Clark hésita avant de poursuivre. « Où est Driscoll ? »

Ce fut Hendley qui répondit. « Au Pakistan.

– Encore ?

– Prisonnier de guerre. Capturé par Haqqani.

– Merde. Chierie. »

Gerry intervint : « Écoute. On a une piste tangible pour le tirer de là. Il y a de l'espoir.

– Embling ? C'est lui, votre piste ?

– Nigel Embling est mort, John. Tué par Riaz Rehan, répondit Hendley d'une voix sourde.

– Putain de merde, c'est quoi, ce binz ?

– C'est compliqué », soupira Gerry. C'était une litote. « Mais on ne lâche pas l'affaire. Pour l'heure, concentrons-nous sur ta situation. Comment ça va ? »

Clark semblait tout à la fois fatigué, furieux et frustré. « J'irai mieux quand cette affaire sera réglée. Des nouvelles de Kovalenko ? »

Hendley regarda Jack Junior en hochant la tête.

« Oui. Valentin Kovalenko, trente-cinq ans. Chef d'antenne adjoint du SVR à Londres.

– Et il est à Moscou ?

– Non. Il y est passé en octobre, mais juste pour une quinzaine de jours.

– Merde », fit Clark. Ryan déduisit de sa réaction que Clark appelait de Moscou.

« Il y a autre chose, John.

– Vas-y.

– Le père de Kovalenko, Oleg. T'avais raison, il a été au KGB.

– Ce n'est pas un scoop, Jack. Il doit bien être octogénaire.

– Quand même pas, mais attends une seconde. Ce type n'était jamais sorti de Russie. Du moins, d'après son dossier au ministère de la Sécurité intérieure. Or, voilà qu'en octobre, il s'envole pour Londres.

– Voir son fils ?

– Voir Paul Laska, apparemment. »

Il y eut un long silence. « *Le* Paul Laska ?

– Ouaip, confirma Ryan. Ce n'est pas encore confirmé mais nous pensons qu'ils ont pu faire connaissance en Tché-coslovaquie.

– OK, fit Clark, un rien perplexe. Continue.

– Juste après la visite d'Oleg à Londres, Valentin file à Moscou pour une quinzaine. Puis il retourne à Londres et, quelques jours plus tard, surprise, ta mise en examen tombe du ciel. »

Clark confirma le raisonnement : « Quand j'étais à Moscou, Valentin avait envoyé une équipe de gros bras éplucher mon dossier au KGB pour y récupérer des informations à mon sujet.

– Bizarre, observa Caruso, jusqu'ici resté silencieux. S'il appartient au SVR, pourquoi n'a-t-il pas tout simplement envoyé ses hommes ? »

Clark fournit aussitôt la réponse : « Parce qu'il voulait que lui et son service n'aient rien à voir avec cette opération.

– Donc, Valentin aurait eu vent de ton existence par le truchement de Laska ? demanda Ryan.

– C'est ce qu'on dirait. »

Ryan était perplexe. « Et Laska te connaît... comment ? »

Là, ce fut Sam Granger qui répondit. « Paul Laska est à la tête de l'Initiative constitutionnelle progressiste, le groupe de pression qui défend l'Émir. D'une manière ou de l'autre, ce dernier a mis en cause Clark, et Laska orchestre cette fuite en y impliquant les Russes parce qu'il est hors de question pour lui d'admettre que c'est l'Émir qui lui balance des infos. »

Hendley passa les doigts dans ses cheveux gris. « L'Émir a pu décrire Clark à ses avocats. Ils auront obtenu ta photo par la CIA.

– Donc, Paul Laska et son entourage se servent des Russes comme paravent, en quelque sorte, commenta Clark.

– Mais quel intérêt pour les Russes de marcher dans la combine ? s'étonna Chavez.

– Pour entraver d'emblée la présidence de Ryan, voire la miner carrément.

– Il va falloir qu'on s'intéresse à Laska, dit Caruso.

– Certainement pas, coupa Hendley. Il est exclu d'opérer sur le territoire national contre nos compatriotes, même des connards mal avisés dans son genre. »

Il y eut un début de discussion, Caruso et Ryan d'un côté, le reste des hommes de l'autre. Dans l'ensemble, Chavez se tint à carreau.

Clark mit fin à la dispute : « Écoutez, je comprends et je respecte cette position. J'essaierai de mon côté de trouver le plus possible de données exploitables et on se retrouvera pour refaire le point.

– Merci, dit Gerry Hendley.

– Il demeure toutefois un problème.

– Comment cela ?

– Une autre équipe me recherche. Pas de Russes. Pas non

plus d'Américains. De Français. L'un des leurs est mort à Cologne. Je ne l'ai pas tué, mais le fait est qu'il n'est plus de ce monde. Et je n'ai pas l'impression que ses potes seront enclins à écouter ma version des faits. »

Les hommes présents dans la salle de conférences se dévisagèrent quelques secondes. Ils avaient tous appris la nouvelle de la disparition du Français qu'on disait avoir été tué par John Clark. Mais si Luc Patin faisait partie d'une équipe lancée aux trousses de l'Américain, c'était aussi la preuve de la présence d'un autre acteur. Ce fut Rick Bell qui rompit finalement le silence : « On va essayer de découvrir de qui il s'agit. Peut-être qu'on pourrait mener une enquête un peu plus approfondie que celle effectuée par les médias internationaux sur la victime, histoire de savoir pour qui elle travaillait.

– J'en serai ravi, observa Clark. Ça ne fait jamais de mal de savoir qui l'on a en face de soi. OK. Faut que j'y aille. De votre côté, les gars, donnez-vous à fond pour ramener Sam.

– Sûr, dit Chavez. Et toi, John, sois prudent. »

Lorsque Clark eut raccroché, Dominic se tourna vers Domingo. « Ding, c'est toi qui connais depuis le plus longtemps Monsieur C. Au téléphone, il m'a paru fatigué. Ton avis ? »

Chavez opina sans rien dire.

« Combien de temps encore peut-il tenir ? Il a quand même soixante-trois ou soixante-quatre ans. Putain, il a deux fois mon âge et je ressens encore les effets des épreuves de ces dernières semaines. »

Chavez se contenta de hocher la tête, le regard perdu au loin. « Inutile de spéculer sur sa capacité physique à résister aux épreuves quotidiennes.

– Pourquoi pas ?

– Parce que si tu fais la même chose que John, tôt ou tard, tu vas finir par y passer. À la longue, avec la quantité de balles qui l'ont manqué d'un cheveu depuis près d'un demi-siècle, il y en aura bien une qui ne le ratera pas. Et je ne parle pas de la petite estafilade qu'il s'est chopée à Paris. »

Caruso opina. « J'imagine que tous autant que nous sommes, nous avons une date d'expiration inscrite quelque part – quoi qu'on fasse.

– Ouaip. C'est la loterie à chacune de nos sorties. »

La réunion s'achevait mais la salle de conférences ne s'était pas encore vidée quand un voyant se remit à clignoter sur le central téléphonique posé au milieu de la table. Ce fut Hendley en personne qui répondit. « Ouais ? Bien. Passez-le-nous. (Hendley regarda ses collaborateurs.) C'est al-Darkur. »

Il pressa la touche du haut-parleur. « Allô, Mohammed. Vous vous adressez à Gerry et les autres écoutent notre conversation.

– Bien.

– Dites-moi que vous avez de bonnes nouvelles.

– Oui. Nous avons retrouvé votre homme. Il est toujours au Waziristan du Nord, dans une enceinte fortifiée au cœur de la ville d'Aziz Khel. »

Chavez se pencha vers l'appareil. « Et qu'est-ce que vous envisagez de faire ?

– J'ai préparé un raid. Pour l'instant, je n'ai pas demandé d'autorisation officielle parce que je ne veux pas mettre la puce à l'oreille de ceux qui le détiennent. Mais je compte pouvoir lancer l'opération de sauvetage dans moins de trois jours. »

Chavez était curieux : « Et comment avez-vous localisé son lieu de détention ?

– L'ISI connaît ce fort depuis toujours – il tient lieu de prison aux victimes d'enlèvements de Siraj Haqqani. Mais aucun de ses membres ne s'y trouve actuellement détenu. Inutile donc de dévoiler l'existence de celui qui nous a procuré le tuyau. J'ai persuadé quelqu'un de me parler. »

Chavez opina. « Et à votre avis, combien d'ennemis s'y trouvent en ce moment ? »

Un bref silence au bout du fil. « Comment cela ?

– Je précise : combien de membres d'Haqqani tiennent la place ? Histoire d'évaluer le poids de l'opposition. »

Un autre silence, plus long. « Je ne suis pas sûr que la réponse à cette question vous enchante. »

Chavez hocha la tête. « Je préfère de mauvaises nouvelles à pas de nouvelles du tout. Une leçon que je tiens d'un ami proche.

– Alors votre ami est fort sage. Je suis désolé de vous dire que les nouvelles sont mauvaises. On table au bas mot sur une cinquantaine de combattants d'Haqqani cantonnés dans un rayon de cent mètres autour du lieu de détention de Sam. »

Ding regarda Jack et Dom. Les deux hommes firent oui de la tête. « Mohammed. Nous aimerions vous rejoindre au plus vite.

– Excellent. Vous avez fait vos preuves à Dubaï. Je pourrais vous utiliser à nouveau. »

À l'issue de la conversation avec le commandant de l'ISI, les trois agents du Campus se rassirent autour de la table. Là encore, ils furent rejoints par Hendley et Granger.

Il était clair que Jack, Dom et Ding voulaient se rendre au Pakistan pour participer au raid organisé contre le fort où, à en croire l'ISI, Sam Driscoll était détenu par le réseau Haqqani.

Hendley n'était pas d'accord mais, alors qu'ils plaidaient leur cause, il se rendit compte qu'il ne pouvait leur refuser cette occasion de sauver leur ami.

Gerry Hendley avait perdu sa femme et leurs trois enfants dans un accident de voiture, il avait perdu l'année passée Brian Caruso lors d'une mission qu'il avait approuvée, autant de faits qui n'avaient pas échappé aux autres membres de son équipe.

Gerry voulait récupérer Sam tout autant et sans doute plus qu'eux.

« Messieurs, leur dit-il. Pour l'heure, que ça vous plaise ou non, Clark est livré à lui-même. Nous lui apporterons notre soutien d'ici, de toutes les façons possibles, si jamais il se manifeste à nouveau et réclame un surcroît d'aide. Mais cette occasion d'aller à la rescousse de Sam… (Hendley hocha la tête.) Ça m'a tout l'air d'un plan foireux. C'est ultrarisqué. D'un autre côté je ne pourrais plus me regarder dans la glace si je ne vous laissais pas tenter votre chance pour le délivrer. C'est à vous trois de décider.

— Nous allons nous rendre à Pesh, discuter avec al-Darkur, dit Chavez. Je me fie à lui. S'il affirme que les hommes qu'il a choisis pour mener le raid sont au top… ma foi… c'est tout ce qu'on demande, pas vrai ? »

Hendley accepta donc de les laisser partir mais il ne se faisait aucune illusion sur la promesse qu'ils se contenteraient d'évaluer la situation. Il suffisait de regarder la flamme dans leurs yeux pour savoir que ces trois gars allaient se lancer tête baissée dans la bataille, et il se demanda, une fois encore, s'il pourrait se regarder dans la glace si jamais ils ne revenaient pas.

62

L E GÉNÉRAL Riaz Rehan transmit un message à toutes les organisations placées sous sa coupe. Non pas à leurs dirigeants, mais plutôt à leurs dizaines de cellules individuelles. Les unités actives sur le terrain étaient composées d'hommes qu'il savait acquis à sa cause et prêts à se sacrifier pour elle. Il consacra donc la journée à les joindre par mails, Skype et téléphone satellite pour leur donner l'ordre de passer à l'action.

L'Inde était la cible. Le jour J était venu.

Les attaques commencèrent quelques heures plus tard. À la frontière entre les deux pays, mais aussi au cœur même du territoire ; même les ambassades et les consulats indiens au Bangladesh et dans d'autres pays ne furent pas épargnés.

À ceux qui demandaient « pourquoi maintenant ? », les réponses variaient. Une bonne partie de la presse internationale reprocha au président élu Jack Ryan ses attaques verbales dénonçant la faiblesse du gouvernement pakistanais, mais les initiés voyaient bien que la coordination nécessaire pour mener de telles actions simultanées était la preuve que leurs préparatifs ne dataient pas de la veille ; ils avaient débuté bien avant que Ryan eût promis de se tenir aux côtés de l'Inde si jamais le Pakistan ne mettait pas fin à son soutien au terrorisme.

La plupart des gens savaient également que cette question du « pourquoi maintenant ? » était oiseuse car, quand bien même le conflit s'était aggravé lors des dernières semaines, il se poursuivait depuis des décennies.

Pour l'opération que Riaz Rehan avait lancée depuis quelques mois avec en prélude l'attaque contre l'autoroute à péage d'Electronic City dans la banlieue de Bangalore, l'idée lui était venue en rêve, bien des années auparavant, à la fin juin 1999. À l'époque, l'Inde et le Pakistan étaient au beau milieu d'un conflit local dans l'État du Jammu-et-Cachemire, autour de la ville de Kargil. Le forces pakistanaises avaient alors franchi la ligne de contrôle séparant les deux nations ; s'en étaient suivies plusieurs violentes escarmouches au cours desquelles une pluie d'obus était tombée de part et d'autre de la ligne, faisant plus de quinze cents morts.

Rehan se trouvait alors à la frontière pour organiser des groupes militants au Cachemire. Lui était parvenue la rumeur insistante – qui devait par la suite se révéler fondée – que le Pakistan avait mis en alerte son arsenal nucléaire. À cette époque, les Pakistanais possédaient la bombe depuis déjà dix ans, même si leur premier essai ne s'était déroulé que l'année précédente. Ils détenaient près d'une centaine d'ogives et de bombes, toutes démontées, mais prêtes à une mise en œuvre et un déploiement rapide en cas d'urgence nationale.

Cette nuit-là, alors qu'il dormait dans une redoute située à cheval sur la ligne de contrôle au milieu des montagnes, Rehan avait rêvé que des armes nucléaires lui avaient été apportées par un grand faucon sacre. L'oiseau avait demandé à Rehan de faire exploser les bombes de chaque côté de la frontière, afin de déclencher un conflit nucléaire majeur entre les deux nations. Les bombes sautaient, suscitant l'escalade, des villes étaient rayées de la carte et Rehan émergeait des cendres radioactives, auréolé du titre de calife, à la tête du nouveau califat du Pakistan.

Depuis cette nuit, pas un jour n'était passé sans qu'il repense à ce faucon et au nouveau califat. Il ne voyait pas du tout dans ce rêve les ruminations d'un esprit manipulateur enclin à maquiller la réalité pour assouvir inconsciemment ses fantasmes. Non, il y voyait un message de Dieu – des consignes d'action, analogues aux directives de ses agents traitants à l'ISI, à charge pour lui de les relayer aux cellules placées sous ses ordres.

Et voilà qu'aujourd'hui, treize ans plus tard, il était prêt à mettre son plan en pratique. L'opération Sacre, comme il l'avait baptisée, en hommage au faucon qui lui était apparu en rêve.

Avec le temps, il lui était toutefois apparu nécessaire de modifier quelque peu ses plans. Il s'était rendu compte que l'Inde, avec son arsenal nucléaire bien plus important que celui de son voisin et ses meilleures capacités de lancement, aurait tôt fait de le détruire en cas de déclenchement d'un véritable conflit nucléaire. Rehan se rendit compte, en outre, que l'Inde n'empêchait nullement le Pakistan de devenir une authentique théocratie. Non, c'étaient ses compatriotes eux-mêmes qui entravaient cette évolution – plus précisément les forces laïques.

Il avait donc changé ses plans et décidé d'exploiter le vol de têtes nucléaires pour renverser ce gouvernement civil au pouvoir affaibli. La population s'accommoderait d'un régime militaire – après tout, ce ne serait pas la première fois –, mais il ne faudrait surtout pas qu'on découvre que les auteurs du forfait étaient l'ISI ou l'armée. Aussi Rehan avait-il ourdi un plan visant à confier les têtes à un groupe islamiste extérieur au pays pour masquer que toute l'opération avait été fomentée de l'intérieur.

Dès la chute du gouvernement, Rehan prendrait les choses en main et purgerait l'armée de ses laïcs, avant de lâcher ses groupes de militants pour nettoyer à son tour la population civile.

Et Rehan deviendrait calife. Qui était mieux placé que lui, finalement ? Après toutes ces années passées à suivre les ordres, il était devenu l'interlocuteur unique de la nébuleuse d'organisations islamiques qui noyautaient les forces armées. Sans Rehan, l'ISI aurait été bien incapable de contrôler Lashar-i-Taïba, de profiter du soutien d'Al-Qaïda, d'avoir une vingtaine d'autres groupes prêts à se plier à ses quatre volontés et, surtout, de bénéficier des soutiens financiers et logistiques émanant des bienfaiteurs personnels de Rehan dans les États du Golfe.

Le général Rehan n'était pas connu du grand public, bien au contraire, mais son retour au sein de l'armée et son ascension au poste de directeur d'un des services de l'ISI l'avaient placé en position idéale pour déclencher, le moment venu, un putsch contre le gouvernement laïc. Il aurait alors le soutien des islamistes de l'armée car il avait déjà celui des vingt-quatre principaux groupes de moudjahidin du pays. Le succès de l'ISI dépendait de cette nébuleuse plus ou moins ordonnée mais d'une puissance indéniable, et la position acquise par Rehan à l'ISI comme dans l'armée avait fait de lui le lien indispensable entre ces forces et celles à l'œuvre dans la société civile.

Mais Rehan n'était plus seulement l'agent de liaison. Par son travail, son intelligence, ses ruses, il était secrètement devenu roi, et l'opération Sacre allait signer son accession au trône.

63

DOMINGO CHAVEZ, Dominic Caruso et Jack Ryan Jr. descendirent du Super Puma AS332 un peu avant l'aube. La température était glaciale. Même si aucun des trois hommes n'avait une idée précise de l'endroit où ils se trouvaient, tous avaient pu déduire des conversations par téléphone satellite avec le commandant al-Darkur qu'on les avait déposés sur une base militaire avancée de l'agence de Khyber, placée sous les ordres du SSG, le groupe de service spécial des forces de défense pakistanaises. En fait, ils se trouvaient à Cherat, à une cinquantaine de kilomètres de Peshawar, dans un casernement situé à treize cents mètres d'altitude.

Ce camp leur servirait de base arrière pour l'opération du SSG au Waziristan du Nord.

Un groupe de soldats aguerris au visage impassible conduisit les Américains vers une cabane à proximité d'un champ de manœuvres, sur une plaine poussiéreuse cernée par des collines boisées. On leur offrit du thé brûlant, puis on leur présenta leur nouvel équipement, leurs uniformes camouflés en brun et noir sur fond vert, accompagnés de rangers noires.

Les trois hommes se changèrent. Ryan n'avait plus porté d'uniforme depuis son maillot de l'équipe de base-ball au lycée ; ça lui faisait tout drôle de se déguiser en soldat. Un sentiment d'artificialité.

On ne leur avait pas donné les bérets bordeaux que portait le reste des soldats du SSG, mais à ce détail près, leur tenue était identique.

Bientôt, un autre hélicoptère se posa. Le commandant al-Darkur entra dans la cabane. Il était vêtu comme eux. On échangea des poignées de main.

« Nous avons toute une journée pour accomplir la mission, précisa le commandant. Nous attaquerons dès ce soir. »

Les Américains opinèrent comme un seul homme.

« Avez-vous besoin de quoi que ce soit ? »

Chavez se fit le porte-parole du groupe : « Nous allons avoir besoin d'armes. »

Le commandant eut un sourire macabre. « Ça, je veux bien le croire. »

Dès huit heures, les trois agents du Campus se retrouvèrent sur le stand de tir de la base pour y essayer leurs armes. Dom et Jack étaient équipés de fusils automatiques belges FN P-90, une arme aux allures futuristes, excellente en combat rapproché grâce à sa conception compacte. Celle-ci permettait de franchir le seuil des portes sans risquer d'être trahi par la saillie du canon.

L'arme tirait de surcroît des cartouches de petit calibre – 5,45x28 millimètres – mais d'une puissance redoutable, par chargeurs de cinquante, une réserve confortable.

Chavez avait opté pour un Steyr AUG en 5.45. Le canon était plus long que celui du P-90, ce qui augmentait la précision au tir de loin – tout comme la lunette grossissant

3,5 fois. Le Steyr n'était peut-être pas aussi bon que le FN en combat rapproché, mais Chavez était avant tout un tireur d'élite, et il estimait que l'arme était un bon compromis.

Chavez joua les instructeurs pour ses deux cadets, les entraînant à changer de chargeur en position debout, à genoux ou couché, et à tirer en mode semi-automatique ou automatique, à l'arrêt ou en mouvement.

Ils essayèrent en outre les trois types de grenades dont ils seraient dotés pour l'opération. Des minigrenades à fragmentation de fabrication belge, des grenades assourdissantes M84 qui provoquaient un éclair aveuglant accompagné d'une détonation incroyable au bout de deux secondes et, enfin, un modèle un peu moins puissant mais qui délivrait neuf détonations aveuglantes en succession rapide.

Lors d'une pause pour recharger, le commandant al-Darkur apparut à l'autre bout du stand de tir, armé d'un M4 et d'une caisse métallique de munitions. Chavez laissa ses deux partenaires moins aguerris poursuivre leur entraînement pour s'approcher du Pakistanais basané.

« Qu'est-ce que vous faites ? demanda Ding.

– J'essaie mon fusil.

– Pourquoi ?

– Parce que je vous accompagne. » Le commandant chaussa des lunettes de protection. « Monsieur Sam était placé sous ma responsabilité, et j'ai échoué. J'endosse celle d'aller le récupérer. »

Chavez hocha la tête. « Je regrette d'avoir douté de vous. »

Al-Darkur haussa les épaules. « Je ne vous le reproche pas. Vous étiez contrarié d'avoir perdu votre ami. Dans la même situation, j'aurais éprouvé la même chose. »

Ding tendit sa main gantée et Mohammed la serra.

Puis ce dernier demanda : « Vos hommes. Comment sont-ils ?

— Ils sont bons mais manquent un peu d'expérience. Toutefois, si vos commandos occupent les forces présentes dans le périmètre et si nous évoluons tous les trois bien groupés, je pense que c'est jouable.

— Pas tous les trois. Tous les quatre. J'entre avec vous. »

Cette fois, Chavez arqua les sourcils. « Commandant, si vous bluffez, vous êtes mal barré parce que ce n'est pas moi qui vous en dissuaderai. »

Mohammed retira le cran de sûreté et tira cinq brèves rafales. Toutes les balles ricochèrent contre la cible, une petite plaque de fer qui résonna avec un bruit réconfortant. « Ce n'est pas du bluff. C'est moi qui ai entraîné Nigel et Sam dans cette histoire. Je ne peux plus rien pour Nigel, mais peut-être que je peux aider Sam.

— Alors bienvenue parmi nous », dit Chavez, immédiatement impressionné par l'adresse du Pakistanais au tir.

« Et quand vous aurez récupéré votre homme, poursuivit al-Darkur, j'espère que votre organisation continuera de s'intéresser au général Rehan. Vous semblez le considérer comme une menace sérieuse. Moi aussi.

— C'est bien le cas », admit Chavez.

L'après-midi à Cherat fut consacré à un briefing par les commandos Zarrar, l'unité chargée de l'incursion au Waziristan du Nord avec les trois Américains. Le premier à intervenir fut un capitaine qui expliqua à chacun sa tâche, ses objectifs de surveillance jusqu'au moment où les Américains se seraient introduits dans le bâtiment principal qui, d'après les informations du renseignement, abritait les prisonniers.

Le capitaine du SSG maniait avec décision le marqueur sur son tableau blanc et il s'exprimait d'une voix autoritaire : « L'hélico transportant les Américains se posera juste devant l'entrée du camp et ceux-ci devront la faire sauter pour y pénétrer. Nous ne pouvons pas nous poser dans la cour à cause des lignes électriques. Nos quatre hélicoptères se placeront donc à la verticale des murs d'enceinte aux quatre coins du site pour fournir une couverture au groupe d'insertion. Cela devrait occuper les forces ennemies placées, tant dans le bâtiment à l'extérieur que dans la cour et aux fenêtres. Mais une fois entré, le commando sera livré à lui-même. Nous n'avons aucune information sur la disposition intérieure du camp ou sur l'endroit exact où sont détenus les prisonniers. Nos informateurs du réseau Haqqani incarcérés sur place ne sont hélas pas détenus dans le bâtiment principal mais dans les baraquements édifiés du côté est.

– Une idée des effectifs de l'adversaire ? » demanda Caruso.

Le capitaine fit oui de la tête. « Entre quarante et cinquante hommes dans les baraquements, mais, encore une fois, notre intention est de les fixer à l'intérieur de ceux-ci pour les empêcher de pénétrer derrière vous dans le bâtiment principal. Par ailleurs, il y a en permanence une dizaine de gardes en patrouille à l'extérieur.

– Et à l'intérieur ?

– Aucune information. Pas la moindre.

– Super ! », bougonna Caruso.

Le capitaine remit alors à chaque Américain un petit appareil muni de diodes. Un Phœnix. Ding connaissait ce type de balise. Elle émettait des flashes infrarouges repérables de nuit par les équipages des hélicos, réduisant ainsi le risque (du moins en théorie) pour Chavez et ses compagnons d'essuyer des tirs fratricides.

« Je veux que vous portiez ces appareils en permanence.

– Un peu, oui ! », dit Chavez.

Al-Darkur et ses alliés américains reçurent aussi une mise en garde : ils devaient se tenir éloignés des fenêtres car des tireurs d'élite se trouveraient à bord des Puma, prêts à tirer au moindre mouvement. Les balises clignotantes restaient, en effet, invisibles sous certains angles, en particulier derrière des embrasures ou des fenêtres.

À l'issue du briefing, Mohammed demanda à Chavez son avis sur l'opération. L'Américain choisit ses mots avec soin : « C'est un peu tangent, pour vous dire la vérité. Il y aura des pertes. »

Mohammed acquiesça. « Ils en ont l'habitude. Auriez-vous des suggestions pour améliorer la procédure ?

– M'écouteraient-ils ?

– Non.

– On est tous embarqués dans la même galère, tous autant que nous sommes, observa Ding avec un haussement d'épaules. Sans réelle voix au chapitre. »

Al-Darkur acquiesça derechef. « Ils veulent bien de nous pour autant qu'on se limite à la récupération de Sam, mais n'oubliez pas, je vous en conjure, que leurs hommes resteront dehors. Nous serons livrés à nous-mêmes.

– Je comprends et j'apprécie que vous partagiez les risques avec nous. »

Les hommes reçurent l'ordre de se reposer quelques heures avant de rejoindre les hélicoptères à minuit. Chavez compléta la formation de ses deux cadets durant deux heures encore, puis ils nettoyèrent et lubrifièrent leurs armes avant de regagner une petite cabane à proximité de la caserne pour s'étendre sur des couchettes. Mais, à cause de l'imminence du danger, aucun d'eux ne dormit.

Chavez avait passé la journée entière à préparer les deux cousins du mieux possible pour la mission qu'ils s'apprêtaient à entreprendre. Il doutait d'en avoir fait assez. *Et puis merde*, se dit-il, une telle opération aurait exigé une escouade complète de Rainbow, mais c'était impossible. Alors il leur répéta ce que lui disait Clark, jadis, lors des missions où ils étaient mal équipés.

« Il va vous falloir danser avec la cavalière qui vous a choisis. »

Si les commandos Zarrar étaient à la hauteur de leur réputation, ils devraient courir le risque.

Et pourquoi pas ? Sinon, il y aurait trois nouveaux sièges vides autour de la salle de conférences chez Hendley Associates.

Assis sur sa couchette, Ding surprit le regard vague de Ryan, comme si le gamin rêvassait. Caruso semblait lui aussi quelque peu dépassé par les événements. Ding crut bon de les mettre en garde. « Les gars, écoutez-moi attentivement. Restez bien concentrés. Vous n'avez encore jamais rien fait d'équivalent, et de très loin. Nous allons nous frotter à une cinquantaine d'ennemis, à l'aise. »

Caruso eut un sourire carnassier. « Rien de tel qu'un environnement riche en cibles.

– Ouais, grogna Dominic. Va le dire au général Custer.

– J'admets », concéda Dominic.

Le téléphone satellite accroché à la hanche de Chavez sonna juste à ce moment. Il sortit pour prendre l'appel.

Pendant que Ding était dehors, Jack rumina ce qu'il venait de leur dire. Non, il n'avait jamais rien fait d'équivalent. Pareil pour Dom, assis à côté de lui en train de recharger son pistolet. Les seuls gars de leur unité à être prêts pour une telle mission étaient Chavez qui, Dieu merci, allait prendre la direction des opérations ; Driscoll qui se trouvait quelque part sur place, peut-être en cellule ; et Clark, en fuite pour échapper à son propre gouvernement, entre autres adversaires.

Chierie.

Chavez passa la tête par l'ouverture. On voyait derrière lui les lumières des hélicos et le bruit des hommes rassemblant le matériel évoquait le cliquetis lointain de wagons sur des rails. « Ryan. Téléphone. »

Jack descendit de sa couchette et sortit. « Qui est-ce ?

– Le président nouvellement élu. »

Bigre. Ce n'était vraiment pas le moment pour bavarder en famille mais, dans le même temps, Jack se rendit compte qu'il brûlait d'envie d'entendre la voix paternelle : ça l'aiderait à se calmer les nerfs.

Il répondit d'une boutade : « Eh, p'pa, ça y est, t'es déjà président ? »

Mais Jack Ryan père lui fit comprendre d'emblée qu'il n'était pas d'humeur badine. « J'ai demandé à Arnie de contacter Gerry Hendley. Il m'a dit que tu étais à l'étranger, au Pakistan. Je voulais juste savoir si tout allait bien.

– Impec.

– Où es-tu ? »

– Je ne peux rien dire...

– Bon Dieu, fiston, qu'est-ce qui se passe ? Es-tu en danger ? »

Soupir de l'intéressé. « On travaille avec des amis.

– Dans ce pays, t'as intérêt à les choisir avec soin.

– Je sais. Mais ces gars sont prêts à tout pour nous aider. »

Ryan père s'abstint de répondre.

« P'pa, quand tu auras pris tes fonctions, est-ce que tu vas aider Clark ?

– Dès que je serai de retour à Washington, je remuerai des montagnes pour faire annuler les poursuites. Mais pour l'heure, il est en cavale et je ne peux rien faire pour lui.

– OK.

– Sont-ce des hélicoptères que j'entends derrière toi ?

– Oui.

– Une opération est-elle en cours ? »

Il savait qu'il aurait pu mentir mais il s'en abstint. C'était quand même son père. « Oui, une mission est en cours, un truc plus gros que l'opération d'il y a quinze jours, et je suis en plein dedans. Je ne sais pas encore comment ça va tourner. »

Il y eut un long silence douloureux à l'autre bout du fil. Finalement, son père demanda : « Est-ce que je peux faire quelque chose ?

– Pour le moment, non. Mais sûr que tu peux nous aider.

– Tu n'as qu'un mot à dire, fils. Je ferai l'impossible.

– Quand tu prendras tes fonctions, décarcasse-toi pour aider la CIA. Si tu peux leur rendre les capacités qu'ils avaient du temps de ton premier mandat, alors je me sentirai nettement mieux. Et je ne serai pas le seul.

– Fais-moi confiance, fiston. Rien n'est plus important pour moi. Une fois que j'aurai… »

Chavez et Caruso sortirent de la cabane, le visage déjà tartiné de peinture de camouflage et lestés de tout leur barda. « Écoute, P'pa… il faut que j'y aille.

– Jack ? Je t'en prie, sois prudent.

– Désolé, mais je ne peux pas être prudent et ici en même temps. Et ma tâche est ici. Tu as effectué des missions, toi aussi… tu sais ce que c'est.

– Je sais.

– Écoute, si jamais il devait m'arriver quelque chose. Dis à maman… juste que… essaie juste de lui faire comprendre. »

Jack Jr. n'entendit rien au bout de la ligne mais il sentit que son père, si stoïque fût-il, devait être retourné à l'idée que son fils courait un danger imminent et qu'il ne pouvait strictement rien y faire. Le jeune Ryan s'en voulait d'avoir placé son père dans une telle situation, mais il savait qu'il était trop tard pour réparer les dégâts occasionnés par ses confidences.

« Faut vraiment que je file. Je suis désolé. Je te rappelle dès que je peux. » *Si je peux*, songea-t-il sans le dire.

Sur ces mots, Jack coupa la communication et rendit le téléphone à Chavez, puis il regagna la cabane pour y récupérer son arme.

64

LES QUATRE HÉLICOPTÈRES Puma pénétrèrent dans l'espace aérien du Waziristan du Nord, peu après trois heures du matin. Ces gros appareils volaient en formation serrée à basse altitude pour masquer leur approche, en suivant les routes qui traversaient les montagnes et les vallées encaissées pour rallier leur cible, la ville d'Aziz Khel.

Assis sur le plancher de la cabine, Ryan combattait la nausée tout en regardant défiler le paysage nocturne. Il en était venu au point où il aurait aimé pouvoir se vider entièrement l'estomac pour être soulagé une bonne fois pour toutes avant le début de l'opération. Mais il n'arrivait pas à vomir et restait là, coincé entre Mohammed al-Darkur à sa droite, et Dom à sa gauche. Chavez lui faisait face. Cinq membres des commandos Zarrar étaient montés avec eux, sans oublier un sixième homme derrière la mitrailleuse de 7.62 et un responsable de charge, installé à l'avant près des deux pilotes.

Chavez cria pour couvrir le bruit des moteurs. « Dom et Jack. Je veux vous avoir tous les deux derrière moi en permanence sitôt franchie l'enceinte. Tenez-vous prêts à faire feu. Nous évoluerons d'un seul bloc. »

Ryan n'avait jamais encore éprouvé de terreur comparable.

À l'exception des hommes embarqués dans les quatre hélicos, tout individu dans un rayon de cent kilomètres alentour était prêt à les abattre à vue.

Al-Darkur avait coiffé des écouteurs pour communiquer avec l'équipage mais il les ôta pour mettre son casque. Puis il se pencha vers Chavez et hurla : « C'est presque l'heure. Ils tourneront pendant dix minutes. Pas plus. Ensuite, ils nous laisseront.

– Compris », répondit Ding.

Ryan rapprocha sa tête du visage camouflé de Chavez. « Est-ce que ça suffira, dix minutes ? »

Le petit Latino haussa les épaules. « Si on se retrouve coincés dans le bâtiment, on est morts. Tout le secteur, dedans comme dehors, grouille de combattants d'Haqqani. À chaque seconde, un barbu sera là pour nous dégommer. Si nous ne sommes pas ressortis dans les dix minutes, on ne sortira plus du tout, *'mano.* »

Ryan acquiesça, s'écarta et se retourna pour regarder à nouveau onduler les collines noires derrière le hublot.

L'hélicoptère fit une embardée spectaculaire et Jack éclaboussa la vitre de vomi.

Sam Driscoll n'aurait su dire si c'était le jour ou la nuit. D'habitude, il était capable de deviner le moment de la journée, au gré des rotations des gardiens ou de la composition de son repas : juste du pain (matin) ; pain avec une soupe claire (soir). Après des semaines de captivité, il s'était mis à croire, et les deux hommes encore détenus avec lui aussi, que leurs geôliers avaient inversé l'ordre de leurs repas pour semer la confusion.

Un journaliste australien de Reuters occupait la cellule voisine de la sienne. Il s'appelait Allen Lyle et il était jeune, la trentaine, pas plus, mais une infection digestive d'origine virale l'avait considérablement affaibli. Il n'avait rien pu absorber depuis plusieurs jours. La cellule suivante, la plus proche de la porte donnant sur le couloir, hébergeait un homme politique afghan. Il ne s'y trouvait que depuis quelques jours et se faisait déjà rosser régulièrement par les geôliers mais sinon, il était plutôt en bonne santé.

Les jambes de Sam avaient fini de cicatriser au cours du mois écoulé mais il claudiquait encore et il était manifeste qu'il n'avait pas pu échapper complètement à l'infection. Il se sentait faible, nauséeux, il avait des sueurs nocturnes, il avait perdu du poids et ses muscles avaient fondu.

Il se redressa tant bien que mal et claudiqua jusqu'aux barreaux pour jeter un œil sur le jeune journaliste de Reuters. La première semaine, l'homme l'avait harcelé sans répit ; il voulait savoir pour qui il travaillait et ce qu'il faisait au moment de sa capture par les talibans. Mais Driscoll n'avait jamais répondu à ses questions et le reporter avait finalement laissé tomber. À présent, il semblait prêt à renoncer à vivre dans les tout prochains jours.

« Eh ! s'écria Sam. Lyle ! Debout ! »

Le journaliste tressaillit. Ses yeux s'entrouvrirent. « Est-ce un hélicoptère ? »

En plein délire, se dit Sam. *Pauvre bougre.*

Une minute. Sam l'entendait à présent, lui aussi. Presque inaudible mais aucun doute, c'était bien un hélico. Le prisonnier afghan près de la porte se leva et se retourna vers Sam comme pour avoir à son tour la confirmation de ce qu'il entendait.

Tout comme d'ailleurs les trois geôliers postés à l'extérieur de la cellule. Ils se dévisagèrent, puis se levèrent pour aller inspecter le couloir plongé dans l'obscurité avant d'appeler un collègue, hors du champ visuel de Driscoll.

L'un des hommes plaisanta et tous trois éclatèrent de rire.

L'homme politique afghan regarda Driscoll et traduisit : « Ils disent que c'est le président Kealty qui vient vous chercher tous les deux, vous et le journaliste. »

Sam soupira. Ce n'était pas la première fois qu'il entendait des hélicos de l'armée pakistanaise les survoler. Le bruit s'évanouissait toujours après quelques secondes. Driscoll se détourna pour regagner sa paillasse.

Et puis… *Boum* !

Une détonation sourde éclata quelque part au-dessus de lui. Sam se tourna de nouveau vers le couloir.

Bientôt, on entendit une rafale d'arme automatique. Suivie d'une autre explosion.

« Tout le monde à terre ! » cria Driscoll aux autres prisonniers. S'il s'agissait d'une tentative de sauvetage par l'armée pakistanaise, et même si la fusillade était confinée au couloir, ils n'étaient pas à l'abri de ricochets ou d'une balle perdue, et les tirs fratricides étaient tout aussi dangereux que les tirs ennemis.

Sam se mit à chercher un moyen de se couvrir mais l'un des geôliers pénétra dans sa cellule. L'homme avait les yeux agrandis de terreur mais il semblait déterminé. Sam pressentit qu'il allait se servir de lui comme d'un bouclier humain si jamais les forces pakistanaises parvenaient au sous-sol.

Ils avaient débarqué de l'hélicoptère depuis bientôt deux minutes et Ryan n'avait toujours pas vu l'ennemi. Au début, ils se cachèrent dans un fossé de drainage éloigné d'une centaine de mètres de l'objectif. Jack n'arrivait toujours pas à comprendre pourquoi le pilote les avait largués si loin jusqu'à ce qu'en courant vers le camp, il aperçoive plusieurs rangées de poteaux, de câbles et de fils électriques qui s'entrecroisaient au-dessus du terrain découvert devant l'entrée principale.

Puis Chavez posa sa charge explosive au pied de la porte tandis que Jack, Dom et Mohammed surveillaient ses arrières. Agenouillés, ils parcoururent du regard les toits et les ouvertures des divers groupes de bâtiments ceints par des murs édifiés en lisière d'une plaine rocailleuse, mais ils gardaient surtout l'œil sur les angles du mur entourant leur objectif, des côtés nord et sud. Au-dessus de leurs têtes, les gros Puma décrivaient des cercles, ponctués à intervalles irréguliers du bruit de marteau-piqueur des mitrailleuses ou du crépitement staccato des armes légères des commandos Zarrar tirant sur la caserne. Le canon de vingt millimètres d'un des hélicos tirait des balles explosives en direction de la pente montant derrière la cible, histoire de faire passer aux quarante talibans censés occuper les baraquements le message de ne pas moufter.

Finalement, couvrant le fracas infernal, Jack entendit crier : « Mise à feu ! » Il courut se plaquer contre le mur de briques haut de cinq mètres pour se protéger. Quelques secondes plus tard, il entendit la détonation de la charge brisante qui pulvérisa la lourde porte en chêne noircie, envoyant valser les grilles de fer aussi facilement que de vulgaires cure-dents.

Presque aussitôt, ils se retrouvèrent à l'intérieur de l'enceinte, courant vers le bâtiment principal, trente mètres devant eux. Ryan avisa les baraquements bas allongés, une quarantaine de mètres sur sa droite et, à cet instant précis, une série de balles traçantes raya la nuit, tirées par des mitrailleuses au-dessus d'eux.

Jack talonnait Dom, Mohammed le suivait de près, tous trois derrière Chavez qui ouvrait la marche, son Steyr AUG à l'épaule.

Jack fut surpris quand Chavez tira une rafale droit devant lui. Il scruta les ténèbres pour localiser l'impact des balles. Il vit qu'elles déchiquetaient un édicule annexe, peut-être un garage attenant au bâtiment principal. En jaillit alors un éclair aveuglant ; un missile autopropulsé s'éleva vers le ciel, mais le tir manquait sérieusement de précision.

Ding tirait sans relâche et Ryan dégaina son P-90 pour participer à la fusillade mais leur petit groupe atteignit le mur du bâtiment principal sans avoir pu localiser un seul ennemi dans l'obscurité.

Ils s'approchèrent de l'entrée principale en rasant le mur, Ding toujours en tête de file. Chavez adressa un signe de tête à Caruso qui aussitôt se précipita de l'autre côté de la porte pour prendre position contre le mur opposé. Chavez fit alors signe à Ryan qui sortit une grenade assourdissante de la pochette accrochée à sa hanche droite. Mais dans le même temps, il vit une deuxième, puis une troisième roquette traverser les airs. Elles provenaient de l'arrière du bâtiment principal et semblaient viser avec précision le Puma qui survolait au plus près les baraquements.

Et de fait, la première roquette transperça le pare-brise du côté du pilote, et la seconde atteignit la poutre de queue juste derrière les deux moteurs. Interdit et fasciné, Ryan regarda l'appareil se disloquer, basculer vers la droite en tournoyant et piquer du nez avant de disparaître derrière un panache de fumée noire.

Il alla s'écraser hors de l'enceinte, un peu plus bas sur la plaine rocheuse.

Aussitôt, l'un des trois derniers hélicos quitta sa boucle serrée au-dessus du camp pour se porter sur les lieux du crash.

« Merde ! lâcha Chavez. On perd notre couverture. Allons-y ! »

65

D'UN COUP DE PIED, Dom ouvrit la porte du bâtiment et Ryan balança dans l'entrée sa grenade assourdissante, en prenant soin de se tenir juste à gauche du seuil, hors de la ligne de tir d'éventuels occupants.

Boum !

Les quatre hommes se précipitèrent ; Dom et Ryan sur la droite, Ding et Mohammed, vers la gauche, le long du mur. Ils éclairaient la pièce obscure à l'aide des torches montées sur le canon de leurs armes. Presque aussitôt, Dominic releva un mouvement au seuil d'une porte, sur sa droite. Il fit pivoter le faisceau de sa torche qui se refléta sur le métal d'un fusil. Aussitôt, Caruso lâcha une rafale de dix coups dans cette direction.

Un barbu criblé de balles s'effondra près d'une table en bois, lâchant sa Kalachnikov.

Derrière eux dans la cour, on entendit crépiter des rafales d'armes de petit calibre. Ce n'étaient pas les mitrailleuses des Puma. Non, c'étaient les AK des gardes du camp. Les tirs gagnèrent en intensité. De toute évidence, des soldats venaient de sortir de leur dortoir ; soit pour viser les hélicos, soit pour se diriger vers le bâtiment principal. Voire les deux.

Chavez, Caruso, Ryan et al-Darkur s'engagèrent dans un couloir, neutralisant à mesure de leur avancée les pièces situées de part et d'autre en reprenant la procédure de déploiement tactique, dite « murs-sol », employée pour nettoyer l'entrée du bâtiment : parvenus au seuil d'une pièce, ils y pénétraient rapidement, canon et torches levés, le premier et le troisième homme longeant la cloison de gauche, le deuxième et le quatrième, celle de droite.

Ils venaient de sécuriser la troisième pièce et regagnaient le couloir quand Mohammed al-Darkur abattit deux hommes qui avaient essayé de forcer l'entrée principale. Puis il se laissa tomber à genoux, le canon toujours braqué vers l'ouverture pour accueillir les militaires sortis de leur baraquement.

« Continuez ! Je vous couvre ! »

Chavez se retourna pour reprendre leur avancée, Ryan et Caruso sur ses talons.

Passé l'angle d'un mur, Ding abattit un tireur qui battait en retraite en remontant l'escalier sur sa gauche, puis il s'agenouilla pour recharger. Il y avait sur sa droite un autre escalier aux marches de pierre qui descendait vers un sous-sol plongé dans l'obscurité.

Dehors, les explosions des roquettes se mêlaient aux rafales d'armes de petit calibre.

Domingo se retourna vers les autres et cria pour couvrir le crépitement de l'arme d'al-Darkur. « Pas le temps ! Je nettoie le haut, vous deux, allez voir en bas ! On se retrouve ici, et gaffe aux tirs fratricides ! »

Sur quoi, Chavez se rua dans l'escalier et disparut presque aussitôt.

Braquant sa torche dans l'obscurité, Caruso se hasarda le premier dans l'escalier de la cave. Mais il n'avait pas descendu la moitié des marches de pierre inégales qu'une arme se mit à parler ; une pluie de douilles ricocha tout autour de lui.

Il remonta à reculons mais fut percuté par Ryan qui déboulait en sens inverse. Les deux hommes tombèrent et glissèrent jusqu'au bas des marches.

Devant eux ça tirait toujours. Ryan, qui avait atterri au-dessus de Caruso, se releva à genoux, écrasant toujours son cousin, pour tirer au jugé dans le noir en direction des éclairs. Il lâcha une vingtaine de balles sur l'adversaire.

Malgré ses oreilles qui carillonnaient, il entendit le cliquetis de ses douilles contre la pierre, puis un bruit métallique plus sourd, celui d'une arme qu'on lâchait. Il braqua devant lui le faisceau de sa torche et vit un taliban affalé contre un mur, à l'angle de la cave.

« T'es OK, Dom ?

– Si t'arrêtes de m'écraser.

– Désolé. »

Ryan s'écarta pour se relever. Dom fit de même, et tous deux se dirigèrent vers l'angle du mur tandis que Jack rechargeait son P-90.

« On se bouge. »

Ils passèrent la tête au coin pour examiner les lieux. Tout droit devant s'ouvrait une petite pièce. Il y faisait noir mais ça ne dura pas.

Deux AK se mirent à crépiter et les balles, en ricochant à l'angle du mur, noyèrent les deux Américains sous une pluie d'étincelles.

Dom et Jack rentrèrent la tête aussitôt.

« J'ai bien l'impression que ce pourrait être un cachot.

– Ouais », approuva Ryan.

Apparemment, il n'y avait que deux geôliers mais ils tenaient une position bien abritée, au bout du couloir. Sans compter un second avantage : les deux Américains n'avaient aucune idée de la disposition des lieux. S'ils tiraient à l'aveuglette vers l'ouverture au bout du couloir de brique, leurs projectiles pouvaient fort bien ricocher à l'intérieur et atteindre l'homme qu'ils étaient venus sauver.

« Est-ce qu'on ne ferait pas mieux de remonter chercher Chavez, puis de revenir ? suggéra Ryan.

– Pas le temps. Faut qu'on entre. »

Tous deux réfléchirent quelques instants. Soudain, Jack rompit le silence. « J'ai une idée ! J'ai une grenade étourdissante à retardement. Je la balance pour qu'elle atterrisse juste sur le seuil. Dès la première des neuf détonations, on fonce.

– Droit vers la grenade ? s'étonna Caruso, incrédule.

– Putain, oui ! On se protégera les yeux. Les autres devront rentrer la tête à l'intérieur pour se protéger. À mi-chemin, tu balances une étourdissante, cette fois à l'intérieur, ça devrait les estourbir jusqu'à ce qu'on soit entrés. Il faudra bien minuter notre coup mais ça devrait les tenir occupés.

– Je n'ai rien de mieux à te proposer, admit son cousin. Mais dans ce cas, laisse ton flingue. On ne prend que les pistolets. On sera plus libres de nos mouvements et ça nous évitera de toucher Sam. »

Les deux jeunes gens se délestèrent de leur fusil et puisèrent des grenades dans leurs poches de poitrine. Ryan dégaina son arme et dégoupilla sa grenade.

Dom vint se placer à côté de lui, au coin du mur. Il lui donna une tape sur l'épaule et précisa : « Pas de retraite. Une fois qu'on aura démarré, plus question de s'arrêter et de faire demi-tour. Notre seule chance est de foncer.

– Pigé », dit Jack et, se penchant en avant, il balança sa grenade dans le corridor.

Après seulement deux rebonds qui résonnèrent sur le sol de pierre, la première explosion accompagnée d'un éclair ébranla le couloir et les hommes à l'affût au bout de celui-ci. Dom démarra, passant devant Jack pour couvrir les quinze mètres de couloir dans la ligne de mire du feu ennemi et, sans cesser de courir, il fit rouler sa grenade vers la porte, comme une boule de bowling. L'engin disparut à travers la fumée et les éclairs déclenchés par la grenade de Jack.

Ce dernier s'était élancé à son tour et, comme son cousin, il tourna la tête de côté pour se protéger les yeux des explosions aveuglantes.

Les deux geôliers s'étaient reculés à l'intérieur de la pièce pour s'abriter de ce qu'ils jugeaient être une grossière diversion. Mais après que se fut produite la dernière des neuf déflagrations, et alors qu'ils se préparaient à reprendre la riposte, un récipient métallique vint rouler entre eux deux.

Quand la grenade explosa, ils avaient les yeux rivés dessus. L'éclair et la détonation leur mirent la cervelle, les yeux et les oreilles en compote.

Jack déboula le premier, toujours au pas de course, mais il avait lui aussi pris en partie les effets de la grenade étourdissante, suffisamment en tout cas pour le désorienter. Il dépassa les deux hommes qui s'étaient effondrés de part et d'autre du seuil et, emporté par son élan, il alla percuter les barreaux de la première des cellules.

« Bordel ! » lâcha-t-il, encore à moitié aveuglé et assourdi.

Mais Dominic était sur ses talons ; le corps de Jack l'avait protégé partiellement de l'éclair et du bruit de l'explosion, de sorte que l'ex-agent du FBI avait encore tous ses esprits.

Les deux combattants d'Haqqani étaient agenouillés au sol et encore estourbis ; il les abattit d'une balle dans la nuque.

« Par ici ! » C'était Sam. Sa cellule n'était qu'à quelques pas de Ryan mais ce dernier l'entendit à peine.

Il braqua sa torche vers les cellules. Un Pachtoune était accroupi contre le mur de la première, un type blond, un Blanc, gisait livide sur le sol de la deuxième.

Ryan tourna le faisceau vers l'angle de la pièce. Dans la dernière cellule, il découvrit Sam Driscoll, à califourchon sur le cadavre d'un combattant d'Haqqani dont il tenait entre ses mains la tête, tordue selon un angle bizarre.

Caruso trouva l'interrupteur du plafonnier et l'alluma. Lui aussi fixait Sam.

« T'es OK ? »

Sam détourna les yeux de l'homme qu'il venait de tuer à mains nues – en fait, le geôlier qui avait cru pouvoir l'utiliser comme bouclier humain – et il leva la tête pour regarder ses deux collègues. « Alors, les enfants, on joue au petit soldat ? »

66

S AM ET DOM REMONTÈRENT les premiers, suivis de Jack et
de l'Afghan qui traînaient le journaliste KO. Ce n'était
déjà pas évident de grimper ainsi jusqu'au rez-de-chaussée
mais quand ils y furent parvenus, leur situation devint encore
plus précaire. Chavez avait certes nettoyé l'étage mais al-
Darkur et lui se trouvaient à présent coincés au bas de l'escalier, au bout du couloir, pour tirer vers l'entrée où se
trouvaient positionnés des combattants ennemis.

Le commandant pakistanais avait été touché à l'épaule
gauche, son fusil avait été endommagé par un autre projectile,
mais il continuait de tirer au pistolet avec sa main valide.

Chavez avisa les six hommes qui venaient de remonter derrière lui – dont un qu'il fallait porter. Il hocha la tête et donna
une tape sur l'épaule d'al-Darkur. « Trouvons une issue avant
que l'ennemi se mette à tirer des roquettes ! »

Ils reculèrent vers l'arrière du bâtiment, Sam Driscoll clopi-
nait en tête, armé d'une AK récupérée au sol. Chavez fermait
à présent la marche en déclenchant un feu nourri derrière
lui pour couvrir leur progression.

Le couloir s'embranchait en T et Driscoll prit à droite, suivi
du reste de la procession. Sam déboucha sur une vaste pièce

située à l'arrière du bâtiment, mais ses fenêtres avaient été murées et il n'y avait aucune porte.

« Pas bon ! cria-t-il. Essayons de l'autre côté ! »

Chavez se retrouva en tête. Il était surpris de constater que le feu de l'ennemi au bout du couloir perpendiculaire avait notablement décru en intensité. Tandis que Ryan et Caruso s'arrêtaient à l'intersection pour se charger de la riposte, al-Darkur et Chavez avaient filé en sens inverse et ils s'engagèrent bientôt dans une cuisine longue et étroite. Là non plus, aucune issue mais une petite porte latérale semblait prometteuse. Chavez l'ouvrit, espérant trouver une fenêtre, une porte donnant sur l'extérieur, voire un escalier montant à l'étage.

Rien de tout cela : la porte ouvrait sur une pièce obscure d'environ cinq mètres sur neuf. On aurait dit un atelier de réparation mais là n'était pas l'essentiel pour Ding. Il balaya rapidement les murs avec la torche de son fusil, toujours en quête d'une autre issue. N'ayant rien trouvé, il s'apprêtait déjà à ressortir pour aller faire le coup de feu auprès de ses compagnons. Mais il s'immobilisa soudain, l'œil attiré par un détail dans la pénombre.

Il avait ignoré jusqu'ici les tables en bois et les étagères, occupé qu'il était à chercher une issue, mais il les examinait désormais avec plus d'attention ou, plus exactement, ce qui était stocké dessus.

Des caisses de pièces détachées automobiles et de composants électriques. Des batteries. Des téléphones mobiles. Du fil électrique. De petits fûts de poudre. Des disques d'embrayage et enfin, un fût métallique de deux cents litres, de couleur bleue, que Ding supposa d'emblée rempli d'acide nitrique.

Le sol était recouvert d'obus de mortier en cours d'assemblage. Ding comprit qu'il venait de tomber sur un atelier de fabrication de bombes. Les engins bricolés ici devaient être destinés à entrer clandestinement en Afghanistan.

Voilà qui expliquait pourquoi les combattants d'Haqqani n'avaient pas tiré une seule roquette, une seule grenade sur Chavez et son petit groupe depuis qu'ils s'étaient réfugiés dans cette partie du bâtiment. À la moindre détonation, c'était tout le camp qui serait rayé de la carte et tous les hommes d'Haqqani avec.

« Mohammed ? » cria Ding et l'intéressé jeta un œil à l'intérieur. « Des bombes !

– Merci. Je sais ce que c'est.

– Est-ce qu'on peut s'en servir ? »

Mohammed eut un sourire malicieux. « Les bombes, ça me connaît. »

Ryan et Caruso en étaient l'un et l'autre réduits à leur dernier chargeur. Ils tiraient à présent au coup par coup, depuis le haut du « T ». Ils savaient qu'ils avaient déjà descendu un bon nombre de combattants ennemis mais les effectifs de ces connards semblaient inépuisables.

L'un des hélicoptères Puma décrivait des cercles derrière le camp. Jack pouvait le déduire au bruit des rafales tirées à intervalles réguliers : elles venaient du dehors, dans son dos, tirées de haut en bas. Il ne pouvait pas vraiment distinguer le bruit de l'hélico – après la fusillade dans le couloir étroit, il avait les tympans en capilotade : il n'entendait que les tirs d'armes de poing à proximité ou ceux de mitrailleuses lourdes au loin.

Chavez apparut dans leur dos pour glisser prestement des chargeurs neufs dans l'étui de poitrine des deux hommes. Dans le même temps, il leur cria : « Il y a un atelier de confection de bombes, là, derrière !

– Oh merde », s'écria Ryan en comprenant soudain que ses copains et lui faisaient le coup de feu quasiment sur un baril de poudre.

« Darkur est en train de câbler une charge pour faire sauter le mur du fond. S'il a bien calculé son coup, ça devrait nous faire un joli trou par où sortir. Au top, vous décrochez et vous enfilez le couloir sur votre gauche. Je vous couvrirai. »

Jack s'abstint de lui demander ce qui arriverait si jamais Mohammed avait mal « calculé son coup ».

Ding rajouta : « N'oubliez pas avant de sortir d'allumer vos balises d'atterrissage. Le mitrailleur du Puma n'a pas cessé d'arroser la zone ces dix dernières minutes. Ne comptez pas sur lui pour repérer vos marqueurs infrarouges. Il vous réduirait en chair à pâté. Les balises d'atterrissage lui permettront de vous identifier. »

Les deux jeunes gens acquiescèrent.

« Sam et l'Afghan se chargeront de traîner le blessé, ce sera à vous de les couvrir, le temps que l'hélico se pose et qu'ils aient pu embarquer.

– Pigé ! » répondit Dom.

Ryan opina.

Les deux cousins continuèrent de riposter, cette fois au coup par coup, juste assez pour faire comprendre à l'ennemi que s'il s'avisait de s'engager dans le corridor, il allait le payer très cher.

Ils essuyèrent encore quelques tirs sporadiques, venus de tireurs planqués derrière l'angle. Leurs balles ricochaient sur les murs, le sol, le plafond.

Pendant ce temps, derrière eux, Chavez et al-Darkur durent accomplir deux voyages pour transporter l'équipement sorti de l'atelier sur leur droite et aller le déposer à l'autre extrémité du couloir transversal, sur leur gauche.

Moins d'une minute plus tard, Chavez était de retour dans leur dos. Il leur cria à l'oreille : « À terre ! »

Les deux hommes se jetèrent au sol en ramenant les bras derrière la tête pour se protéger. Quelques secondes après, une détonation formidable retentit dans leur dos, balayant le corridor d'une onde de choc si puissante que Jack crut que le bâtiment s'effondrait sur eux. Une pluie de plâtras, de poussière et de cailloux leur dégringola dessus.

Caruso fut le premier à se relever. Il fonça, Ryan sur les talons, dépassant le journaliste blessé que traînaient Driscoll et le prisonnier afghan.

Jack rattrapa son cousin à l'entrée de la pièce aux fenêtres murées. L'épaisseur du nuage de poussière rendait inutilisables leurs torches de casque. Ils continuèrent donc d'avancer à tâtons jusqu'au mur opposé et là, enfin, ils purent entrevoir un coin de ciel. Aussitôt, Dom balança sa balise clignotante vers le fond de la cour. En théorie, celle-ci allait avertir de leur présence les mitrailleurs des hélicos et les empêcher de leur tirer dessus.

Au moment de sortir dans la cour, Dominic s'inquiéta malgré tout de recevoir une rafale mais, heureusement pour eux, les commandos Zarrar étaient formés de soldats disciplinés. L'Américain se tapit derrière un empilement de pneus de camions pour surveiller la partie nord du camp, tandis que son cousin s'accroupissait à côté d'un gros tas de décombres consécutif à l'explosion pour couvrir leur flanc sud.

L'un des hélicos du SSG avait dégommé au canon de 20 les poteaux électriques à l'arrière du camp, ce qui permit à l'appareil de se poser tout près du commandant al-Darkur, des prisonniers libérés et des agents américains. En quelques secondes, tout ce petit monde était à bord et l'appareil redécollait aussitôt pour se mettre au plus vite à l'abri.

À l'intérieur, les sept rescapés s'étaient entassés en vrac sur le plancher métallique de la cabine. Cette fois, ce fut au tour de Jack se retrouver dessous mais il était trop crevé pour bouger, ou simplement écarter la cuisse de l'Afghan qui lui écrasait la figure.

Enfin, au bout de vingt longues minutes de vol en rase-mottes, les plafonniers se rallumèrent dans la cabine et al-Darkur entendit dans ses écouteurs de casque le pilote leur confirmer qu'ils étaient hors de danger. Mohammed s'empressa de répercuter l'information à ses six compagnons. Les hommes se relevèrent, s'assirent et se mirent à faire circuler des bouteilles d'eau. Le responsable de charge utile entreprit de masser les épaules d'al-Darkur tandis qu'un des commandos Zarrar mettait sous perfusion le correspondant australien de Reuters.

Sam Driscoll, d'habitude si stoïque et réservé, étreignit chaque membre de l'équipe d'extraction, puis il alla se blottir dans l'angle de la cabine et s'endormit bientôt, serrant contre lui une bouteille d'eau.

Chavez se pencha vers Jack pour lui crier au creux de l'oreille : « On dirait bien que tu l'as échappé belle. »

Jack suivit le regard de Ding, fixé sur les pochettes en toile cousues sur sa poitrine. L'une d'elles avait un trou aux bords déchiquetés. Jack en sortit le chargeur qu'elle contenait et constata qu'une balle avait transpercé le boîtier en métal et plastique. En fourrageant à travers l'orifice de la pochette, il put repêcher une balle de 7.62 toute tordue qui s'était aplatie contre la plaque de blindage protectrice.

Dans le feu de l'action, il ne s'était même pas aperçu qu'il avait pris une balle en pleine poitrine.

« Putain », s'exclama-t-il en examinant le projectile.

Chavez lui serra amicalement le bras en rigolant. « Ce n'était pas ton tour, *'mano*.

– Apparemment non. »

Et Jack eut aussitôt envie d'appeler ses parents, mais surtout Melanie. Ces deux communications allaient toutefois devoir attendre car il sentit soudain la nausée le reprendre.

67

Riaz Rehan avait placé des hommes dans l'ensemble des institutions principales du pays. Parmi celles-ci, le Commissariat pakistanais à l'énergie atomique. Ainsi, grâce à ce réseau de correspondants personnels, restait-il en contact permanent avec des spécialistes du nucléaire : chercheurs, ingénieurs et armuriers. Par leur truchement, il avait appris que c'était dans le cantonnement de Wah, près d'Islamabad, que se trouvait l'essentiel de l'arsenal nucléaire du pays. En particulier, des bombes larguées depuis un avion, en majorité des Mark 84 américaines d'une puissance de cinq à vingt kilotonnes, entreposées dans l'arsenal de Kamra (dépendant de l'armée de l'air) installé au milieu de l'imposante usine d'armement de Wah. Les bombes y étaient stockées en pièces détachées, mais elles pouvaient être rendues opérationnelles quasiment « en quelques tours de tournevis ». Façon de dire qu'il ne faudrait que quelques heures pour les activer si jamais le chef de l'État en décidait.

Or, la veille, Rehan avait appris de l'un de ses informateurs dans les hautes sphères du ministère de la Défense que le président avait donné cet ordre.

Ainsi donc, la première partie de l'opération Sacre avait-

elle été couronnée de succès. Pour garantir le bon déroulement de l'assemblage des armes et de leur déploiement, le
général Rehan devait conduire son pays au seuil de la
guerre. Pour ce faire, il restait en contact permanent avec
ses agents infiltrés au gouvernement et dans le complexe
militaro-industriel et guettait, tel un serpent lové dans l'herbe,
le moment propice pour attaquer.

Les Pakistanais s'étaient toujours vantés d'avoir sécurisé
leur arsenal nucléaire derrière trois niveaux de procédure de
sécurité à l'échelon du commandement national. C'était exact
sur le papier mais, en définitive, sans réel effet concret. Il
suffisait de connaître le maillon le plus faible des dispositifs
de protection de l'arme, une fois son assemblage effectué,
pour pouvoir l'exploiter.

Les agents du général au sein des usines d'armement
l'informèrent qu'aux alentours de vingt et une heures, deux
bombes de vingt kilotonnes devaient quitter par camion
l'arsenal de Kamra pour rejoindre un train spécialement
affrété dans la ville voisine de Taxila. Rehan avait d'abord
envisagé d'attaquer le convoi routier. Après tout, un camion
reste plus facile à neutraliser qu'un train. Mais il subsistait
trop d'impondérables qu'il n'était pas en mesure de maîtriser
– à cause, en particulier, de la présence d'importants effectifs
militaires à Wah comme à Taxila.

Aussi reporta-t-il plutôt son attention sur l'itinéraire ferroviaire. Les bombes allaient être transportées, sous bonne
garde, par un train de marchandises jusqu'à la base aérienne
de Sargodha, un trajet d'environ quatre cents kilomètres.

Un simple coup d'œil sur une carte de la région lui permit
de localiser bien vite le point faible de la ligne. À cinq kilomètres au nord de Peshawar, au beau milieu d'une plaine

agricole, un groupe de moulins et de silos à grain longeait un embranchement désaffecté, juste en lisière des champs de blé. L'emplacement idéal pour y cacher un petit détachement d'hommes décidés à attaquer un convoi venant du nord. Il leur suffirait alors de transférer sur des camions les deux engins d'une tonne, longs de trois mètres, puis d'embarquer à leur tour, de rejoindre la nationale M2 reliant Islamabad à Lahore et ainsi gagner, en moins d'une heure et demie, l'une ou l'autre métropole géante pour s'y volatiliser.

En cette première semaine de décembre, une pluie glaciale crépitait sans interruption sur les toits en tôle ondulée des silos desservis par l'embranchement long de quatre cents mètres.

Allongés dans le noir sur des tapis de prière, le général Riaz Rehan, son second, le colonel Khan et Georgi Safronov s'étaient planqués derrière la carcasse rouillée d'un tracteur qui, espéraient-ils, leur procurerait un abri suffisant contre les balles perdues lors du déclenchement de l'attaque.

Rehan attendait l'appel radio d'un guetteur posté à Chabba Purana, un village au sud-est immédiat de Phularwan. Les cinquante-cinq militants armés de Sharia Jamaat formés dans le camp d'Haqqani de Miran Shah s'étaient déployés, un tous les trois mètres, dans le champ situé à l'ouest de la voie. Un homme sur quatre était doté d'un lance-roquettes, les autres étaient armés de Kalachnikov.

Quant aux Daghestanais, placés sous les ordres d'anciens agents de l'ISI sélectionnés par le général Rehan, ils avaient pris position à une cinquantaine de mètres des voies dont un tronçon de dix mètres avait été démonté peu auparavant. Le train allait dérailler juste devant les hommes de Sharia Jamaat et s'échouer dans le ballast. Les Caucasiens du Nord se chargeraient illico de tuer les occupants du convoi.

Rehan avait formellement interdit aux hommes de fumer dès le moment où ils seraient descendus des six camions qui les avaient transportés, peu avant dans la soirée. Même s'il n'y avait pas âme qui vive à plusieurs kilomètres à la ronde, il leur avait également interdit de parler à voix haute. On ne pouvait que chuchoter et toute communication radio devait être réduite au strict minimum.

Et justement, sa radio crépita. Le canal de transmission avait beau être crypté, le message qu'il reçut était en langage codé : « Ali, avant d'aller au lit, n'oublie pas de nourrir les poules. Elles auront faim. »

Rehan tapota le bras de l'ingénieur aérospatial russe tapi près de lui, l'air nerveux, et lui glissa au creux de l'oreille : « Voilà le train. »

Safronov se tourna vers Rehan et le regarda. Malgré la faible visibilité de cette nuit pluvieuse, l'homme lui parut avoir pâli tout d'un coup. Safronov n'avait aucune raison réelle d'assister à ce coup de main. Rehan avait d'ailleurs tenté de l'en dissuader, arguant que l'ingénieur russe était trop précieux pour l'ensemble de la mission. Mais Safronov avait insisté. Exigeant d'être aux côtés de ses frères à chaque étape de l'opération – même s'il avait dû quitter précocement son stage d'entraînement au Waziristan du Nord. Mais c'était uniquement pour rallier Moscou afin de travailler vingt-quatre heures sur vingt-quatre à l'organisation des trois lancements successifs sur le site de Baïkonour, et de s'assurer que seule la petite poignée de scientifiques et de techniciens de haut vol qu'il avait recrutés personnellement serait autour de lui au moment crucial.

Mais pour lui, il aurait été hors de question de manquer le feu d'artifice de ce soir, et tant pis s'il écornait ainsi l'autorité de Rehan.

Ce dernier avait finalement accédé à sa requête, tout en restant ferme sur ses positions : il ne devait en aucun cas participer à l'attaque. Il lui avait même demandé d'enfiler un gilet pare-balles et de rester planqué à l'abri de la cabane jusqu'à ce qu'ils aient achevé le transfert de tout le matériel sur les camions. Rehan avait par ailleurs confié au colonel Khan la responsabilité de garantir sa sécurité.

Du reste, d'autres hommes avaient eux aussi reçu l'ordre de se tenir à l'écart des opérations parce qu'ils avaient un rôle plus important à tenir. Le général, froid et calculateur, savait pertinemment qu'il lui serait difficile, voire impossible, de vendre ce conte à dormir debout : celui d'une bande de rudes montagnards daghestanais montant une opération aussi hardie en territoire pakistanais. Les initiés s'empresseraient de désigner comme complices les islamistes de l'ISI. Aussi, pour détourner l'attention, Rehan avait-il eu recours à l'une des organisations avec laquelle il collaborait depuis plus de dix ans, le MULTA – les Tigres de libération musulmane unis de l'Assam. Ce groupe de militants islamiques armés avait été infiltré l'année précédente par des agents de la NIA, le contre-espionnage indien. Lorsque Rehan avait découvert ce noyautage, il ne s'était pas emporté et n'avait pas immédiatement coupé les liens avec le mouvement. Il y vit, au contraire, une occasion en or. Il avait donc choisi des membres du MULTA, encore indemnes de toute pénétration, et les avait mis dans la confidence : ils allaient participer à une opération incroyable au Pakistan dont le but était de dérober une arme nucléaire, de la ramener en Inde et de la faire exploser à New Delhi. Ces hommes seraient des martyrs.

C'était bien sûr un tissu de mensonges. Il avait étudié leur mouvement, ainsi que l'historique de son noyautage par le renseignement indien, dans le but d'utiliser ultérieurement ces informations pour maquiller le rôle de l'ISI dans le détournement des bombes. Il avait déjà prévu le sort des quatre rebelles du MULTA présents avec lui ce soir.

Ces hommes se verraient attribuer le vol des bombes et, en conséquence directe, le gouvernement indien se trouverait contraint d'expliquer ses liens avec le groupe terroriste.

Pour rendre la ruse encore plus crédible, Rehan et ses hommes avaient fait en sorte que l'attaque parût menée en dépit du bon sens. La précision militaire n'était sûrement pas le fort d'un groupe de combattants islamiques indiens, qui plus est, manipulés par le renseignement de leur pays pour les amener à collaborer avec des rebelles daghestanais au Pakistan. C'est pourquoi le désordre, la pagaille et le chaos faisaient partie intégrante du plan.

Rehan reçut un appel radio de l'unité située le plus au nord. Elle venait de repérer les feux du convoi au loin.

Le désordre, la pagaille et le chaos étaient pour très bien-tôt.

Le plan ourdi par Rehan n'aurait jamais pu marcher si le gouvernement pakistanais avait déployé autant d'efforts à protéger ses armes de la menace terroriste qu'à les protéger de son voisin de l'est. Le convoi transportant les bombes aurait pu embarquer un bataillon entier pour sa protection, il aurait pu être escorté de bout en bout par des hélicoptères de combat, et l'armée pakistanaise aurait pu pré-positionner des forces de réaction rapide tout au long de l'itinéraire menant de Kamra à la base arienne de Sargodha.

Ces mesures spectaculaires auraient certes quasiment éliminé tout risque de prise de contrôle du train par un commando terroriste mais, d'un autre côté, elles auraient révélé aux satellites, drones et espions indiens que le déploiement des charges était en cours.

Or pour les militaires pakistanais, il n'en était absolument pas question.

Par conséquent, la sécurité du convoi reposait sur une discrétion totale, avec l'emploi d'une force de sécurité embarquée réduite à une seule compagnie, soit tout au plus une grosse centaine d'hommes armés. Si la discrétion était prise en défaut et que des terroristes attaquaient le train, cent hommes devraient suffire, dans à peu près n'importe quelle circonstance, à repousser une attaque.

Sauf que Rehan s'était préparé à affronter une force de cette taille. Les cent hommes n'avaient aucune chance.

Les feux du train apparurent sur la plaine ; le convoi n'était plus qu'à un kilomètre environ. Rehan entendait la respiration laborieuse de Safronov malgré le crépitement de la pluie sur le toit en tôle ondulée. Le général s'adressa à lui en arabe : « Détends-toi, mon ami. Tu n'as qu'à observer sans rien faire. Ce soir, Sharia Jamaat va accomplir un pas essentiel vers la naissance d'une patrie pour le peuple daghestanais. »

La voix du général pakistanais était pleine d'assurance et d'admiration feinte pour les pauvres bougres postés là-bas dans les champs. Il espérait *in petto* qu'ils n'allaient pas faire foirer l'opération. Une douzaine de ses hommes se trouvaient parmi eux, équipés d'armes légères et de radios pour coordonner l'attaque. Il était incapable d'évaluer la qualité du travail des instructeurs d'Haqqani sur ces cinquante-cinq montagnards, mais il n'allait pas tarder à être fixé.

Le phare du train apparut enfin derrière un rideau de pluie. Le convoi ne comportait qu'une douzaine de wagons. Les contacts de Rehan au sein de l'arsenal de l'armée de l'air à Kamra n'avaient pas pu définir exactement dans lequel on avait chargé les armes, et il n'avait personne à la gare de Taxila pour l'éclairer. La logique permettait de supposer que ce serait plutôt un wagon placé en milieu de convoi, encadré de voitures contenant les soldats chargés de sa sécurité. Aussi les rebelles de Sharia Jamaat avaient-ils reçu l'ordre de ne tirer leurs roquettes que sur la motrice et la voiture de queue, et de ne viser les groupes de soldats qu'une fois ceux-ci suffisamment éloignés du train. Certes, l'impact direct d'une roquette ne risquait en aucun cas de déclencher une explosion nucléaire, mais il pourrait à coup sûr endommager les engins ou incendier le wagon qui les transportait, compliquant d'autant leur extraction de l'épave.

Là aussi, Rehan se faisait du souci. Car, en cas d'échec de l'opération, c'était tout son plan pour prendre le contrôle du pouvoir qui tombait à l'eau.

Le mécanicien de la locomotive avait dû apercevoir le tronçon de voie démontée devant lui ; il actionna les freins qui se mirent à crisser et couiner. Toujours caché derrière le tracteur rouillé en compagnie du général Rehan et du colonel Khan, Georgi Safronov se crispa visiblement. Rehan essaya de le calmer par des paroles apaisantes mais soudain une Kalachnikov ouvrit le feu, en mode automatique, alors que le convoi ne s'était pas encore immobilisé.

Elle fut bientôt rejointe par un autre AK, à peine audible dans la cacophonie du crissement des freins du convoi.

Rehan était néanmoins furieux, les militants de Sharia Jamaat étaient passés à l'action bien trop tôt.

Il prit sa radio pour engueuler ses hommes sur le terrain. « Ils ne devaient pas tirer avant le déraillement du train ! Faites-les cesser de tirer, ces connards, même s'il faut pour cela leur loger une balle dans la tête ! »

Il avait à peine achevé sa phrase que la locomotive quittait la voie. Derrière elle, très progressivement, les voitures se mirent en portefeuille. Le convoi ralentit pour s'immobiliser sous la pluie. On voyait des flammes s'élever des patins de frein chauffés au rouge.

Rehan s'apprêtait à lancer par radio un contre-ordre mais il se retint et mit le micro sous le nez de Safronov. À voix basse, le général lui demanda de donner lui-même à ses hommes l'ordre d'attaquer.

Le visage du millionnaire russe, jusqu'ici livide, reprit soudain des couleurs et, dans un instant d'orgueil bestial, il se mit à hurler au point que Rehan eut la certitude que son appel était arrivé distordu aux oreilles de ses hommes.

« À l'attaque ! » s'était-il écrié en russe.

Aussitôt, le champ qui s'étendait devant les trois hommes fut piqueté des lumières des tirs de roquettes. Deux passèrent au-dessus du train pour aller se perdre dans la nuit, une troisième détona contre l'avant-dernière voiture restée sur les voies mais quatre atteignirent la locomotive qui disparut sous une boule de feu. Deux autres grenades touchèrent la voiture de queue, tuant ou estropiant tous ses occupants.

Le crépitement des mitraillettes était assourdissant, ravageur, continu. La riposte depuis le train fut longue à venir. Nul doute que le freinage en catastrophe et le déraillement avaient dû sérieusement bousculer les occupants du convoi qui, dans les premières secondes, n'étaient plus vraiment en état de tirer. Et puis, le bruit puissant des gros fusils de combat HK G3 tirant en mode semi-automatique répondit enfin aux Kalachnikov dans le champ de blé.

On entendit détoner d'autres roquettes, la plupart vers l'avant ou l'arrière du convoi, mais le général jugea sévèrement l'absence de discipline de tir d'une partie des forces daghestanaises. Des cris en urdu, en arabe et en russe s'entrecroisaient dans son casque. De son refuge, à l'autre bout du champ balayé par la pluie, il assista au massacre du détachement chargé de la protection du train.

Ces hommes n'étaient pas mauvais. Beaucoup même devaient être de bons musulmans. Beaucoup auraient soutenu la cause de Rehan. Mais, pour assurer le succès de l'opération Sacre, des hommes devraient mourir en martyrs.

Rehan prierait pour eux mais il ne les pleurerait pas.

Le général pakistanais observait le déroulement des opérations aux jumelles infrarouges. Un groupe d'une dizaine de soldats de l'armée pakistanaise réussit à s'extraire des voitures ; la discipline et l'abnégation avec lesquelles ces hommes ripostaient à l'embuscade le rendirent fier de porter le même uniforme. Mais les rebelles étaient bien trop nombreux : en quelques secondes, ils furent massacrés.

La fusillade dura en tout guère plus de trois minutes et demie. Quand les agents de l'ISI eurent crié halte au feu, ils envoyèrent des militants de Sharia Jamaat nettoyer chaque voiture, l'une après l'autre, pour éviter tout tir fratricide.

L'opération prit cinq minutes de plus et, à l'oreille, Rehan conclut qu'elle s'était résumée à l'exécution sommaire des vaincus et des blessés.

Enfin, un message radio lui parvint. Celui d'un des capitaines aboyant en urdu l'ordre d'amener les camions.

Aussitôt, deux gros camions-plateaux noirs surgirent de derrière les silos et s'engagèrent dans le chemin détrempé qui traversait le champ de blé. Un troisième véhicule, un camion-grue jaune, les suivait de près.

Il ne fallut que sept minutes pour décharger les bombes et les transférer sur les plateaux. Quatre de plus, et le premier camion rempli de combattants daghestanais avait rejoint la route d'Islamabad à Lahore et se dirigeait vers le nord.

Au moment où Rehan et Safronov embarquaient à leur tour dans un des véhicules, une longue salve d'arme automatique leur parvint de l'un des entrepôts abandonnés. Au bruit, il s'agissait de fusils de combat G3 des forces pakistanaises, mais le général ne s'inquiéta pas. Il avait ordonné à ses hommes de récupérer toutes les armes du détachement de sécurité du train pour les retourner contre les quatre combattants du MULTA qui, jusqu'au moment d'être liquidés par l'ISI, avaient cru qu'il retourneraient en Inde avec ces armes.

Sur les ordres de l'ISI, les Daghestanais transportèrent les corps dans le champ où ils les abandonnèrent.

Sharia Jamaat avait perdu treize hommes dans l'embuscade. Sept avaient été tués et les autres, trop mal en point pour être déplacés, furent abattus sur place. Tous les corps furent ensuite chargés sur des camions.

La première riposte des forces armées pakistanaises à l'attaque du train survint douze minutes après que le dernier des camions de Rehan eut quitté le champ de blé. À cet instant, les deux bombes s'étaient encore rapprochées de quinze kilomètres de la grouillante métropole d'Islamabad.

68

DEPUIS SON RETOUR du Pakistan quelques semaines auparavant, Jack avait vu Melanie presque tous les jours. En général, il quittait son travail un peu plus tôt pour filer vers Alexandria. Depuis son appartement, ils se rendaient à pied au restaurant, sauf s'il pleuvait ou neigeait, auquel cas ils prenaient le Hummer. Puis il passait la nuit avec elle et se levait le lendemain à cinq heures pour devancer les embouteillages sur les cinquante-cinq kilomètres du trajet de retour vers Columbia.

Elle avait évoqué le désir de voir où il habitait, aussi passat-il la prendre un samedi après-midi pour l'inviter chez lui pour la nuit. Ils dînèrent chez Akbar, un célèbre restaurant indien de Columbia, puis passèrent prendre un verre à l'Union Jack.

Après avoir bavardé autour d'une bière, ils regagnèrent son appartement.

Jack avait déjà invité des filles chez lui, même s'il était tout sauf un playboy. En temps normal, quand il pensait finir la soirée en galante compagnie, il passait un coup de chiffon vite fait, le matin, avant de prendre ses clés et sortir mais ce coup-ci, il avait fait le ménage à fond. Lavé le carrelage, changé les draps, récuré la salle de bains du sol au plafond. Il l'avait jouée en parfait homme d'intérieur, mais il était à peu près sûr que Mlle Kraft ne serait pas dupe et devinerait que ce n'était pas vraiment le cas.

Il aimait bien cette fille. Et même beaucoup. Il l'avait compris d'emblée ; dès les premiers rendez-vous, il avait senti un petit quelque chose. Elle lui avait manqué lors de son séjour à Dubaï et, sitôt arrivé au Pakistan, il aurait voulu plus que tout la tenir dans ses bras, lui parler, l'entendre lui dire que, quelque part, il agissait pour la bonne cause et que tout allait s'arranger.

Merde, est-ce que je me ramollis ?

Il se demanda si cela pouvait avoir un rapport avec le fait qu'à deux reprises il avait manqué de peu se faire tuer au cours des trois semaines écoulées. Fallait-il y voir la raison cachée de ses sentiments pour cette fille ? Il espérait bien que non. Elle ne méritait pas qu'on tombe amoureux d'elle pour régler un problème personnel ou se remettre d'une expérience de mort imminente. Non, elle avait tout pour vous tourner la tête sans besoin d'additifs artificiels.

Son appartement était luxueux, moderne, avec de grandes pièces meublées avec goût. Mais c'était pour l'essentiel un antre de célibataire. Quand Jack s'excusa pour aller aux toilettes, Melanie en profita pour jeter un coup d'œil au contenu du frigo et elle ne fut pas déçue. Pas grand-chose, hormis du vin, de la bière, des boissons reconstituantes et des barquettes de traiteur datant de plusieurs jours. Elle inspecta ensuite le congélateur – elle travaillait après tout pour un service de renseignement – et le trouva rempli de vessies à glace, dont apparemment bon nombre avaient été dégelées et recongelées à plusieurs reprises.

Elle ouvrit ensuite deux des placards de cuisine jouxtant le congélateur. Elle y trouva de la gaze, des anti-inflammatoires, des pansements adhésifs, de la crème antiseptique.

Elle en fit la remarque quand il fut revenu.

« Encore des bobos sur les pentes ?

— Hein ? Quoi ? Pourquoi cette question ?

— Simple curiosité. J'ai vu le poste de secours d'urgence que tu t'es aménagé. »

Jack arqua les sourcils. « Tu m'espionnes, maintenant ?

— Juste un petit peu. C'est un truc de fille.

— D'accord. De fait, je suivais des cours d'arts martiaux à Baltimore. C'était super, mais quand j'ai dû souvent me déplacer pour le boulot, il m'a fallu y renoncer. » Ryan parcourut du regard le séjour. « Qu'est-ce que t'en penses ?

— C'est magnifique. Ça manque d'une touche féminine, mais je suppose que si elle était présente, je devrais me poser des questions.

— Ça, c'est vrai.

— N'empêche. Cet appartement est vraiment beau. Je me demande ce que tu dois penser de la petite tanière dans laquelle je t'héberge.

— Je l'aime bien, moi. Elle te va bien. »

Melanie pencha la tête. « Parce que ça fait bon marché ?

— Non. Ce n'est pas ce que je voulais dire. Non, c'est un endroit très féminin et, malgré tout, il est rempli de bouquins sur le terrorisme et de manuels de la CIA. C'est une tuerie. Comme toi. »

Melanie s'était mise sur la défensive. Mais elle se décrispa. « Je suis vraiment désolée. C'est juste que je suis un peu intimidée par ta fortune, ta famille, sans doute parce que je ne viens pas du même milieu. Mes parents n'ont jamais eu de sous. Avec quatre enfants, la maigre solde de mon père ne lui permettait pas de nous acheter de belles choses.

– Je comprends.

– Non, sans doute pas. Mais enfin, c'est mon problème, pas le tien. »

Ryan s'approcha d'elle et la prit dans ses bras. « Tout ça, c'est du passé. »

Elle fit non de la tête et s'écarta. « Non. Ce n'est pas vrai.

– Et avec un prêt aux étudiants ? » demanda Ryan avant de le regretter aussitôt. « Je te demande pardon, ça ne me regarde pas. Je pensais simplement... »

Melanie eut un petit sourire. « Pas de problème. C'est juste que ce n'est pas drôle comme conversation. Tu peux quand même remercier ta famille. »

Cette fois, ce fut au tour de Jack d'être sur la défensive. « Écoute, je suis conscient d'avoir vu le jour dans une famille aisée, mais mon père m'a mis au boulot. Je ne vis pas aux crochets de ma famille.

– Bien sûr que non. Et c'est ce que j'apprécie chez toi. Je ne parle pas d'argent. (Elle resta songeuse quelques secondes.) D'ailleurs, c'est peut-être la première fois, que je ne parle pas d'agent. Je parle de tes parents. J'ai vu comment tu parles d'eux. À quel point tu les respectes. »

Jack avait appris à ne pas l'interroger sur son éducation. Chaque fois qu'il avait tenté d'aborder la question, elle s'était refermée comme une huître, ou bien avait changé de sujet. Durant un instant, il crut qu'elle allait enfin se livrer. Mais non.

« Eh bien alors... », commença-t-elle et Jack comprit aussitôt qu'elle venait précisément de passer à autre chose. « Je suppose que tu as une salle de bains ? »

À cet instant précis, son mobile pépia dans le sac qu'elle avait laissé sur la paillasse de la cuisine. Elle le sortit, regarda l'écran.

« C'est Mary Pat », fit-elle, surprise.

Pourquoi diable sa patronne l'appellerait-elle un samedi à dix heures du soir ?

« Peut-être pour t'annoncer une augmentation », blagua Jack, ce qui fit rire Melanie.

« Salut, Mary Pat. » Soudain, son sourire s'éteignit. « OK... OK. Oh... Merde. »

Quand Melanie lui tourna le dos, Jack comprit qu'il y avait un problème. Mais il sut que ça devait être sérieux quand, dix secondes plus tard, son propre mobile se mit à son tour à sonner. Il le sortit de sa poche. « Ryan.

– C'est Granger. Dans combien de temps peux-tu être au bureau ? »

Jack se retourna et gagna sa chambre. « Que se passe-t-il ? C'est Clark ?

– Non. C'est un problème. J'ai besoin de tout le monde tout de suite.

– Entendu. »

Il coupa, se retourna et découvrit Melanie au seuil de sa chambre. « Je suis terriblement désolée, Jack, mais il faut que je retourne au bureau.

– Que se passe-t-il ?

– Tu sais que je ne peux pas te répondre. J'ai bien peur que tu doives me ramener en voiture jusqu'à McLean, il y a vraiment urgence. »

Et merde. Réfléchis, Jack. « Bon, tu sais quoi ? Moi aussi, c'était le bureau. Ils veulent que je passe les voir en vitesse, quelqu'un semble se soucier de notre position avant l'ouverture des marchés asiatiques ce lundi. Est-ce que tu ne pourrais pas plutôt me déposer au turf, puis continuer avec ma voiture ? »

Ryan le lut d'emblée dans ses yeux : elle savait qu'il mentait. Mais elle avala la couleuvre et ne fit aucune remarque. Sans doute était-elle plus inquiète des mauvaises nouvelles qui attendaient Jack que de la découverte que son petit ami était un fieffé menteur.

« Bien sûr. Ça roule. »

Une minute plus tard, ils étaient dehors.

Le trajet jusqu'au siège d'Hendley Associates se déroula dans un silence à peu près complet.

Après avoir déposé Jack devant son travail, Melanie s'éloigna dans la nuit au volant du Hummer et Ryan pénétra dans le bâtiment par la porte de service.

Dom Caruso était déjà là, dans le hall, en grande conversation avec les vigiles.

Ryan se dirigea vers lui. « Qu'est-ce qui se passe ? »

Dom s'approcha pour lui souffler à l'oreille : « Le scénario du pire, cousin. »

Ryan écarquilla les yeux. Il savait ce que ça signifiait. « Une bombe islamique ? »

Caruso acquiesça. « Le trafic interne de la CIA indique qu'un train de munitions pakistanais a été attaqué la nuit dernière. *Deux* charges nucléaires de vingt kilotonnes ont été dérobées et se trouvent à présent aux mains d'une force non identifiée.

– Oh, mon Dieu. »

69

LES DEUX BOMBES de vingt kilotonnes dérobées à l'armée de l'air pakistanaise se retrouvaient, quelques jours plus tard à peine, dans le ciel au-dessus du Pakistan. Rehan et ses hommes les avaient fait emballer et placer dans des conteneurs de douze pieds portant la marque « Textile Manufacturing Ltd » qu'on avait alors chargés à bord d'un avion-cargo Antonov An-26 de Vision Air, une compagnie pakistanaise de vols charters.

Leur première escale était Douchanbé, la capitale du Tadjikistan.

Si on l'avait écouté, le général Rehan aurait envoyé paître les Daghestanais, qu'ils quittent son pays et aillent au diable se vanter de leur exploit et menacer le globe avec leurs bombes et leurs missiles, mais il savait que Georgi Safronov était plus intelligent que tous les autres membres de la cellule terroriste, plus que les chefs insurgés et même que les agents du gouvernement avec qui il avait eu l'occasion de collaborer. Georgi en savait autant que le général Rehan sur les armes atomiques et ce dernier savait qu'il devrait se donner à fond pour préparer sérieusement l'opération de Safronov.

Pour ce faire, deux choses lui étaient indispensables : un

endroit discret, secret et sûr, hors du Pakistan, pour armer les bombes avant de les intégrer aux plates-formes de charge utile des lanceurs Dniepr-1, et quelqu'un possédant les qualifications techniques pour procéder à l'opération.

Le commerce bilatéral entre Pakistan et Tadjikistan s'était accru de manière spectaculaire au cours des quatre dernières années, de sorte que les échanges avec Douchanbé étaient devenus monnaie courante. La capitale tadjike se trouvait par ailleurs presque à mi-chemin du trajet direct vers leur destination, le cosmodrome de Baïkonour.

L'An-26 s'envola de Lahore avec ses deux conteneurs et douze passagers : Rehan, Safronov, Khan, sept membres de la garde personnelle de Rehan et deux experts pakistanais en armement nucléaire. Les forces de Sharia Jamaat avaient embarqué à bord d'un second vol charter de Vision Air qui les déposerait également à Douchanbé.

La direction du renseignement interarmées de Rehan avait déjà distribué des pots-de-vin aux douaniers tadjiks et aux agents de l'aéroport ; ils ne rencontreraient aucun obstacle lors du débarquement des passagers et de la cargaison. Un Tadjik, membre du conseil municipal et depuis longtemps informateur stipendié et agent double de l'ISI, les attendrait à l'atterrissage avec des camions, des chauffeurs et d'autres conteneurs tout juste parvenus de Moscou.

Le Campus travaillait vingt-quatre heures sur vingt-quatre et sept jours sur sept à rechercher les bombes nucléaires. La CIA avait intercepté les communications de l'ISI, quelques heures à peine après le détournement et depuis, à Langley comme à Liberty Crossing, siège du Centre national antiterroriste, on s'affairait à définir le degré d'implication de l'ISI.

Le NCTC détenait plus d'informations sur Riaz Rehan, en partie grâce au Campus, mais surtout grâce au travail de Melanie Kraft, si bien que Jack Ryan et ses collègues analystes se retrouvaient la plupart du temps quasiment en train de mater par-dessus l'épaule de la jeune femme. Ça mettait Ryan mal à l'aise, mais si jamais, au gré de ses recherches, Melanie tombait sur un élément exploitable, le Campus serait en position de réagir immédiatement.

Depuis le début, Tony Wills travaillait sur le dossier avec Ryan. Plus d'une fois, il avait commenté, examinant les résultats de Melanie Kraft : « Ta copine est plus intelligente que toi, Ryan. »

Jack était à moitié d'accord. Elle était plus intelligente que lui, c'était sûr, mais il n'était pas certain qu'elle fût sa copine.

Les Pakistanais s'étaient débrouillés comme des chefs pour dissimuler la perte de deux engins nucléaires à leur opinion comme à la presse internationale ; ce black-out tint quarante-huit heures. Dans ce laps de temps, ils avaient remué ciel et terre pour retrouver les coupables et localiser les bombes mais la FIA, la Police fédérale pakistanaise, avait fait chou blanc. On avait craint d'emblée une opération montée de l'intérieur à laquelle, conclusion logique, l'ISI aurait pu être mêlée. Mais face à l'ISI et à l'armée, la FIA ne faisait vraiment pas le poids, de sorte que cette piste d'enquête n'avait pas été vraiment explorée.

Quand toutefois le bruit se répandit d'une action terroriste d'envergure contre une ligne de chemin de fer pakistanaise, la presse locale – aidée par ses sources au sein du gouvernement – eut tôt fait de relier les deux événements et d'en conclure que les engins nucléaires se trouvaient à bord du train attaqué. Quand il fut bien confirmé, quelques heures plus tard, que les deux engins – de type et de puissance non spécifiés – avaient été volées par des éléments non identifiés, on s'empressa dans la foulée d'insister, dans les plus hautes sphères du pouvoir civil et militaire, sans oublier au PAEC, le Commissariat pakistanais à l'énergie atomique, sur le fait que le vol desdites armes était sans réelles conséquences. On expliqua que les engins étaient dotés de codes d'armement à sécurité intégrée, codes qu'il fallait connaître pour les rendre opérationnels.

Toutes les parties à l'origine de ces déclarations publiques étaient fermement convaincues de la véracité de leurs dires, même si l'une d'elles avait gardé le silence sur une information d'une importance cruciale.

Le directeur du Commissariat pakistanais à l'énergie atomique s'était bien gardé de révéler au gouvernement et à l'état-major, et encore moins au grand public, que deux de ses meilleurs physiciens atomistes, deux hommes capables de contourner les codes d'armement et de reconfigurer les détonateurs, étaient portés disparus depuis le moment précis où l'on avait subtilisé les bombes.

Le lendemain matin, les deux conteneurs, censés appartenir à la Textile Manufacturing Ltd, attendaient sur le sol de béton poussiéreux au beau milieu d'un hangar – celui du service d'entretien des cars scolaires – situé sur Kurban Rakhimov, dans les quartiers nord-est de Douchanbé. Le général Rehan et Georgi Safronov s'étaient tous deux félicités du choix d'un tel site pour cette phase de la mission. L'infrastructure était vaste et surtout enclose de hauts murs empêchant d'apercevoir, depuis les avenues bordées d'arbres alentour, la bonne cinquantaine d'étrangers qui s'affairaient à l'intérieur. Des dizaines de camionnettes et de bus scolaires plus ou moins désossés étaient garés sur le site, rendant les camions des Daghestanais et des Pakistanais impossibles à repérer, même depuis le ciel. Et le vaste hangar d'entretien était assez grand pour accueillir plusieurs cars, *a fortiori* les deux gros engins nucléaires. Il était, en outre, équipé d'une multitude de treuils et de ponts roulants permettant de déplacer d'un bout à l'autre les plus lourdes charges.

Sur les individus présents, les deux seuls à s'activer étaient les scientifiques qui travaillaient pour le PAEC. Depuis la disparition des deux hommes, ceux qui étaient au courant sans les connaître personnellement redoutaient l'action d'un groupe terroriste. Mais ceux qui les connaissaient et savaient également que les bombes s'étaient volatilisées n'envisageaient pas une seule seconde que quiconque ait pu leur forcer la main : tous leurs collègues étaient au fait de leur appartenance à l'islamisme radical. Certains l'avaient accepté, d'autres moins, tout en ne pipant mot.

Mais les uns comme les autres suspectaient que les deux chercheurs étaient dans le coup.

Ces deux scientifiques, les Drs Nishtar et Noon, partageaient l'idée que les armes nucléaires pakistanaises n'étaient pas la propriété du gouvernement civil, tout comme ils jugeaient bien hypothétique qu'on les ait fabriquées et stockées (procédure aussi coûteuse que dangereuse, s'empressaient-ils d'ajouter) uniquement pour servir d'armes de dissuasion.

Non. Les armes nucléaires pakistanaises appartenaient à

l'Oumma, la communauté des musulmans et, à ce titre, elles pouvaient et *devaient* être utilisées pour le plus grand bien de tous les croyants.

Et les deux scientifiques croyaient en Riaz Rehan, et ils étaient convaincus que le moment propice était venu, puisqu'il le leur avait dit.

Tous ces rudes montagnards du Caucase qui les entouraient faisaient également partie des croyants, même s'ils n'étaient pas des musulmans pakistanais. Les Drs Noon et Nishtar ne savaient pas tous les détails de l'opération en cours, mais ils connaissaient parfaitement leur mission : celle de rendre les armes opérationnelles et de surveiller leur intégration à l'ogive des missiles ; ils devaient retourner ensuite au Pakistan avec le général de l'ISI et s'y cacher jusqu'à ce que ce dernier leur indique qu'ils pouvaient sans risque réapparaître en public et jouir de leur statut de héros.

Noon et Nishtar travaillaient depuis plus de trois heures dans un froid glacial, avec de courtes pauses pour réchauffer leurs mains au-dessus du poêle à charbon en brique qu'on avait allumé dans un coin du hangar. C'est qu'il fallait garder de la souplesse dans les doigts pour le travail minutieux que représentait la séparation des engins nucléaires de l'enveloppe de leur bombe MK84, étape indispensable avant leur intégration sur la plate-forme de charge utile des missiles. Plusieurs agents de la sécurité personnelle de Rehan se tenaient dans les parages, prêts à donner un coup de main avec les treuils et les ponts roulants. Safronov avait proposé le renfort d'hommes de Sharia Jamaat mais Rehan déclina l'offre, expliquant qu'il valait mieux les poster le long de l'enceinte pour contrer toute menace extérieure. Une fois que les bombes auraient quitté Douchanbé, avait-il ajouté, elles passeraient sous la responsabilité de Safronov mais, dans l'intervalle, elles étaient encore à lui et ses hommes pouvaient parfaitement s'en charger.

Tandis que Noon et Nishtar vérifiaient des données sur un ordinateur portable posé sur une desserte près de la première plate-forme d'intégration, Rehan et Safronov s'approchèrent d'eux par-derrière. Le général posa ses grosses pattes sur les épaules des deux hommes. Ils poursuivirent leur travail. « Alors, docteurs, comment ça avance ? »

Le Dr Nishtar répondit sans quitter des yeux la plate-forme, surveillant la configuration de la tête nucléaire. « Encore quelques minutes pour celle-ci, puis nous passerons à la seconde arme. Nous avons déjà contourné les mécanismes de codage du lancement, et les détonateurs par radio-altimètres sont déjà installés.

– Montrez-nous ça. »

Noon indiqua du doigt un appareil boulonné sur le flanc de la bombe. Une sorte de mallette métallique qui contenait divers mécanismes reliés électriquement entre eux et était dotée d'un clavier et d'un afficheur à diodes. Il expliqua : « Voici le radio-altimètre qui est déjà réglé. Quand la charge aura atteint une attitude de soixante mille pieds, il armera la bombe et, dès que celle-ci sera descendue sous mille pieds, il la fera détoner. Un baromètre de secours double le dispositif, ainsi qu'une commande manuelle à retardement, inutile dans le cas d'un lancement par missile. Nous allons de plus piéger l'enveloppe de charge utile afin que toute tentative de démontage pour en retirer la bombe entraîne son explosion immédiate. »

Georgi sourit en hochant la tête, ravi du travail de ces deux hommes pour la cause daghestanaise. « Et vous allez procéder de même avec l'autre engin ?

– Bien sûr.

– Excellent. » Et Rehan de les gratifier d'une tape sur l'épaule. « Continuez. »

Safronov quitta le hangar quelques minutes après mais Rehan s'attarda. Il retourna auprès des deux scientifiques et leur demanda : « J'aurai une petite requête à vous demander.

– Tout ce que vous voudrez, général », dit le Dr Noon.

Une heure et demie plus tard, le général Rehan étreignit Georgi Safronov à la porte du hangar d'entretien, puis il serra la main de chacun des combattants daghestanais. Il leur donna du « frère courageux » et leur promit que, s'ils devaient mourir en martyrs, il donnerait leurs noms à des rues en leur honneur.

Puis Rehan, Khan, les deux membres du Commissariat à l'énergie atomique et les gardes du corps du général quittèrent le garage des cars scolaires à bord de quatre véhicules, emportant avec eux toute trace de leur passage, laissant sur place les combattants daghestanais et les deux ogives de missiles Dniepr-1.

Quelques minutes plus tard, ce fut au tour des Daghestanais de quitter les lieux, après avoir chargé avec précaution les deux cadeaux du Pakistan sur deux semi-remorques, pour entreprendre leur long voyage vers le nord.

John Clark avait passé toute la matinée en planque sur un minuscule banc public de la place Pouchkine, en plein centre de Moscou. Cinq centimètres de neige fraîche couvraient le sol autour de lui mais le ciel était clair et lumineux. Il avait profité de l'avantage tactique de la météo pour s'habiller d'un lourd pardessus doté d'une épaisse capuche en fourrure. Il se dit que même si sa femme était venue s'asseoir auprès de lui, elle ne l'aurait pas reconnu.

Un anonymat bien pratique en cet instant. Deux Français baraqués se trouvaient également dans le parc, et tous deux observaient la même position que lui. Il les avait repérés la veille, eux et un autre duo de collègues. Ces derniers s'étaient positionnés sur Uspenskiy Pereulok, à bord d'une camionnette dont le moteur avait tourné toute la nuit. Clark avait remarqué la fumée sortant du pot d'échappement lors d'une de ses balades d'inspection des lieux – une anomalie parmi les dizaines d'autres que son esprit tactique fertile avait déjà repérées dans les rues proches du domicile de sa cible. Autres anomalies qu'après vérification il avait éliminées ; en revanche, la présence dans le parc des deux Français et cette camionnette garée, moteur tournant en permanence au ralenti, prouvaient que les hommes collés à ses basques utilisaient sa cible comme appât.

Ils n'avaient pas réussi leur coup à Tallin mais ici, à Moscou, ils semblaient bien décidés à ne pas rééditer leur échec.

Clark surveillait du coin de l'œil la porte de l'immeuble d'Oleg Kovalenko. Le vieil espion russe n'avait pas quitté son appartement la veille mais cela n'avait pas vraiment surpris l'Américain. À son âge, il n'était pas prudent de s'aventurer dans les rues verglacées de Moscou, sauf nécessité absolue ; il y avait sans doute des dizaines de milliers d'autres personnes âgées claquemurées en ce moment dans leurs minuscules logis de la cité figée sous les glaces en ce week-end de décembre.

La veille, Clark s'était rendu dans un centre commercial faire l'emplette d'un mobile avec une carte prépayée. Il avait trouvé dans l'annuaire le numéro de Kovalenko et il avait envisagé de l'appeler carrément pour lui demander une minute de son temps, dans un endroit sûr. Mais Clark n'avait aucun moyen de savoir si le téléphone de l'ancien agent du KGB n'avait pas été mis sur écoute par les Français, aussi avait-il renoncé à ce plan.

Alors, il avait passé le plus clair de la journée à chercher un moyen de pénétrer dans l'appartement du Russe à l'insu des Français. Une idée lui vint aux alentours de deux heures de l'après-midi, quand une vieille femme coiffée d'un béret violet sortit de l'immeuble en poussant un vieux chariot de supermarché, avant de se diriger vers l'ouest en traversant la place. Il la suivit dans le magasin où elle acheta plusieurs articles. Il alla se placer derrière elle à la caisse et mit à profit son russe quelque peu rouillé pour engager la conversation. Il s'excusa pour sa maîtrise approximative de la langue, expliquant dans la foulée qu'il était un journaliste américain en visite et qu'il préparait un reportage sur la façon qu'avaient les « vrais » Moscovites d'affronter les rigueurs hivernales.

Clark lui offrit de lui payer ses courses si elle consentait à lui accorder quelques minutes pour un rapide entretien.

Ravie de la perspective de tenir compagnie à ce jeune et bel étranger, Svetlana Gasanova tint absolument à l'inviter chez elle – elle vivait juste au bout de la rue, après tout – et à lui offrir une tasse de thé.

Les guetteurs dans le parc n'étaient pas à la recherche d'un couple et Clark s'était emmitouflé au point qu'ils n'auraient pas réussi à l'identifier même à quinze centimètres de son nez. Il prit même soin de porter lui-même un sac de courses pour donner l'impression d'être un locataire.

John Clark passa une demi-heure à deviser avec la vieille retraitée. Entretien au cours duquel son russe hésitant fut poussé dans ses derniers retranchements mais il compensait avec force sourires et hochements de tête, et il apprécia le thé sucré à la confiture qu'elle lui avait préparé, pendant qu'elle lui parlait des quittances de gaz, de son propriétaire et de son hygroma.

Enfin – il était seize heures passées –, Mme Gasanova parut se lasser. Il la remercia pour son hospitalité, nota scrupuleusement son adresse et promit de lui envoyer un exemplaire du journal. Elle le reconduisit jusqu'à la porte de son appartement et il lui assura même qu'il lui rendrait visite lors de son prochain voyage à Moscou.

Il s'éloigna dans le couloir, jeta l'adresse de la femme dans un cendrier aux abords de la cage d'escalier, puis monta au lieu de redescendre.

Clark ne frappa pas à la porte d'Oleg Kovalenko. Il avait noté en entrant dans l'appartement de Mme Gasanova que les lourdes portes de chêne du vieil immeuble étaient verrouillées par de grosses serrures à goupille qu'on pouvait aisément crocheter. Quelques jours plus tôt, John avait confectionné son matériel de crochetage à l'aide d'une trousse d'outils de précision achetée chez un prêteur sur gages et en s'inspirant des ébauches qu'il avait déjà utilisées par le passé en Russie.

Il sortit d'un étui rangé dans sa poche de pardessus un assortiment de crochets, demi-diamants et entraîneurs.

Après s'être assuré que le couloir au plancher de bois était désert, il mit les crochets dans sa bouche, puis il introduisit l'entraîneur dans le trou de serrure, le fit légèrement tourner dans le sens anti-horaire et maintint la tension en appuyant avec son auriculaire droit. Ensuite, de la main gauche, il récupéra le crocheteur qu'il tenait dans sa bouche et l'introduisit au-dessus du tendeur. Travaillant alors avec les deux mains, tout en maintenant toujours la pression à l'aide du petit doigt, il fit coulisser le crochet dans le trou de serrure pour chasser les goupilles à ressort, une à une, afin de les aligner.

Quand il eut chassé toutes les goupilles sauf deux, il remit le crochet dans sa bouche, prit à la place le demi-diamant, l'introduisit à son tour et le passa lentement sur les deux dernières goupilles pour les chasser de l'arrière vers l'avant afin de les bloquer.

Il entendit avec plaisir un cliquetis qui signalait que le cylindre était libéré ; celui-ci, mû par la pression de l'entraîneur, tourna d'un quart de tour, faisant glisser le pêne dans la gâche : la porte s'ouvrit.

John remit prestement les outils dans sa poche et dégaina son pistolet.

Il poussa le battant et se glissa dans la minuscule cuisine de l'appartement. Suivait un séjour de taille tout aussi réduite. Il entrevit dans la pénombre un divan, une table basse, un téléviseur, une table de salle à manger sur laquelle étaient posées plusieurs bouteilles d'alcool. Assis dans une chaise près de la fenêtre, lui tournant le dos, le gros Oleg Kovalenko regardait dehors à travers les stores crasseux.

Clark lui demanda en anglais : « Combien de temps avons-nous avant qu'ils découvrent que je suis ici ? »

Kovalenko sursauta puis se leva d'un bond en se retournant. Il avait les mains vides, sinon Clark aurait déjà logé une balle de calibre 45 dans son gros bide.

Le gros Russe plaqua les mains contre sa poitrine, comme s'il allait avoir une attaque, mais il se rassit bien vite. « Je n'en sais rien. T'ont-ils vu entrer ?

– Non.

– Alors, pas de souci. Tu as largement le temps de me tuer. »

Clark rabaissa son pistolet et parcourut la pièce du regard. Cet appartement ne valait même pas le petit studio de Manfred Kromm. *Merde*, se dit l'Américain. Au temps pour la gratitude après toutes ces années de service pour nos patries respectives. Ce vieil espion russe, Kromm le vieil espion est-allemand, et John Clark, lui-même un vieil espion américain.

Du pareil au même.

« Je ne vais pas vous tuer. » Clark indiqua d'un signe de tête les nombreuses bouteilles de vodka vides. « Vous m'avez l'air de pouvoir vous débrouiller tout seul. »

Kovalenko digéra la remarque. « Donc, tu veux des informations ? »

Clark haussa les épaules. « Je sais que vous avez rencontré Paul Laska à Londres. Je sais que votre fils Valentin est lui aussi dans le coup.

— Valentin suit les ordres de ses chefs, tout comme toi. Tout comme moi, jadis. Il n'a rien de personnel contre toi.

— Qui sont ces types en bas dans le parc ?

— Ils ont été envoyés par Laska, avec j'imagine pour mission de te capturer. Ils travaillent pour le détective privé français Fabrice Bertrand-Morel. Mon fils est retourné à Londres, son rôle dans cette affaire était uniquement politique, et tout à fait anodin, il n'avait rien à voir avec les hommes qui te pourchassent. » Le vieux Russe dodelina du chef en considérant le flingue dans la main baissée de Clark. « Je serais même surpris que mon garçon ait jamais touché une arme à feu. » Il étouffa un rire. « Il est si foutrement civilisé.

— Alors comme ça, vous êtes en contact avec les types dans la rue ?

— En contact ? Non. Ce sont eux m'ont abordé. Ils m'ont parlé de toi. M'ont dit que tu viendrais mais qu'ils me protégeraient. Jusqu'à hier, je n'avais jamais entendu parler de toi. Je me suis simplement chargé d'organiser la rencontre entre Valentin et Pavel. Pardon… Paul. On ne m'a pas mis dans le secret de leur conversation.

– Laska travaillait pour le KGB en Tchécoslovaquie. » Clark avait dit cela comme une évidence.

Que Kovalenko ne réfuta pas. Il se contenta de noter : « Pavel Laska a toujours été considéré comme un ennemi par tous les États où il a pu vivre. »

Mais John s'abstint de tout jugement. L'ancien agent de la CIA savait le KGB suffisamment impitoyable pour avoir lavé le cerveau d'un jeune Paul Laska et le transformer à son corps défendant.

La guerre froide était semée d'hommes brisés.

Oleg reprit : « Je vais me préparer un verre si tu me promets de ne pas me tirer dans le dos. » Clark lui fit signe d'y aller et le gros Russe s'approcha en titubant de la table couverte de bouteilles. « Tu veux quelque chose ?

– Non.

– Alors, qu'est-ce que t'as appris de moi ? Rien. Rentre chez toi. T'auras un nouveau président d'ici quelques semaines. Il te protégera. »

Clark n'en souffla mot, mais il ne recherchait pas la protection de Jack Ryan. Plutôt l'inverse. Il devait protéger Ryan de toute association avec lui, avec le Campus.

Kovalenko prit appui sur la table et se versa une large rasade de vodka dans un grand verre. Il retourna vers sa chaise, la bouteille dans une main, le verre dans l'autre.

« Je veux parler à votre fils.

– Je peux appeler son bureau à l'ambassade de Londres. Mais je doute qu'il me rappelle. » Kovalenko éclusa la moitié du verre, puis il posa la bouteille sur le rebord de la fenêtre, dérangeant les stores au passage. « T'aurais plus de chance si tu l'appelais toi-même. »

Le Russe avait l'air de dire la vérité. Il n'avait guère de relations avec son fils, et ce dernier, manifestement, n'était pas ici. Clark pouvait-il trouver moyen de l'aborder à Londres ?

Ça vaudrait le coup d'essayer. Ce voyage à Moscou pour soutirer des informations d'Oleg Kovalenko se révélait infructueux.

Clark glissa l'arme dans sa poche. « Je vous laisse avec votre vodka. Si vous avez l'occasion de joindre votre fils, dites-lui que j'aimerais bien lui parler. Juste une conversation amicale. Il aura de mes nouvelles. »

L'Américain se tourna pour ressortir en passant par la cuisine mais le retraité russe le héla. « T'es sûr que tu veux pas trinquer avec moi ? Avec ce froid, ça te réchauffera.

– *Niet*, fit John alors qu'il atteignait la porte.

– Peut-être qu'on pourrait parler du bon vieux temps. »

La main de Clark s'immobilisa sur la poignée. Il se tourna, revint dans le séjour.

Oleg eut un petit sourire. « Je n'ai pas si souvent de la visite. On ne peut pas faire son difficile, pas vrai ? »

Le regard de Clark se fit pénétrant et scruta rapidement la pièce.

« Ben quoi ? »

Les yeux de Clark se fixèrent soudain sur la bouteille de vodka posée sur l'appui de la fenêtre. Elle appuyait sur les stores vénitiens, fermant les lames.

Un signal pour les hommes dans le parc. « L'enculé ! » Clark tourna de nouveau les talons, traversa la cuisine en coup de vent, franchit la porte et se précipita dans le couloir.

Il entendit du bruit dans la cage d'escalier, le pépiement d'un talkie-walkie et les pas précipités de deux hommes. John grimpa jusqu'en haut et s'empara d'une grosse poubelle-cendrier métallique posée au coin des marches ; il attendit et quand le bruit des pas sur les marches lui indiqua que ses poursuivants étaient arrivés sur le palier du dessous, il donna un grand coup de pied dans le cylindre métallique. Il eut juste le temps d'apercevoir le premier homme apparaître au tournant de l'escalier ; il portait un gros manteau noir et tenait dans une main un petit pistolet et dans l'autre une radio. John dégaina son arme et se mit en position de tir en haut des marches.

La poubelle métallique prenait de la vitesse en rebondissant sur les marches. Au moment où les hommes s'engageaient sur la dernière volée, la poubelle rebondit à la hauteur de leur tête et les percuta, les envoyant valser sur le carrelage du palier. L'un des hommes laissa échapper son arme, mais l'autre l'avait toujours et il essaya de viser l'homme placé au-dessus d'eux.

John tira un seul coup. La balle de calibre 45 brûla un sillon rouge sur la joue gauche du type.

« Lâche ton arme ! » cria Clark en anglais.

L'homme tombé sur le carrelage du palier inférieur obéit. Comme son partenaire, il mit les mains en l'air.

Même avec le silencieux, le Sig Sauer 45 de Clark avait fait un potin du diable dans l'immeuble et il était sûr que des locataires allaient d'un instant à l'autre téléphoner à la police. Il redescendit sur le palier et s'approcha des deux hommes, les tenant toujours en respect. Il les soulagea de leurs armes, de leurs talkies et téléphones mobiles. L'un des types l'injuria en français, mais il garda les mains en l'air et John l'ignora. Sans ouvrir la bouche, il poursuivit sa descente.

Une minute plus tard, il quittait l'immeuble par la porte de service. Il jeta l'équipement des deux types dans une poubelle.

Pendant un trop bref moment d'espoir, il se crut tiré d'affaire, mais une camionnette blanche qui passait sur l'autre côté de l'avenue freina brutalement. Quatre hommes en descendirent. Huit files de voitures les séparaient de John mais ils se mirent à slalomer entre elles. Ils se rapprochaient.

John détala. Sa destination initiale avait été la station de métro de Pouchkinskaïa. Mais à présent, les types le talonnaient à moins de cinquante mètres, et ils couraient bien plus vite que lui. Descendre dans le métro allait le ralentir – jamais il n'aurait le temps de sauter dans une rame avant d'être pris. Alors il traversa le boulevard Tverskoï et se mit à zigzaguer entre les huit voies de circulation comme un slalomeur.

Parvenu sur le trottoir opposé, il risqua un coup d'œil derrière lui. Les quatre hommes avaient reçu le renfort de deux autres types. Les six chasseurs n'avaient désormais plus que vingt-cinq mètres de retard.

Ils allaient le rattraper, ça devenait manifeste. Ils étaient trop nombreux, ils étaient trop bien entraînés et, il devait bien l'admettre, ils étaient bien trop jeunes, ces connards, et bien trop en forme pour qu'il puisse les semer dans les rues de Moscou.

Il ne pouvait plus leur échapper mais il pouvait, en revanche, avec un brin d'astuce et de ruse, « pimenter » sa capture.

John accéléra le train, cherchant à creuser légèrement l'écart. En même temps, il sortit de sa poche de pardessus le mobile à carte prépayée acheté la veille.

L'appareil avait une touche « auto-réponse » pour le faire décrocher automatiquement après deux sonneries. Il pianota rapidement pour activer la fonction. Puis il tourna dans l'avenue qui longeait la place Pouchkine. Ce n'était guère qu'une contre-allée mais Clark savait précisément ce qu'il cherchait. Un camion de ramassage d'ordures arrivait lentement en sens inverse ; il venait de redémarrer après avoir collecté les détritus du McDonald's voisin. John prit son téléphone, puis, après avoir mémorisé le numéro affiché sur l'écran, il le lança au passage dans la benne à ordures avant de pénétrer dans le restaurant, au moment précis où ses poursuivants tournaient au coin du boulevard derrière lui.

John passa en trombe devant les souriantes hôtesses du McDo qui lui demandèrent aimablement si elles pouvaient lui rendre service, mais il les ignora et bouscula les gens dans la file d'attente. Ces derniers le repoussèrent sans ménagement.

Il essaya de s'échapper par une entrée latérale mais une berline noire freina pour s'immobiliser juste devant ; deux types, gros pardessus et lunettes noires, sortirent de l'arrière.

Clark repiqua dans le restaurant et se dirigea cette fois vers les cuisines.

Ce McDonald's de la place Pouchkine était le plus grand du monde. Il pouvait servir simultanément neuf cents clients et Clark eut l'impression que l'après-midi était particulièrement chargé. Il réussit malgré tout à se frayer un passage dans la cohue et rejoignit les cuisines.

Dans un bureau attenant, il avisa un téléphone ; il alla le décrocher et composa le numéro qu'il avait retenu de mémoire. « Allez ! Allez ! » s'impatienta-t-il.

Après deux sonneries, il entendit le déclic confirmant que la communication venait d'être établie.

Au même moment, les six chasseurs armés apparurent au seuil du bureau.

Clark cria d'une voix forte dans le combiné : « Fabrice Bertrand-Morel, Paul Laska et Valentin Kovalenko du SVR. » Il répéta son message alors que les hommes fondaient sur lui, puis il raccrocha.

Le plus grand des types leva son pistolet bien haut au-dessus de sa tête avant de le rabattre violemment sur l'arête du nez de John.

Et puis, tout devint noir.

Quand Clark reprit conscience, il était ligoté sur une chaise dans une pièce sans fenêtres. Il avait le visage douloureux, son nez l'élançait et il semblait avoir les narines remplies de gaze.

Il cracha par terre. Du sang.

Une seule raison expliquait qu'il fût encore en vie. Son appel téléphonique les avait rendus perplexes. À présent, les types, leur patron et leur employeur devaient se démener pour découvrir qui diable il avait bien pu contacter. Maintenant qu'il venait de transmettre l'information, cela ne leur servirait plus à rien de le tuer.

Ils risquaient, en revanche, de le tabasser pour lui extorquer le nom de son contact, mais enfin, ça lui éviterait une balle dans la tête.

En tout cas pour le moment.

70

S ITUÉ AU NORD de la Syr Darya, au milieu des steppes de l'ancien Kazakhstan soviétique aujourd'hui devenu indépendant, le cosmodrome de Baïkonour est à la fois la plus ancienne et la plus vaste base de lancement encore en activité sur la planète. L'ensemble des installations couvre en gros un cercle de quatre-vingts kilomètres de diamètre ; on y trouve des dizaines de bâtiments, de pas de tirs, de silos bétonnés, d'usines de traitement, de stations de suivi, de postes de contrôle des lancements, le tout interconnecté par tout un réseau de routes et de voies ferrées et relié au reste du monde par un aérodrome et une gare ferroviaire. La ville voisine de Baïkonour possède son propre aéroport et l'on trouve une autre gare dans la ville voisine de Tyura-Tam.

Le tout premier pas de tir avait été installé dans les années cinquante, au début de la guerre froide, et c'était de là que Youri Gagarine s'était élancé en avril 1961 pour devenir le premier homme dans l'espace. Les vols commerciaux n'allaient apparaître que trente ans plus tard, mais désormais Baïkonour est devenu le principal centre aérospatial russe de lancements commerciaux. Le terrain est aujourd'hui loué au

Kazakhstan, en échange non pas de roubles, de dollars ou d'euros mais d'équipement militaire.

Georgi Safronov avait parcouru le site en tous sens, à pied ou au volant d'un camion, depuis près de vingt ans. À quarante-cinq ans, il symbolisait la nouvelle industrie aérospatiale russe, tout comme Gagarine avait été celui de l'espace soviétique un demi-siècle auparavant.

Au premier jour de son retour à Baïkonour, la veille de la date prévue pour le lancement de la première des trois fusées Dniepr, Georgi Safronov s'était installé dans son bureau provisoire au PC de tir, situé huit kilomètres à l'ouest des trois silos destinés aux lanceurs Dniepr. Même s'il couvrait plusieurs kilomètres carrés, ce secteur était relativement petit, comparé aux installations de lancement dévolues aux vaisseaux Soyouz, Proton ou Rokot.

Par la fenêtre de son bureau du premier étage, Georgi regardait tomber une neige fine qui masquait la vue sur les sites de lancement au loin. Quelque part là-bas, trois silos abritaient déjà trois fusées de trente mètres de haut, encore dépourvues de leurs coiffes – mais cela ne saurait tarder – et dès lors, ces trois puits de béton deviendraient le site le plus important mais aussi le plus redouté de toute la planète.

Des petits coups discrets à la porte de son bureau le détachèrent de sa contemplation du paysage enneigé.

Aleksandr Verbov, son directeur des opérations de lancement, passa la tête par l'embrasure. « Désolé, Georgi, les Américains d'Intelsat viennent d'arriver. Comme je ne peux pas les emmener en salle de contrôle, je leur ai dit que je les verrais si jamais tu étais pris.

– Non, j'aimerais beaucoup rencontrer mes clients américains. »

Safronov se leva pour les accueillir tous les six dans son bureau exigu. Tout sourires, il les salua, serrant les mains et leur adressant à chacun un petit mot aimable. Ils étaient venus assister au lancement de leur satellite de communications, mais en réalité, l'étage contenant leur équipement serait remplacé par celui encore installé sur le wagon d'un train garé sous bonne garde, à quelques kilomètres du cosmodrome.

Tout en échangeant des amabilités avec ses hôtes, il savait que ces cinq hommes et cette femme seraient morts d'ici peu. C'étaient des infidèles et leur disparition ne compterait pas, mais il ne pouvait s'empêcher malgré tout de trouver la femme bien jolie.

Georgi se maudit pour cette faiblesse. Il savait que les plaisirs de la chair l'attendaient dans l'au-delà. C'est ce qu'il se dit, alors qu'il souriait en contemplant les yeux de la jeune et séduisante responsable des communications, avant de saluer à son tour l'un de ses compatriotes, un type tout rabougri, gras et barbu, titulaire d'un doctorat quelconque.

Les six Américains ressortirent bientôt et il put se rasseoir à son bureau, sachant que le même cirque allait recommencer avec les clients japonais, puis avec les Anglais. Normalement le PC de tir était interdit aux étrangers mais Safronov avait autorisé aux représentants de ses clients un accès limité aux bureaux du premier étage.

Tout au long de la journée, il s'occupa entièrement des préparatifs du lancement. D'autres auraient pu s'en charger, après tout il était le P-DG de l'entreprise, mais Safronov justifia son implication personnelle en expliquant que c'était le tout premier lancement multiple du Dniepr, avec trois tirs successifs dans une étroite fenêtre de trente-six heures, et qu'il voulait s'assurer que tout se déroulait conformément au plan.

Cette prouesse, ajoutait-il, était en mesure de leur attirer de nouveaux clients, si plusieurs d'entre eux désiraient mettre sur orbite leurs satellites à la même date. Les fusées Dniepr étaient certes capables d'emporter plusieurs charges utiles sous la même coiffe, mais cela n'était possible que si les clients désiraient placer les divers satellites sur la même orbite. En fait, la séquence de lancement prévue pour les deux prochains jours allait envoyer des satellites vers le sud et vers le nord.

C'était du moins ce que tout le monde pensait.

De fait, nul ne se formalisa de le voir mettre les mains à la pâte car tout P-DG qu'il fût, Georgi Safronov demeurait un ingénieur expérimenté et surtout un expert du lanceur Dniepr.

Mais nul ne savait, en revanche, que cette expertise allait se baser sur une expérience réalisée dix ans plus tôt.

Quand les missiles balistiques R-36 avaient été retirés du service à la fin des années quatre-vingt, il en restait encore 308 à l'inventaire de l'Union soviétique.

La compagnie de Safronov avait alors entrepris de les réaménager en vue de lancements commerciaux, en signant, dès la fin des années quatre-vingt-dix, un contrat avec les autorités soviétiques mais, à cette époque, la navette spatiale américaine fonctionnait à plein régime et l'Amérique envisageait d'en intensifier encore l'utilisation.

Safronov avait alors redouté que son entreprise ne parvienne pas à rentabiliser ses lanceurs Dniepr grâce aux seuls vols commerciaux, aussi avait-il envisagé d'autres solutions de redéploiement possible.

L'une des idées qu'il avait étudiées durant plusieurs années était la conversion de la Dniepr-1 en système intégré de sauvetage maritime. Ainsi, à supposer qu'un navire sombre au large des côtes de l'Antarctique, une fusée tirée du Kazakhstan pourrait, dans l'heure suivant son appel de détresse, envoyer une charge utile d'une tonne et demie à dix-huit mille kilomètres de distance et ce, avec une précision inférieure à deux kilomètres. D'autres charges pourraient être envoyées de la même façon en tout point du globe en situation d'urgence ; ce serait en quelque sorte un service de messagerie aérienne rapide, certes coûteux, mais sans rival.

Conscient que son idée semblait de prime abord fantaisiste, il s'était entouré d'une équipe de scientifiques qui avaient passé des mois à calculer les données télémétriques et les paramètres de vol de son projet, et il avait développé pour cela des simulations numériques.

Au bout du compte, tous ces projets tombèrent à l'eau, surtout après l'arrêt des lancements de la navette consécutifs à la catastrophe de Challenger, et leur reprise ultérieure sur un rythme ralenti.

Mais quelques mois auparavant, sitôt après sa rencontre avec le général Ijaz, Safronov avait sorti de la naphtaline ses vieux disques durs et réuni une équipe pour se remettre au travail et modifier les paramètres de tir des Dniepr en vue de les reconvertir, de lanceurs de satellites en orbite basse, en missiles balistiques capables d'emporter dans la haute atmosphère une charge utile quelconque et de la livrer en douceur sur un site précis grâce à un parachute.

Ses techniciens n'y avaient vu qu'une hypothèse de travail mais ils s'étaient acquittés néanmoins des calculs et Safronov avait pu intégrer les modèles informatiques et la séquence de commandes dans le logiciel de lancement utilisé désormais au PC de tir.

Il prit un bref appel téléphonique du service d'assemblage et d'intégration : les trois satellites étaient à présent sortis de la salle blanche et venaient d'être fixés sur la plate-forme de charge utile, puis installés sous la coiffe du module de mise en orbite. Ces ensembles allaient être ensuite amenés vers les silos à bord de grues mobiles qui permettraient de les installer au sommet des fusées à trois étages, déjà dressées sur leurs pas de tir. Le processus allait durer plusieurs heures et ne serait pas achevé avant la fin de la soirée ; dans l'intervalle, une bonne partie du personnel aurait quitté le PC de tir pour surveiller ou simplement observer de visu le reste du déroulement des opérations.

Ce qui laissait à Georgi le temps nécessaire pour se coordonner avec ses hommes dispersés sur tout le site du cosmodrome afin de préparer leur attaque.

Tout s'était jusqu'ici déroulé conformément au plan, mais Safronov n'en attendait pas moins : après tout, le moindre de ses gestes n'avait fait en réalité que suivre la volonté divine.

Les Français au service de Fabrice Bertrand-Morel étaient peut-être de bons détectives et des experts en filature, mais pour autant que pût en juger John Clark, c'étaient de piètres interrogateurs. Cela faisait deux jours qu'on le tabassait, le giflait, lui donnait des coups de pied, qu'on le privait d'eau et de nourriture, et l'empêchait même de se rendre aux toilettes.

Ça, de la torture ?

Certes, il avait le maxillaire enflé et douloureux, et il avait perdu deux couronnes. Et oui, il en avait été réduit à se pisser dessus, et il avait à coup sûr perdu assez de poids en quarante-huit heures pour devoir, s'il en réchappait, faire un crochet par un tailleur pour renouveler sa garde-robe s'il ne voulait pas flotter dans ses habits. Mais décidément non, ces types n'avaient pas la moindre idée des méthodes pour faire parler quelqu'un.

John n'avait pas eu l'impression que le patron de ces hommes leur avait donné un délai limite. C'était depuis le début toujours les six mêmes types qui, l'ayant bouclé dans une maison louée, sans doute dans la banlieue de Moscou, avaient cru qu'il suffirait de le tabasser deux ou trois jours pour qu'il leur révèle ses contacts et ses commanditaires. On lui avait posé tout un tas de questions sur Jack Ryan. Le père, bien sûr. L'avait interrogé sur sa présente activité. Et aussi sur l'Émir. Il avait l'impression qu'ils ne connaissaient pas suffisamment le contexte général pour pouvoir lui poser des questions précises. Quelqu'un – Laska, le FBM ou Valentin Kovalenko – leur avait simplement adressé un simple questionnaire qu'ils déroulaient sans chercher plus avant.

Poser une question. Ne pas obtenir de réponse. Punir. Recommencer.

Clark n'était pas à la fête, mais il était capable de tenir comme ça une semaine, ou plus, avant que la situation ne commence vraiment à se gâter.

Il avait enduré pire. Merde, l'entraînement des SEAL était autrement plus dur que cette rigolade.

L'un des Français, celui que John considérait comme le plus sympa de la bande, entra dans la pièce. Il portait à présent un survêtement noir ; les hommes étaient sortis pour acheter des habits neufs pour l'interrogatoire, les précédant ayant été bientôt tachés de sueur, de salive et de sang.

L'homme s'assit sur le lit ; Clark était toujours ligoté sur sa chaise. « Monsieur Clark. Le temps file. Parlez-moi de l'Émir, M. Yacine. Pour le retrouver, vous avez collaboré avec Jack Ryan, ainsi qu'avec d'anciens amis de la CIA, peut-être ?

Oui ? Vous voyez, nous savons pas mal de choses sur votre compte et sur l'organisation qui vous emploie, mais nous aimerions avoir quelques précisions supplémentaires. Vous nous les donnez, ce n'est pas grand-chose, et vous pourrez rentrer chez vous. »

Clark leva les yeux au ciel.

« Je ne veux pas que mes amis vous frappent de nouveau. Ça ne sert à rien. Alors, vous parlez ?

– Non », répondit Clark, la mâchoire douloureuse – et conscient que, de ce côté, ça n'allait pas s'améliorer.

Le Français haussa les épaules. « J'appelle mes amis. Ils vont vous faire mal, monsieur Clark.

– Tant qu'ils sont moins bavards que vous. »

Georgi Safronov se plaisait à penser qu'il avait vérifié son plan dans le moindre détail. Le matin du déclenchement du complot, les quarante-trois survivants de Sharia Jamaat positionnés dans les parages s'étaient déjà répartis en petits groupes, reproduisant les tactiques efficaces apprises lors de leur stage auprès du réseau Haqqani au Waziristan.

Mais tout engagement militaire avait deux composantes et Safronov n'avait pas négligé la seconde, l'étude attentive de l'adversaire, en l'occurrence la force de sécurité du site.

À Baïkonour, la sécurité avait jadis été dévolue à l'armée russe mais celle-ci s'était retirée après l'indépendance et, depuis, la protection de cette zone de près de cinq mille kilomètres carrés était confiée à une société privée de Tachkent.

Les hommes patrouillaient en camion et à pied, ils avaient placé des gardes à l'entrée principale et le reste des effectifs logeait dans une série de baraquements, mais la clôture entourant le site était basse, endommagée sur une bonne partie de sa longueur et quasiment inexistante sur des kilomètres.

Bref, ce n'était pas vraiment un site sous haute protection.

Et même s'il n'y avait qu'une vaste plaine déserte aux alentours, Safronov savait que ces steppes étaient sillonnées par tout un réseau de lits de rivières à sec et creusées de nombreuses dépressions propices à former des cachettes. Il savait, de surcroît, qu'un mouvement islamiste local, le Hizb-ut-Tahrir, avait déjà tenté par le passé de s'introduire dans le cosmodrome, mais ce groupe était si faible et si mal entraîné qu'il n'avait fait que renforcer les mercenaires kazakhs dans leur illusion d'être prêts à parer toute attaque.

Or une attaque était imminente, Georgi le savait, et il allait pouvoir juger de leur état de préparation.

Il s'était par ailleurs lié d'amitié avec le chef des vigiles. L'homme avait du reste pris l'habitude de passer au PC de tir des Dniepr chaque fois qu'un lancement était prévu. La veille, Georgi lui avait même demandé de passer un peu plus tôt cette fois-ci, car il tenait absolument à lui faire lire le témoignage de satisfaction des autorités de Moscou pour la qualité du travail effectué, témoignage dont il venait de recevoir copie, envoyée par le siège de sa compagnie.

Le chef de la sécurité s'avoua impressionné et promit de passer au bureau de M. Safronov dès huit heures du matin.

Il était à présent huit heures moins le quart et Safronov tournait en rond dans son bureau comme un lion dans une cage.

Il aurait voulu être matériellement capable d'accomplir tout ce qui restait à faire et ça le rendait nerveux. Son esprit lui énumérait toute la liste des tâches, mais il n'était pas certain d'en voir le bout.

Son téléphone sonna et il accueillit l'interruption avec soulagement.

« Oui ?

– Salut Georgi.

– Ah, bonjour, Aleksandr.

– Est-ce que tu as un moment ?

– Je suis un peu occupé à vérifier les données pour le deuxième lancement. C'est que je n'aurai pas trop de temps après
le premier, cet après-midi.

– Je comprends. Mais c'est justement à son sujet que je
veux te parler. Il me donne du souci. »

Bordel ! Pas maintenant ! Il n'avait vraiment pas besoin de
passer sa matinée à discuter de problèmes techniques concernant un satellite qui n'irait pas plus loin que l'endroit où ses
hommes le déposeraient, à savoir derrière le silo, avant de le
remplacer par leur propre module de lancement.

D'un autre côté, il devait le plus longtemps possible donner
l'impression que tout se déroulait normalement.

« Passe me voir.

– Je suis au traitement des données de vol. Je peux te
rejoindre dans un quart d'heure. Vingt minutes s'il y a trop
de neige sur la route.

– Eh bien, ne perds pas de temps, Aleksandr. »

Il fallut au directeur des opérations de lancement vingt
bonnes minutes pour rejoindre le bureau du président au-
dessus du PC de tir. Il y entra sans frapper, tapa des pieds
pour se débarrasser de la neige, puis ôta son gros manteau
et sa chapka. « Putain, il fait glacial, ce matin, Georgi, remar-
qua-t-il avec un sourire.

– De quoi as-tu besoin ? »

Le temps pressait pour Safronov. Il devait se débarrasser de son ami au plus vite.

« Je suis désolé d'avoir à te l'annoncer, mais nous allons devoir annuler le tir de cet après-midi.

— Hein ? Pourquoi ?

— La télémétrie a des problèmes avec un des logiciels. Ils veulent avoir du temps pour les régler et pour cela il faut interrompre le compte à rebours et réinitialiser les données. Une partie de nos systèmes de collecte et de traitement des mesures va se trouver affectée pour plusieurs heures. Mais la prochaine fenêtre de tir des trois véhicules, toujours en rafale, comme prévu, se présente dans trois jours. Je recommande donc qu'on interrompe la chronologie, qu'on coupe les générateurs de pression, qu'on vide les réservoirs des trois lanceurs et que l'on replace les charges utiles en configuration de stockage. Nous aurons du retard, mais nous pourrons toujours procéder au lancement dans une fenêtre de tir d'une étroitesse record, ce qui est après tout le but recherché.

— Non ! s'écria Safronov. On poursuit la séquence. Je veux que le 109 soit prêt à être tiré à midi. »

Verbov était complètement abasourdi. Jamais encore il n'avait observé une telle réaction chez Safronov, même quand on lui annonçait de mauvaises nouvelles. « Je ne comprends pas, Georgi Mikhaïlovitch. Tu ne m'as pas entendu ? Sans données télémétriques valides, le contrôle de mission européen n'autorisera jamais la poursuite du vol. Ils annuleront le lancement. Tu le sais. »

Safronov considéra son ami un long moment. « Je veux que ce tir soit effectué. Je veux que tous les missiles soient prêts dans leurs silos respectifs. »

Verbov sourit et pencha la tête. Il rigola : « Les *missiles* ?

– Les véhicules de lancement. Tu m'as très bien compris. Pas de quoi se prendre le chou, Aleksandr. Tout s'expliquera d'ici peu.

– Qu'est-ce qui se passe ? »

Les mains de Safronov s'étaient mises à trembler. Il saisit nerveusement l'étoffe de ses jambes de pantalon. Il se mit à murmurer à voix basse un mantra que lui avait appris Suleiman Murchidov : « Une seconde de djihad égale un siècle de prière. Une seconde de djihad égale un siècle de prière. Une seconde de djihad égale un siècle de prière…

– Tu as dit quelque chose ?

– Laisse-moi. »

Aleksandr Verbov se détourna lentement pour regagner la porte et sortit. Il n'avait pas fait dix pas dans le couloir que Safronov le rappelait dans son bureau.

« Je plaisantais, Alex ! Il n'y a aucun problème. On peut retarder le tir si la télémétrie l'exige. »

Verbov hocha la tête, hennit un rire, mi-confus, mi-soulagé, puis il revint dans le bureau. Ce n'est qu'après en avoir franchi le seuil qu'il remarqua le pistolet dans la main de Safronov. Il sourit, incrédule, comme si c'était une mauvaise plaisanterie. « Georgi Mikhaïlovitch… qu'est-ce que t'imagines pouvoir… »

Safronov tira une seule balle de son pistolet automatique Makarov à silencieux. Elle pénétra dans le plexus solaire d'Aleksandr, traversa un poumon, et brisa une côte avant de ressortir dans le dos. Alex ne tomba pas, le coup de feu l'avait fait grimacer et il hésita un moment avant de baisser les yeux sur son torse et voir la tache de sang s'élargir sur sa salopette marron.

Georgi estima qu'Aleksandr mettait du temps à mourir. Aucun des deux hommes ne dit mot, ils se contentèrent d'échanger des regards incrédules. Puis Alex tendit la main derrière lui, trouva à tâtons la chaise en vinyle près de la porte et s'y laissa choir lourdement.

Quelques secondes encore et il ferma les yeux, sa tête s'affaissa sur le côté et puis enfin, il exhala un long soupir. Il fallut plusieurs secondes à Georgi pour calmer sa respiration. Alors il déposa le pistolet sur le bureau à côté de lui.

Il tira le cadavre, toujours assis sur la chaise, pour le cacher dans la penderie du bureau. Il y avait déjà dégagé de la place pour y fourrer le chef de la sécurité – mais il allait devoir en faire plus pour le Kazakh qui allait se radiner d'une minute à l'autre.

Safronov fit tomber de la chaise le corps de Verbov qui s'étala sur le plancher de la penderie ; il repoussa à l'intérieur ses pieds qui dépassaient et referma la porte. Il se rendit en toute hâte dans la salle de bains récupérer un rouleau de papier-toilette pour essuyer les quelques gouttes de sang qui maculaient le sol du bureau.

Dix minutes plus tard, le chef de la sécurité était mort à son tour et gisait au sol, étendu sur le dos. C'était un homme de forte carrure et il portait encore son manteau et ses bottes fourrées. Georgi contempla le cadavre, son expression de chien battu, et il eut envie de vomir. Mais il se contint, se concentra et composa d'une main tremblante un numéro sur son mobile.

Quand on répondit à l'autre bout de la ligne, il dit simplement ces mots : « *Allahu Akbar*. C'est l'heure. »

71

PRIVÉS DE LEUR CHEF, les miliciens de la sécurité kazakhe n'avaient aucune chance.

Les terroristes de Sharia Jamaat franchirent en force la porte principale à huit heures cinquante-quatre, au milieu d'une tempête de neige. Ils tuèrent les quatre gardes en poste et détruisirent au lance-roquettes les trois camions de renfort qui arrivaient, avant que les Kazakhs n'aient pu tirer un seul coup de feu.

La tempête de neige se calma, alors que la colonne des six véhicules de Daghestanais – quatre pick-ups transportant chacun huit hommes et deux semi-remorques chargés des ogives, l'un avec six hommes, l'autre avec sept – se divisait à la fourche située juste après le PC de tir. Un pick-up se rendit à l'atelier d'intégration pour y maîtriser les seize étrangers employés par les trois entreprises propriétaires des satellites à lancer. Les deux semis se dirigèrent vers les trois pas de tir, précédés d'un autre pick-up qui ouvrait la marche. Un troisième pick-up était resté à l'embranchement de la route principale menant aux fusées. Les hommes en descendirent et pénétrèrent dans une casemate basse qui avait tenu lieu jadis de poste de garde pour les forces armées soviétiques, mais qui était aujourd'hui à moitié enfouie sous la végétation enneigée de la steppe. Ils mirent en position leurs lance-roquettes et leurs fusils à lunettes et surveillèrent la route, prêts à détruire tout véhicule qui se présenterait.

Les deux derniers groupes de six hommes rejoignirent le PC de tir où ils rencontrèrent une vive résistance. Il y avait là une douzaine de vigiles armés qui réussirent à tuer cinq des douze attaquants avant d'être submergés. Plusieurs gardes lâchèrent leur arme et levèrent les mains en l'air, mais les Daghestanais les abattirent sans pitié.

La réaction des Kazakhs à cette attaque avait souffert d'un terrible manque de coordination après la disparition de leur chef. Les hommes postés dans les baraquements à proximité mirent vingt-cinq minutes à organiser une contre-attaque et sitôt que la première roquette tirée eut manqué de peu leur camion à l'approche de l'intersection, ils battirent prestement en retraite pour repenser leur stratégie.

Dans le PC de tir, les civils allèrent se réfugier au premier tandis que dehors les combats faisaient rage. Quand les coups de feu évoquant des exécutions sommaires eurent cessé et alors que tous les ingénieurs russes étaient blottis en pleurs, priant et maudissant le ciel, Safronov descendit, seul, au rez-de-chaussée. Ses amis et ses employés l'appelèrent mais il les ignora et ouvrit la porte.

Les forces de Sharia Jamaat prirent le contrôle du PC de tir sans un seul autre coup de feu.

Tout le monde eut l'ordre de se regrouper dans la salle de contrôle et là, Georgi fit une annonce.

« Faites ce que je vous dis et vous vivrez. Refusez un ordre et vous mourrez aussitôt. »

Les hommes, ses hommes, le contemplèrent, les yeux agrandis d'ébahissement. Un tireur, l'un des trois postés près de
la sortie de secours, leva son fusil en l'air et lança : « *Allahu
Akbar !* »

Il fut bientôt rejoint par les autres personnes réunies dans
la salle.

Georgi Safronov était radieux. Désormais, c'était lui le
chef.

Les premiers en dehors du cosmodrome à apprendre que
Baïkonour avait subi une attaque se trouvaient à Darmstadt,
en Allemagne fédérale, au centre d'opérations de l'ESO,
l'Agence spatiale européenne, d'où l'on dirigeait les satellites,
une fois ceux-ci injectés en orbite. Ils étaient en pleine répé-
tition du duplex vidéo avec le PC de tir, de sorte qu'ils assis-
tèrent en direct à la fuite éperdue des employés sur place.
Ils virent également tout le personnel revenir, encadré cette
fois par des terroristes armés, puis enfin arriver, bon dernier,
le président de la KSFC, Georgi Safronov.

Celui-ci avait un AK-47 autour du cou et il était vêtu de
pied en cap d'une tenue camouflée d'hiver.

Son premier geste après être entré dans la salle fut de couper la liaison avec l'ESO.

Le PC de tir du centre de lancement des fusées Dniepr
n'aurait guère impressionné un spectateur habitué aux films
ou reportages télévisés consacrés au centre spatial Kennedy
du cap Canaveral, son imposant amphithéâtre garni d'écrans

géants, ses dizaines de scientifiques, d'ingénieurs, de techniciens et d'astronautes, penchés sur leurs consoles.

Les fusées Dniepr étaient lancées et guidées depuis une salle de contrôle aux faux airs de salle de conférences dans une université d'État ; trente techniciens pouvaient s'installer devant de longues tables garnies de claviers et d'écrans de contrôle. En face d'eux, juste deux écrans muraux aux dimensions raisonnables qui affichaient, l'un les données télémétriques, et l'autre une vue du couvercle – encore fermé – du silo 109 d'où la première des trois fusées Dniepr devait s'élancer dans les quarante prochaines heures.

La neige tourbillonnait autour du site et huit hommes armés en tenue camouflée blanc et gris avaient pris position sur les tours et les grues ponctuant le pas de tir pour surveiller alentour la steppe enneigée.

Safronov avait passé l'heure écoulée à s'entretenir au téléphone et par talkie-walkie avec le directeur technique de l'atelier d'intégration, pour lui expliquer avec précision la procédure à suivre sur chaque site de lancement. Devant les protestations de son interlocuteur et son refus catégorique d'obtempérer, Georgi avait donné l'ordre d'abattre l'un des membres de son équipe. Après la mort de son collègue, le directeur technique ne lui avait plus posé le moindre problème.

« Coupez la retransmission du site 109 », ordonna Georgi et l'écran devant les techniciens du PC de tir devint noir.

Il ne voulait pas qu'ils sachent dans quel silo se trouvaient les bombes et quel engin allait lancer l'unique satellite restant.

Il lui restait désormais à tout expliquer aux responsables du tir.

« Où est Aleksandr ? » demanda Maxim Ejov, l'adjoint au directeur de lancement des Kosmos, le seul de la bande assez courageux pour parler.

« Je l'ai tué, Maxim. Je n'en avais pas l'intention, mais ma mission l'exigeait. »

Tous les autres le regardèrent sans rien dire, ébahis.

« Nous allons installer de nouvelles charges utiles sous les coiffes des véhicules. L'opération va se dérouler directement sur les sites de tir. Mes hommes sont en ce moment même en train de surveiller les opérations et le directeur technique du site d'intégration est désormais à la manœuvre. Dès qu'il m'aura annoncé qu'il a terminé, je sortirai pour me rendre sur les pas de tir vérifier son travail. S'il a fait correctement ce que je lui ai demandé, lui et tout le personnel sous ses ordres seront libres de partir. »

Tous les membres de l'équipe avaient l'air consternés.

« Vous ne me croyez pas, hein ? »

Plusieurs firent non de la tête.

« Je m'y attendais. Messieurs, vous me connaissez depuis des années. Suis-je mauvais ?

— Non, hasarda l'un d'eux, plein d'espoir.

— Bien sûr que non. Suis-je pragmatique, efficace, intelligent ? »

Acquiescement général.

« Merci. Je veux donc vous montrer que je vous accorderai ce que vous voulez, à condition que me rendiez la pareille. » Georgi prit son talkie-walkie. « Que tous les Russes et Kazakhs encore présents sur le site d'intégration le quittent librement. Ils peuvent emprunter leur véhicule personnel. Il restera bien sûr encore beaucoup de monde à évacuer, une fois l'opération achevée. » Il attendit que son subordonné ait bien intégré l'ordre pour poursuivre : « Et s'il te plaît, sitôt qu'ils auront quitté la base, demande-leur de contacter notre standard pour qu'ils confirment à leurs amis restés ici qu'il n'y avait en effet aucun piège. Je ne désire faire de mal à personne. Les personnels présents sur ce cosmodrome sont et restent mes amis. »

En salle de lancement, le personnel assis devant lui se détendit visiblement. Georgi se sentait magnanime. « Vous voyez ? Vous faites ce que je vous demande et vous pourrez rejoindre vos familles sains et saufs.

— Qu'allons-nous faire ? demanda Ejov, devenu *de facto* le chef des otages.

— Vous ferez ce pour quoi vous êtes ici. Préparer le lancement de trois fusées. »

Nul ne lui demanda de détails précis, même si certains nourrissaient des soupçons sur le type de charge qu'elles allaient emporter.

Safronov se montrait tel qu'il s'était décrit : un homme efficace et pragmatique. Il laissa partir le personnel de l'atelier d'intégration, puisqu'il n'avait plus besoin d'eux et qu'il lui fallait libérer ses troupes présentes sur place pour les envoyer sur les trois sites de lancement protéger ceux-ci des Spetsnaz. Il savait en outre qu'une telle démonstration de bonne volonté rendrait plus docile le personnel du PC de tir.

Toutefois, lorsqu'il n'aurait plus besoin des contrôleurs, il n'aurait aucune raison de leur laisser la vie sauve. Il les tuerait, pour adresser un signe aux infidèles de Moscou.

À Darmstadt, le Centre d'opérations de l'ESO signala l'attaque — entre autres, à son homologue de Moscou, et ce dernier à son tour avertit le gouvernement. Après une heure de discussion téléphonique, on établit une liaison directe avec le Kremlin. Au PC de tir de Baïkonour, Safronov se retrouva, casque sur la tête, en liaison audio avec Vladimir Gamov, directeur de l'Agence spatiale de la Fédération de Russie, qui avait organisé en catastrophe un PC de crise au Kremlin. Les deux hommes se connaissaient d'aussi loin que Safronov se souvienne.

« Qu'est-ce qui se passe chez toi, Georgi Mikhaïlovitch ? »

Safronov répondit : « Déjà, tu peux commencer par m'appeler Magomed Daghestani. » Mohammed le Daghestanais.

À l'arrière-plan, à l'autre bout du fil, Safronov entendit quelqu'un bougonner : « *Soukin si.* » Fils de pute. Ça le fit sourire. En ce moment même, tout le monde au Kremlin commençait à comprendre que trois missiles Dniepr étaient tombés aux mains des séparatistes du Caucase du Nord.

« Enfin, pourquoi, Georgi ?

– Es-tu trop stupide pour ne pas le voir ? Ne pas comprendre ?

– Aide-moi.

– Parce que je ne suis pas russe. Je suis daghestanais.

– C'est faux ! J'ai connu ton père quand nous vivions à Saint-Pétersbourg. T'étais encore môme !

– Mais tu l'as rencontré après mon adoption, suite à mon abandon par des parents daghestanais. Des musulmans ! Toute ma vie n'a été qu'un mensonge. Et c'est un mensonge que je vais rectifier ! »

Il y eut un long silence. On entendait des messes basses à l'arrière-plan. Le directeur décida de changer le cours de la conversation. « Nous croyons savoir que tu détiens soixante-dix otages.

– C'est inexact. J'ai déjà relâché onze hommes, et j'en relâcherai quinze de plus, sitôt qu'ils seront revenus des silos, ce qui devrait intervenir d'ici une demi-heure au maximum.

– Aux silos ? Que fabriques-tu avec les fusées ?

– Je menace de les lancer contre des cibles russes.

– Mais enfin, ce sont des engins *spatiaux*. Comment vas-tu...

– Avant d'être des lanceurs spatiaux, c'étaient des R-36. Des missiles balistiques intercontinentaux. Je leur ai rendu leur gloire d'antan.

– La R-36 emportait des têtes nucléaires. Pas des satellites, Safronov. »

Georgi marqua une longue pause. « C'est parfaitement exact. J'aurais dû m'exprimer de façon plus précise. En fait, ce sont deux des exemplaires qui ont retrouvé leur gloire d'antan. La troisième fusée n'est pas équipée de charge nucléaire, mais elle emporte néanmoins une lourde charge.

– Mais qu'est-ce que tu racontes ?

– Je suis en train de te dire que je détiens deux bombes nucléaires de vingt kilotonnes, installées présentement sous la coiffe de deux des trois vecteurs Dniepr-1 en ma possession. Les missiles sont dans leurs silos de lancement, et je te parle en ce moment même du PC de tir. Les armes, je les appelle ainsi désormais car ce ne sont plus de simples fusées, ont pour objectifs de grands centres urbains russes.

– Ces armes nucléaires dont tu parles...

– Oui. Ce sont les bombes qui ont disparu au Pakistan. Je m'en suis emparé avec l'aide de mes combattants moudjahidin.

– D'après les informations que nous ont fournies les Pakistanais, les armes ne peuvent détoner en l'état. Tu bluffes.

Quand bien même tu détiendrais ces bombes, tu ne peux pas les utiliser. »

Safronov s'était attendu à l'objection. Après tout, les Russes faisaient si peu de cas de son entourage. Une attitude différente l'aurait stupéfié.

« Dans cinq minutes, je vais t'envoyer un mail, à ton adresse personnelle, avec copie aux sous-directeurs de ton agence, apparemment des gens plus intelligents que toi. Dans le fichier attaché, vous pourrez découvrir la séquence de décodage que nous avons utilisée pour activer les bombes. Montre-la à tes experts nucléaires. Ils te confirmeront son exactitude. Je vais également joindre des photos numériques des détonateurs altimétriques que nous avons dérobés dans l'usine d'armements de Wah. Montre-les également à tes experts artificiers. Et enfin, tu trouveras les tracés de plusieurs trajectoires possibles pour les Dniepr, au cas où tu aurais encore des doutes sur leur capacité à délivrer leur charge utile à mon gré, n'importe où sur la planète. Montre-les là aussi à tes ingénieurs en balistique. Ils passeront le reste de la journée à les recalculer sur leurs ordinateurs, mais ils devront bien se rendre à l'évidence. »

Safronov ignorait si les Russes le croyaient. Il s'attendait à d'autres questions mais, au lieu de cela, le directeur de l'Agence spatiale russe se contenta de demander : « Que veux-tu en échange ?

– Je veux une preuve de vie du héros de la révolution daghestanaise, Israpil Nabiyev. Vous me la donnez et je libère d'autres otages. Quand le commandant Nabiyev aura été libéré et conduit jusqu'ici, je relâcherai tout le monde, à l'exception d'un petit groupe de techniciens. Dès que vous aurez retiré l'ensemble des forces russes du Caucase, je désa-

morcerai une première bombe. Et enfin, quand le commandant Nabiyev, mes hommes et moi-même aurons pu quitter
cet endroit sans encombre, je vous remettrai le contrôle du
dernier missile. La situation dans laquelle vous vous trouvez
pourrait être réglée en quelques jours.

— J'aurai besoin d'en discuter avec...

— Discutes-en avec qui tu voudras. Mais n'oublie pas ceci :
j'ai avec moi seize prisonniers étrangers. Six Américains, cinq
Britanniques et autant de Japonais. Je commencerai à les exécuter dès neuf heures demain matin, aussi longtemps que je
n'aurai pas parlé avec Nabiyev. Et je tirerai les missiles, sauf
si la Russie a quitté le Caucase d'ici soixante-douze heures.
Dobri dyen. » Bon après-midi.

72

INSTALLÉ dans la somptueuse bibliothèque de sa résidence de Newport, Rhode Island, Paul Laska serrait le combiné de son téléphone tout en écoutant le lent tic-tac de la pendule Bristol en acajou, héritée de son grand-père, installée dans le couloir.

Le temps filait.

Cela faisait maintenant cinq jours que Fabrice Bertrand-Morel lui avait signalé que Clark avait retrouvé Kovalenko, cinq jours qu'il avait appris la responsabilité de Laska dans la transmission du dossier au gouvernement Kealty. Durant ce laps de temps, Bertrand-Morel l'avait rappelé toutes les douze heures pour lui narrer toujours la même histoire. Le vieil espion aguerri n'avait pas parlé de ses contacts, il n'avait pas non plus révélé à qui il s'adressait ou ce qu'il racontait. Et chaque fois, Laska rallongeait la liste des questions à lui poser, les réponses devant lui servir de monnaie d'échange au cas où la nouvelle de sa conspiration avec les Russes tomberait en de mauvaises mains.

Il ne s'agissait plus du tout de défendre l'Émir ou de détruire Jack Ryan, même si Paul continuait encore à le souhaiter. Non, désormais, le principal souci pour l'immigré tchèque était sa propre survie. Les choses ne s'étaient pas du tout déroulées comme prévu. Le FBI avait loupé l'arrestation de Clark et le FBM sa capture, puisqu'il était déjà au courant pour Laska et qu'il avait transmis cette info.

Aussi Paul Laska avait-il décidé qu'il était grand temps de siffler la fin de la partie. Il décrocha son téléphone et composa le numéro griffonné sur le buvard devant lui. Ce numéro, il l'avait depuis le début mais n'avait jamais imaginé devoir un jour l'utiliser, mais c'était à présent devenu inévitable.

À la quatrième sonnerie, un téléphone mobile répondit depuis Londres.

« Oui ?

– Bonsoir, Valentin. C'est Paul.

– Allô Paul. Mes sources m'ont dit qu'il y avait un problème…

– Ton père est l'une de tes sources, j'imagine.

– Oui.

– Et oui, en effet, il y a un problème. Ton père a parlé à Clark.

– Clark n'aurait jamais dû parvenir à Moscou. C'est votre faute, pas la mienne.

– C'est juste, Valentin. J'accepte le reproche. Mais occupons-nous de ce qui est, et pas de ce qui aurait dû être. »

Il y eut un long silence. « Pourquoi cet appel ?

– Nous avons Clark, nous le détenons à Moscou et nous essayons de définir dans quelle mesure il nous a compromis.

– Ça me paraît d'une prudence élémentaire.

– Ma foi, oui. Les hommes qui travaillent pour nous ne sont pas des spécialistes des interrogatoires. Ils savent jouer des poings, certes, mais j'imagine que nous aurions pu profiter de ton expérience en la matière.

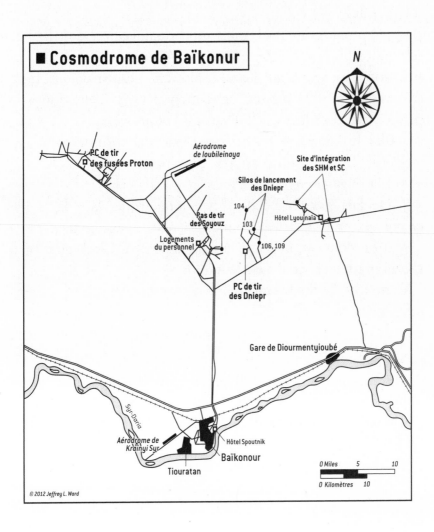

■ Cosmodrome de Baïkonur

N

PC de tir
des fusées Proton

Aérodrome
de Ioubileinaya

Site d'intégration
des SHM et SC

Silos de lancement
des Dniepr

104

Pas de tir
des Soyouz

103

Hôtel Lyoujnaïa

Logements
du personnel

106, 109

PC de tir
des Dniepr

Gare de Diourmentyioubé

Syr-Daria

Aérodrome de
Krainyi Syr

Hôtel Spoutnik

Baïkonour

Tiouratan

0 Miles   5   10

0 Kilomètres   10

© 2012 Jeffrey L. Ward

– Vous pensez que je pratique la torture ?

– J'ignore si c'est ou non le cas, même si je pense que ce doit être dans tes gènes. Bien des clients de ton père devenaient loquaces après quelques heures en tête à tête au sous-sol avec lui.

– Je suis désolé, Paul, mais mon organisation doit limiter son exposition avec cette entreprise. Votre camp a perdu. La situation en cours au Kazakhstan est désormais en train d'inquiéter tout le monde dans mon pays. L'excitation à la perspective d'abattre Jack Ryan est retombée. »

Laska fulminait. « Tu ne peux pas t'en tirer comme ça, Valentin. L'opération n'est pas terminée.

– Elle l'est pour nous, Paul.

– Ne fais pas l'imbécile. Tu es embarqué dans la même galère que moi. Clark a donné ton nom à son contact.

– Mon nom est, hélas, déjà fiché à la CIA. Clark peut bien raconter tout ce qu'il veut sur moi. »

Cette fois, Laska fut incapable de contenir sa colère. « Peut-être, mais que je n'ai qu'à passer un seul coup de fil au *Guardian* et tu seras l'agent russe le plus identifiable d'Angleterre.

– Vous menacez de me dénoncer comme membre du SVR ? »

Laska n'hésita pas une seconde. « Toi du SVR, et ton père du KGB. Je suis sûr qu'il reste encore pas mal de gens dans les anciens pays de l'Est qui seraient ravis de connaître le responsable de la disparition de leurs êtres chers.

– Vous jouez là un jeu dangereux, monsieur Laska. Je suis prêt à oublier cette conversation. Mais ne me poussez pas à bout. Mes ressources sont…

– … sans comparaison avec les miennes ! Je veux que tu mettes la main sur Clark, je veux que tu découvres l'identité de ses actuels commanditaires, la nature réelle de ses relations avec Ryan, puis que tu te charges de le faire disparaître pour l'empêcher de divulguer tout ce qu'il a appris depuis un mois.

– Ou bien ?

– Ou bien, je passerai des coups de fil aux États-Unis et en Europe pour révéler tout ce que tu mijotes.

– C'est un bluff minable. Vous ne pouvez pas dévoiler votre implication. Vous avez enfreint les lois de votre pays. De mon côté, je n'en ai enfreint aucune.

– Ces quarante dernières années, tu n'as pas idée des lois que j'ai pu enfreindre, mon pauvre ami. Et pourtant, je suis toujours là. Je te survivrai. L'inverse est douteux. »

Kovalenko ne répondit rien.

Laska enchaîna : « Fais-le parler. Règle définitivement la question et fais le ménage. Ça nous permettra à tous d'avancer. »

Kovalenko voulut répliquer, admettre à contrecœur qu'il allait personnellement s'en occuper, tout en faisant bien comprendre à son interlocuteur qu'il ne prendrait aucune mesure spécifique.

Mais Laska lui avait raccroché au nez.

Le vieux bonhomme savait qu'en définitive, Valentin Kovalenko suivrait ses ordres.

Georgi savait depuis le tout début que le groupe Alpha du FSB tenterait de reprendre le contrôle des installations. Son esprit fertile aurait pu aisément le deviner, même s'il n'avait pas eu l'occasion d'assister, trois ans plus tôt, à un exercice du FSB simulant la reprise de la base de Soyouz tombée aux mains d'une organisation terroriste.

Il n'avait rien à voir avec les Soyouz, mais s'étant trouvé à Baïkonour pour d'autres raisons au moment même de l'exercice, il avait été invité par les responsables de la base à assister à cet exercice. Il en avait observé le déroulement avec une fascination teintée d'incrédulité : les hélicoptères, les mouvements au sol des troupes en tenue camouflée, les grenades assourdissantes, la descente en rappel depuis le toit du bâtiment.

Il avait pu en discuter par la suite avec plusieurs ingénieurs de Soyouz, ce qui lui avait fourni des détails complémentaires sur le plan d'urgence des Russes au cas bien improbable où des terroristes s'empareraient du complexe.

Safronov savait qu'il y avait toujours le risque que Moscou décide de faire la part du feu en atomisant l'ensemble des installations du cosmodrome pour sauver la capitale. Par chance pour lui, on avait conservé pour les Dniepr le site originel de lancement des R-36, lequel avait été prévu pour résister à une attaque nucléaire. Les sites 103, 104 et 109 étaient en effet dotés de silos durcis, et le poste de tir possédait d'épais murs de béton renforcé et des portes d'acier à l'épreuve du souffle.

À dix-huit heures, le premier jour, huit heures donc après la prise de contrôle des installations par les terroristes daghestanais, deux hélicoptères Mi-17 du groupe Alpha du FSB se posèrent tout au bout du site de lancement des fusées Proton, soit à vingt-cinq kilomètres de celui des Dniepr. En descendirent vingt-quatre hommes, formant trois équipes de huit ; chacun d'eux, tout en blanc – la tenue camouflée d'hiver – était lesté de trente kilos de matériel.

Quelques minutes après s'être regroupés, ils se dirigèrent vers l'est.

Peu après vingt-heures le même soir, un cargo Antonov An-124 atterrit sur l'aérodrome de Ioubileinaya, situé au nord-ouest du site de lancement des Dniepr. L'An-124 était le plus gros avion-cargo en service et l'armée russe avait besoin de tout le volume disponible en cabine et en soute pour transporter les quatre-vingt-seize hommes des Forces spéciales avec l'ensemble de leur équipement – dont quatre blindés légers.

Quatre autres hélicoptères Mi-17 se posèrent une heure après, en même temps qu'un avion ravitailleur.

Dans l'intervalle, les vingt-quatre hommes en camouflage blanc avaient traversé la steppe, pour commencer à bord de véhicules tout-terrain fournis par les Kazakhs puis, à l'approche de leur objectif, en poursuivant à pied dans la nuit, sur une prairie couverte de neige.

À deux heures du matin, ils étaient en position et n'attendaient qu'un signe du commandement pour passer à l'attaque.

Entre les ordres à donner à ses tireurs et les instructions à fournir aux ingénieurs en salle de contrôle, Safronov avait eu un après-midi chargé. Une fois réalisée l'intégration des charges nucléaires aux modules de mise en orbite, il avait libéré le reste des techniciens. Cette décision, associée à celle d'amener les otages étrangers au PC de tir, lui avait permis de renforcer la confiance chez ses hommes.

Il avait placé quatre militants de Sharia Jamaat dans la casemate au croisement, quatre au silo 109, dix aux silos 103 et

104, et enfin quinze au PC de tir. Il leur avait ordonné de prendre des quarts, même s'il était convaincu que si certains devaient dormir, ce ne serait que d'un œil.

Il s'attendait à une attaque en milieu de nuit mais ignorait si c'était pour maintenant ou pour le lendemain. Ce qu'il savait, en revanche, c'est qu'avant le déclenchement de l'opération, les Russes le contacteraient pour détourner son attention en ce moment critique.

Aussi, quand il fut réveillé par une sonnerie accompagnée du clignotement d'un voyant sur le standard téléphonique auquel était relié son casque, son cœur se mit à palpiter. Il était alors assis par terre, adossé au mur, la mitraillette posée sur les genoux, et il se leva d'un bond.

Avant de répondre, il saisit son émetteur radio et transmit aussitôt à tous ses frères daghestanais : « Ils arrivent ! Tenez-vous prêts ! », puis, s'adressant aux otages, dont la plupart dormaient par terre, il lança : « Tout le monde en position ! Je veux que le 109 soit prêt au lancement dans cinq minutes ou je tire. Allumage de la télémétrie embarquée ! Armement des systèmes de séparation ! Armement des charges pyrotechniques !

– Oui, monsieur ! » s'écrièrent plusieurs des responsables de tir, tout en exécutant les instructions, les mains tremblantes.

Des hommes aux yeux bouffis, aux habits froissés, gagnèrent leurs places en hâte, dirigés *manu militari* par les militants daghestanais.

Dans le même temps, Georgi Safronov avait saisi les écouteurs pour les coiffer. D'une voix faussement endormie qu'il avait bien du mal à simuler tant il se sentait bourré d'adrénaline, il répondit : « Oui ? Qu'y a-t-il ? »

Les vingt-quatre hommes qui avaient passé les huit dernières heures à parcourir la steppe attaquèrent le PC de tir par trois côtés : l'entrée principale, celle de service et l'aire de chargement latérale.

Chaque accès était protégé par trois rebelles daghestanais que leur chef avait avertis de l'imminence de l'attaque. Ceux en charge de l'entrée principale se mirent à tirer dans le noir sitôt l'appel reçu, une erreur qui leur profita beaucoup, car elle donna aux hommes du groupe Alpha, qui venaient tout juste de pénétrer sur le parking enneigé, l'impression erronée qu'on les avait repérés. Les huit hommes se mirent aussitôt à l'abri derrière des voitures avant de riposter en direction de la porte ouverte, immobilisant de fait l'une et l'autre force.

La porte de derrière fut enfoncée par le deuxième commando russe qui balança des grenades assourdissantes avant d'entrer, mais ils se retrouvèrent alors au débouché d'un long couloir étroit aux parois de béton renforcé. Tout au bout, trois terroristes, aucunement incommodés par les éclairs et les détonations, se mirent à leur tirer dessus à la mitraillette. Même si l'essentiel des projectiles se perdit – ils émanaient de tireurs embusqués qui venaient de surgir du bout du couloir –, ceux qui ricochèrent sur les murs, le sol et le plafond suffirent à pulvériser les attaquants.

Deux hommes tombèrent au bout de quelques secondes, puis deux autres en cherchant à mettre leurs compagnons à l'abri. Les quatre survivants du groupe Alpha battirent en retraite à l'extérieur, puis se mirent à balancer des grenades dans le couloir.

Dans l'intervalle cependant, les trois terroristes avaient eu le temps de se réfugier derrière une porte en acier où ils n'eurent plus qu'à prendre leur mal en patience tandis que les grenades explosaient.

Là aussi, pour les deux camps, c'était l'impasse.

Du côté de l'aire de chargement, les hommes du groupe Alpha furent plus chanceux. Ils réussirent à descendre les trois gardes daghestanais en ne perdant qu'un des leurs. Ils poussèrent jusqu'au hall du rez-de-chaussée mais déclenchèrent alors une porte piégée : la charge d'un lance-roquettes avait été reliée à un détonateur improvisé – encore une technique issue du réseau Haqqani – et l'explosion qui s'ensuivit fut fatale à trois Russes et en blessa trois autres.

L'un des hélicoptères qui avait décollé de l'aérodrome de Ioubileinya était parvenu à la verticale du toit en béton du PC de tir ; plusieurs hommes y descendirent en rappel. Ils se dirigèrent ensuite en formation serrée vers la porte. Celle-ci avait été également piégée mais les Russes avaient prévu le coup et pris soin de rester à distance au moment de la forcer.

Pourtant, si l'explosion n'avait fait aucune victime, elle avait sérieusement ralenti la progression du commando, laissant aux occupants du rez-de-chaussée et du premier le temps de réagir.

De sorte que la cage d'escalier menant au toit devint à son tour une troisième zone de fixation pour les belligérants. Quatre hommes de Sharia Jamaat avaient pris position sur le palier du premier à l'abri d'une porte en fer et d'un mur renforcé, tandis que les huit soldats du groupe Alpha tenaient la position en surplomb. Les grenades balancées au bas des marches explosaient sur le palier sans faire de dégâts, tandis que les balles de mitraillettes fendaient l'air dans la cage sans atteindre leurs cibles, bien à l'abri de part et d'autre du chambranle de la porte.

Moins d'une minute après le début de l'assaut, des hélicos russes attaquaient les trois silos de lancement. Les sites 103 et 104 avaient chacun dix défenseurs, ils étaient éloignés l'un de l'autre et solidement protégés. Le 109 n'avait que quatre hommes pour le garder et il était également le premier atteint par les Russes. Le Mi-17 l'arrosa à la mitrailleuse de 12,7 millimètres mais sans résultat concluant car son canonnier ne disposait pas d'un viseur thermique qui lui aurait permis de localiser aisément ses cibles sur ce site enneigé.

L'hélico se maintint alors en vol stationnaire à quelques mètres du sol et vingt agents descendirent en rappel sur l'aire en béton. Ces tueurs bien entraînés eurent plus de succès que leur mitrailleur pour débusquer et engager l'ennemi.

En moins d'une minute, vu le nombre réduit de défenseurs, le site était nettoyé. Tandis que le crépitement des fusillades continuait de leur provenir des deux autres silos, distants chacun de plus de quinze cents mètres sur la steppe, les hommes du groupe Alpha se précipitèrent vers le silo 109, pressés d'accomplir dans les temps la phase suivante de leur mission.

Les soldats ne pouvaient pas désarmer l'arme nucléaire ; ils n'auraient même pas pu ouvrir le module de mise en orbite sans perdre un temps considérable. Mais on leur avait appris comment déconnecter le Dniepr et pour ainsi dire couper le cordon ombilical avec le PC de tir, de sorte qu'ils foncèrent comme des dératés.

Les hommes scrutèrent les profondeurs du silo à l'aide des torches montées sur leur casque et le canon de leurs armes ; la seule partie visible de l'engin, haut de plus de trente mètres, était un impressionnant carénage conique de couleur verte frappé en blanc des lettres « KSFC ». Juste au-dessous, se trouvait le module de mise en orbite proprement dit, arrimé au sommet des trois étages de la fusée. Sous le faisceau de leurs torches, les hommes purent identifier un couvercle de fer aux dimensions imposantes, disposé à quelques pas de l'ouverture du silo, telle une bouche d'égout géante. Ils l'ouvrirent et deux des hommes entreprirent de descendre une échelle métallique pour gagner au plus vite le niveau des équipements de soutien, une passerelle située quatre mètres plus bas au bout de laquelle ils allaient trouver une seconde échelle, qui les mènerait à son tour au niveau inférieur. C'est là qu'ils pourraient accéder au sommet du vecteur à trois étages proprement dit et débrancher le cordon ombilical qui reliait celui-ci au PC de tir.

Les hommes venaient d'emprunter la passerelle et commençaient à descendre la seconde échelle, conscients que leur temps était compté.

« Sommes-nous prêts ? » lança Safronov aux deux ingénieurs placés devant le panneau de contrôle du lancement. Ne recevant pas de réponse, il hurla : « *Sommes-nous prêts ?* »

Le rouquin assis à gauche se contenta d'un bref hochement de tête. Le blond de droite confirma, d'une voix sourde : « Oui, Georgi. Séquence de lancement terminée.

– Lancement 109 ! »

Les deux clés de lancement étaient déjà positionnées.

« Georgi, s'il te plaît ! Je ne peux pas ! Je t'en prie, ne... »

Safronov dégaina son Makarov, visa le blond et lui tira deux balles dans le dos. L'homme tomba de son siège et se tordit sur le sol avec des hurlements désespérés.

Georgi se tourna vers son collègue. « Peux-tu le faire à sa place ou dois-je m'y coller ? »

Le Russe se pencha, posa la main sur l'une des clés du panneau de contrôle, puis il ferma les yeux.

Il tourna la clé. Lorsqu'il rouvrit les paupières, ce fut pour découvrir le pistolet placé juste sous son nez. Il s'empressa de tourner la seconde clé.

Au-dessus de lui, Georgi Safronov récita : « Des glaives aux socs de charrue, et désormais, retour aux glaives. »

Safronov pressa le bouton.

Sur le site 109, les agents du groupe Alpha chargés du découplage de l'ombilic venaient à l'instant de quitter l'échelle et fonçaient à présent sur l'étroite passerelle pour rejoindre le flanc du Dniepr-1, dans une course éperdue pour débrancher le câble avant que l'autre cinglé au poste de tir n'expédie l'engin dans la stratosphère.

Ils n'y parvinrent pas.

Le déclic métallique assourdissant qui retentit sous leurs pieds fut le dernier signal qu'enregistra leur cerveau.

Sous la base du lanceur, un compresseur tenait sous pression une charge de poudre qui, mise à feu, créa une masse de gaz dont la détente presque instantanée chassa la fusée du silo, comme au sortir d'un vulgaire pistolet à bouchon. Les deux hommes furent carbonisés en un clin d'œil alors que le missile s'échappait du silo et que la boule de gaz brûlants s'évacuait vers les carneaux d'éjection.

L'engin s'éleva d'abord rapidement, mais il ralentit avec la dissipation des gaz qui l'avaient propulsé hors du silo. Alors que la base de l'étage inférieur se trouvait à une vingtaine de mètres d'altitude, l'énorme missile parut alors s'immobiliser dans les airs.

Les huit membres des Forces spéciales qui se trouvaient au-dessous purent contempler à loisir les jupes de la fusée prête à s'élancer vers l'espace, juste au-dessus de leurs têtes.

L'un d'eux eut le temps de murmurer : « *Der'mo.* » Merde.

Avec un bruit de bouchon de champagne, des explosifs chassèrent le disque protecteur fixé sous la tuyère du premier étage.

Quand celui-ci fut mis à feu, le jet de carburant incandescent grilla comme une torche le sol alentour et tout ce qui se trouvait dessus.

Les huit hommes moururent en l'espace de deux secondes.

L'hélicoptère Mi-17 était demeuré en vol stationnaire à trente mètres d'altitude. Le pilote actionna d'un coup sec le manche cyclique, ce qui sauva sa vie et celle de son équipage, mais l'appareil était trop bas pour une telle manœuvre et s'écrasa dans la neige. Le copilote eut les deux bras brisés et on compta plusieurs blessés à l'arrière.

La Dniepr-1 s'éleva dans la nuit, accélérant à mesure, en laissant derrière elle un sillage de fumée, de vapeur et de flammes. Un bruit strident déchira les airs et le sol se mit à vibrer à des kilomètres à la ronde.

L'engin, d'un poids de 260 tonnes, atteignit la vitesse de neuf cents kilomètres-heure en moins de trois secondes.

La voyant s'élever, toutes les forces russes renoncèrent à poursuivre l'attaque du cosmodrome de Baïkonour.

73

S AFRONOV AVAIT PROGRAMMÉ lui-même la télémétrie du vol en utilisant les données obtenues par le groupe de travail qu'il avait réuni quelques mois auparavant. Le groupe ne s'était pas douté qu'il travaillait sur une attaque nucléaire, ayant été entendu qu'ils devaient revoir les procédures d'envoi par fusée de chaloupes de sauvetage et autres équipements de secours. Une série d'instructions avait été déjà enregistrée dans le logiciel de navigation embarqué du lanceur qui contrôlait la trajectoire et la durée d'allumage des propulseurs.

C'était l'exemple parfait d'une arme de type « tire et oublie ».

Le premier étage se sépara et retomba au sol, au centre du Kazakhstan, huit minutes après le lancement.

Moscou surveillait la trajectoire et, très vite, au bout de quelques minutes à peine, chacun réalisa que l'ancien missile R-36 se dirigeait vers la capitale.

Mais il était trop tard pour fuir. Pour quitter la ville. L'arme atteindrait son but dans moins de quinze minutes.

Très haut au-dessus de la Russie centrale, la combustion du deuxième étage s'acheva et, après la séparation, il alla s'écraser sur une route de campagne près de la ville de

Chatsk, sur la rivière Chatcha. Le troisième étage se retourna alors, tuyères en avant ; après quelques minutes, le carénage de la pointe du véhicule fut éjecté pour retomber sur terre. Peu après, la combustion s'interrompit, le bouclier protecteur se détacha à son tour, libérant la plate-forme de mise en orbite sur laquelle était fixée la charge utile. Celle-ci, un cylindre vert contenant la bombe pesant un peu plus de deux tonnes, entama son retour sur terre.

La charge utile décrivit un arc, légèrement dévié par la rentrée dans la haute atmosphère, mais Georgi et ses ingénieurs avaient intégré un grand nombre de variables pour corriger la trajectoire.

À Moscou, tous ceux qui étaient au courant du tir prirent dans leurs bras leurs enfants et se mirent à prier, à pleurer, à espérer mais surtout à maudire le Daghestan et les Daghestanais. Ils savaient qu'ils ne leur restait plus rien d'autre à faire.

À trois heures trente-neuf du matin, alors que l'immense métropole prise par les glaces sommeillait encore, une explosion sourde retentit dans la banlieue sud-est. Une seconde plus tard, les habitants des alentours furent jetés hors de leur lit par le souffle de l'explosion, les fenêtres furent pulvérisées et le sol de toute la ville se mit à trembler comme sous l'effet d'un petit séisme.

Les habitants du centre purent apercevoir la boule de feu vers le sud. Elle s'éleva dans les airs comme un soleil d'avant l'aube, se reflétant sur les cristaux de glace qui recouvraient les toits de la ville.

Au PC de crise du Kremlin, la colonne de feu était parfaitement visible, à quelques kilomètres à peine. Des gens crièrent, pleurèrent, se préparant à ce qui allait suivre.

Mais rien ne vint.

Il fallut plusieurs minutes pour avoir une confirmation mais finalement, on eut des nouvelles de la zone d'impact. Un objet indéterminé était tombé sur la raffinerie Gazprom Neft située au sud-est de la capitale et d'une capacité de 200 000 barils/jour.

Cet objet avait frappé les tours de craquage de gazole et provoqué une énorme explosion qui avait tué sur le coup une douzaine d'ouvriers. Bien d'autres devaient périr dans l'incendie qui s'ensuivit.

Mais, manifestement, il ne s'agissait pas d'un engin nucléaire.

Clark fut réveillé par une détonation sourde au loin. Il avait la nuque douloureuse d'avoir dormi assis contre le mur. Le fait d'être importuné par cette seule sensation était en soi révélateur. Après plusieurs jours de « mauvais traitements », il aurait cru souffrir un peu plus de...

Oh ouais... Il fit le point. Les élancements dans le crâne, le nez, la mâchoire. Il lui fallut une bonne minute pour accepter ces signaux mais à présent qu'il avait retrouvé ses esprits, les récepteurs de la douleur rattrapaient le temps perdu.

Après la détonation, il n'entendit plus rien. Il crut au court-circuit d'un transformateur mais sans aucune certitude.

Il cracha du sang, il avait une molaire ébranlée, il s'était mordu l'intérieur des joues ; sa bouche était tout enflée.

Ça commençait à bien faire.

La porte se rouvrit. Il leva les yeux pour voir quel Français passait tailler une bavette mais il ne reconnut pas les deux hommes qui venaient d'entrer.

Deux… non, quatre. Deux autres les suivaient, en effet.

À gestes vifs et avec une efficacité déroutante, les quatre hommes tranchèrent ses liens et lui ordonnèrent de se lever. Ils parlaient russe.

Clark se releva en chancelant.

Un cinquième et un sixième hommes étaient apparus avec dans la main des pistolets Varjag. Les canons étaient baissés mais ils demeuraient menaçants. Les deux types étaient en civil mais l'étoffe épaisse de leurs complets sombres révélait, pour un œil exercé comme celui de Clark, leur appartenance à quelque unité spéciale de l'armée, de la police ou du renseignement.

« Venez avec nous », dit l'un d'eux et ils lui firent traverser une grande maison, passer devant les détectives français et, finalement, monter dans un minibus.

Clark se dit qu'il aurait dû se réjouir, mais quelque part, tout ça ne ressemblait pas vraiment à une opération de sauvetage.

Non, il avait la nette impression de tomber de Charybde en Scylla.

On lui banda les yeux et ils roulèrent une bonne heure. Nul ne lui adressa la parole, du reste tout le monde à bord resta silencieux.

Quand enfin ils stoppèrent, on l'invita à descendre, là aussi, sans le brutaliser. L'air était glacial et il sentit de gros flocons de neige lui caresser la barbe et les lèvres.

Retour dans un bâtiment qui lui parut être cette fois-ci un entrepôt. On le plaça sur une chaise. Là encore, on lui ligota les mains et les pieds. On ôta son bandeau et il plissa les paupières, ébloui par la lumière.

Quand enfin il rouvrit complètement les yeux, ce fut pour découvrir trois hommes, debout dans l'ombre, juste en dehors du cône lumineux. Deux d'entre eux étaient en jean et haut de survêtement, ils avaient le crâne rasé, le faciès large et aplati, l'air glacial et dénué d'expression.

Le troisième portait un fuseau et un blouson de ski noirs qui, à première vue, avait dû coûter plusieurs centaines de dollars.

À proximité, une table, elle aussi dans l'ombre, sur laquelle s'empilaient des outils, des instruments de chirurgie en Inox, du ruban adhésif, du fil et d'autres objets que John ne sut identifier.

La terreur l'envahit, son estomac se noua.

Il n'était plus question de servir de punching-ball à une petite bande de détectives français. Non, ça s'annonçait, hélas, beaucoup plus sérieux. Et surtout très moche.

Clark entendit des bruits, un peu plus loin dans le hangar. Sans doute des gardes armés, car ça ressemblait à des claquements de bottes, au cliquetis d'armes portées en bandoulière.

L'homme au blouson de ski s'avança dans la lumière. Il parla. Son anglais était excellent. « Mon père m'a dit que vous me cherchiez…

– Valentin ! » s'exclama John, surpris. Du peu qu'il savait du jeune homme, celui-ci ne lui semblait pas du genre à organiser à l'improviste ce qui lui avait tout l'air d'une séance de torture. « J'ai dit que je voulais vous parler », et, regardant la table, puis les types à la mine patibulaire, il crut bon de préciser : « Ce n'est pas exactement ce que je m'étais figuré. »

Le jeune Russe se contenta de hausser les épaules. « Vous et moi agissons sous la contrainte, monsieur Clark. Croyezbien que si j'avais eu mon mot à dire, j'aurais choisi un autre lieu mais vous causez des problèmes à mon gouvernement, aussi m'ont-ils choisi pour vous rencontrer afin de les résoudre. Le Kremlin m'a laissé la bride sur le cou pour régler la question avec vous.

– Une tâche qui aurait sans doute mieux convenu à votre père. »

Valentin eut un sourire sans joie. « Ce n'est ni son boulot, ni son problème. J'ai besoin de tout savoir sur votre employeur actuel, besoin de savoir avec qui vous vous êtes entretenu à Moscou. Nous avons retrouvé dans une décharge le téléphone dont vous aviez composé le numéro. Mais pas son propriétaire. »

Clark dissimula un soupir de soulagement.

Valentin poursuivait : « Les informations dont j'ai besoin peuvent vous être extorquées de bien des façons. Humainement. En douceur. Mais le temps presse et si vous résistez, nous allons devoir recourir à des méthodes, disons, moins humaines... »

Clark jaugea aussitôt son interlocuteur. Kovalenko était mal à l'aise dans ce rôle. Sans doute aurait-il été mieux dans son élément en déclenchant un scandale politique contre le président américain nouvellement élu, à l'aide d'informations habilement extorquées à Laska, plutôt que de se retrouver avec cette bande de durs, dans un entrepôt minable et glacial, et s'apprêter à tailler en pièces un prisonnier pour le faire parler... Non, ce n'était vraiment pas son truc.

Clark ne pouvait pas révéler aux Russes l'existence du Campus. Il aurait pu tenir indéfiniment avec les Français, quitte à mourir sous les coups, mais les Russes avaient d'autres méthodes. On disait qu'ils possédaient une drogue, connue sous le nom de SP-117, encore plus efficace que tous les sérums de vérité.

Clark n'en savait rien de plus que les informations accessibles à tous. Cela faisait belle lurette que la Russie avait cessé d'être une menace pour les agents de la CIA.

Mais pourquoi n'y recouraient-ils pas dans le cas présent ? Pourquoi juste ces instruments de torture et ces barbouzes ? Où étaient la salle de soins, les médecins, les psychologues du FSB chargés en général de ce genre de responsabilité ?

Clark comprit soudain.

Il regarda Valentin. « J'ai pigé. Tu travailles pour Paul Laska. J'ai dans l'idée qu'il possède des informations sur ta vie personnelle et professionnelle et s'en sert pour te forcer la main. »

Valentin fit non de la tête mais il demanda néanmoins : « Pourquoi suggérer une chose pareille ?

– Parce que ce n'est pas ton univers. Ta simple présence ici me révèle que tu n'as pas réussi à obtenir de soutien du FSB. Tu appartiens au SVR, le renseignement extérieur. Le FSB a des hommes à Moscou qui auraient pu se charger de l'interrogatoire, alors où sont-ils donc ? Pourquoi m'avoir amené dans ce putain d'entrepôt ? Vous n'avez pas de local pour ce genre de boulot ? Non, Valentin, tu te retrouves dans la ligne de mire, alors tu fais cavalier seul. Tu as demandé un coup de main à deux ex-agents des services spéciaux, n'est-ce pas ? Mais ils ne savent pas comment mener convenablement un interrogatoire. Et ils vont me réduire en charpie avant que j'aie pu parler. »

Valentin n'était pas habitué à tomber sur plus futé que lui. Clark pouvait le lire dans ses yeux. « Vous, vous avez dû pratiquer depuis avant ma naissance. Vous êtes un dinosaure, comme mon père. Mais, contrairement à lui, il vous reste une étincelle de vivacité. Je suis au regret de vous dire que ce sera moi qui vais devoir l'éteindre. Et pas plus tard que tout de suite. »

Clark ne dit rien. Ce gamin n'avait peut-être pas l'aval des autorités officielles mais cela n'enlevait rien à sa motivation. *Pas bon, ça.*

« Pour qui travaillez-vous, monsieur Clark ?

– Va te faire foutre, fiston. »

Kovalenko parut blêmir. Clark eut l'impression qu'il allait avoir un malaise.

« Très bien. Vous me forcez la main. Si nous commencions ? » Il fit quelques messes basses avec les deux hommes et ces derniers s'approchèrent des instruments disposés sur la table. Clark trouvait déjà déconcertante l'idée de médecins en blouse blanche procédant à un interrogatoire, mais celle de malabars en survêtement s'occupant de lui avec des instruments de chirurgie dépassait les limites de l'horreur.

Kovalenko expliqua : « Monsieur Clark, je suis diplômé en économie et en sciences politiques. J'ai étudié à Oxford. J'ai une femme et une petite fille superbes. Ce qui va se dérouler ici n'a rien à voir avec moi, ni avec mon univers. Pour être tout à fait franc, la seule évocation de ce qu'on s'apprête à vous infliger me donne envie de vomir. » Il marqua un temps, esquissa un sourire. « J'aimerais avoir mon père sous la main pour s'en charger. Lui seul saurait très exactement comment graduer la douleur. Faute de mieux, je vais donc tester ma méthode personnelle. Je ne vais pas débuter en douceur, j'ai déjà pu constater avec les hommes de Bertrand-Morel l'échec de cette tactique. Non… ce soir, je vais d'emblée m'efforcer de vous tailler en pièces. Après cela, vous serez fou de douleur mais encore suffisamment conscient pour voir à quel point je suis prêt à vous infliger les plus extrêmes souffrances et vous n'aurez vraiment pas envie de savoir jusqu'où je peux aller lors de la deuxième phase de cet interrogatoire. »

C'est quoi, ce plan foireux ? se dit Clark. Ce gamin ne jouait pas réglo. Les deux hommes passèrent derrière lui, ils tenaient des instruments tranchants. Le premier saisit Clark par les cheveux tandis que l'autre lui agrippait la main droite.

Valentin Kovalenko se pencha pour le regarder droit dans les yeux. « J'ai lu votre dossier à maintes reprises. Je sais que vous êtes droitier, et je sais que cette main vous a bien servi pour manipuler des armes et ce, depuis l'époque de cette guerre absurde de votre pays contre le Vietnam. Dites-moi qui vous avez contacté à Moscou, dites-moi pour qui vous travaillez, ou mon associé ici présent vous tranchera la main droite. C'est aussi simple que cela. »

Clark grimaça quand, à sa droite, l'homme effleura la peau de son poignet avec la lame de son fendoir. Son cœur se mit à battre la chamade. Il prit la parole :

« Valentin, je sais que tu essaies simplement de réparer les dégâts occasionnés par Laska. Aide-moi à le faire tomber et tu n'auras plus aucun souci avec lui.

– Dernière chance pour ta main », dit le Russe et John vit que le jeune homme était lui aussi mal à l'aise, son visage blafard était couvert d'une mince pellicule de sueur.

« Nous sommes tous les deux des professionnels. Tu ne veux pas faire une chose pareille.

– *Vous* ne voulez pas m'y forcer. »

Clark se mit à haleter. L'issue semblait inéluctable. Il devait se contrôler pour l'affronter.

Valentin vit que Clark s'était résigné à son sort. Une veine palpitait au milieu du front du Russe. Il se détourna.

Le fendoir se détacha de la main de Clark. S'immobilisa trente centimètres au-dessus.

« C'est écœurant, se lamenta Kovalenko. Monsieur Clark, je vous en prie. Ne me forcez pas à voir ça. »

Clark était bien en peine de trouver une répartie humoristique. Il avait les nerfs à fleur de peau, les muscles tétanisés devant l'attaque imminente de la lame.

Kovalenko se retourna pour regarder l'Américain. « Vraiment ? Vous êtes vraiment prêt à vous faire estropier, vous faire amputer de cette putain de main, juste pour garder secrètes vos putains d'informations ? Enfin merde, vous êtes à ce point engagé pour une cause stupide ? À ce point redevable à vos maîtres ? Quel sorte d'automate êtes-vous ? Quel sorte de robot pour vous laisser tailler en pièces ? Et au nom de quel sens dévoyé des valeurs ? »

Clark ferma hermétiquement les paupières. Il s'était préparé du mieux possible à l'inéluctable.

Au bout de trente secondes, il rouvrit les yeux. Valentin le dévisageait toujours, incrédule. « Des hommes comme vous, on n'en fait plus, monsieur Clark. »

Mais Clark gardait toujours le silence.

Kovalenko soupira. « Non. Je ne peux pas faire une chose pareille. Je n'ai pas assez de tripes pour voir une main sectionnée traîner sur le sol. »

Clark était surpris ; il commençait à se relaxer, imperceptiblement. Mais Valentin se détourna soudain pour s'adresser à l'homme armé de la lame. « Pose-moi ça. »

L'homme poussa un soupir. De déception, peut-être ? Mais il posa le fendoir.

Mais Kovalenko reprit : « Prends le marteau. Et brise lui tous les os de la main. Un par un. »

L'ancien Spetsnaz s'empara aussitôt d'un marteau de chirurgien qui était posé sur la table à côté des bistouris et autres instruments tranchants. Sans prévenir, il l'abattit sur la main ouverte de John, lui brisant l'index. Puis il frappa une deuxième, une troisième fois, tandis que Clark hurlait de douleur.

Kovalenko se retourna, se boucha les oreilles et s'éloigna jusqu'au fond de l'entrepôt.

L'annulaire se fendit juste au-dessus de la jointure, et l'auriculaire fut brisé en trois endroits.

Sur un dernier coup, vicieux, asséné sur le dos de la main, John faillit s'évanouir.

Il serra les dents ; il avait fermé les yeux, mais les larmes ruisselaient sur ses joues. Son visage avait pris une teinte violacée. Il se força à respirer à petits coups, refaire le plein en oxygène pour ne pas tomber en état de choc.

John Clark continua de hurler, en donnant des coups de tête contre l'estomac du type collé derrière lui. Il glapit : « Espèce de connard ! »

Une seconde plus tard, Kovalenko était près de lui. Clark l'entrevoyait à peine derrière le voile de larmes et de sueur couvrant ses yeux aux pupilles dilatées.

Valentin grimaça en contemplant la main brisée. Elle enflait déjà, bleuissait, et deux des doigts étaient bizarrement tordus.

« Couvrez-moi ça ! » cria-t-il à ses hommes. Qui jetèrent une serviette sur le membre blessé.

Kovalenko se boucha de nouveau les oreilles pour filtrer le plus gros des cris de douleur mais il se mit à gueuler, comme s'il en voulait à son prisonnier de le forcer à de telles extrémités. « Tu n'es qu'un imbécile, pauvre vieux fou ! Ton sens de l'honneur ne te mènera à rien d'autre qu'à toujours plus de souffrance ! J'ai tout mon temps. »

Mais, malgré sa torture, John Clark sentait bien que Valentin Kovalenko était au bord de la nausée.

« Parle, vieil imbécile ! Mais parle, bon sang ! »

Clark ne parla pas. Pas à ce moment. Pas durant l'heure qui suivit. Kovalenko était de plus en plus contrarié. Il avait ordonné qu'on plonge la tête de l'Américain dans un seau d'eau, qu'on le roue de coups – ses tortionnaires lui brisèrent une côte et le tabassèrent au point qu'il arrivait à peine à respirer.

John fit de son mieux pour dissocier son esprit de ce que subissait son corps. Il pensa à sa famille, ses parents, depuis longtemps disparus. Il pensa à des amis, des collègues. Il pensa à sa nouvelle ferme dans le Maryland, et il forma l'espoir, si jamais il ne devait jamais la revoir, que ses petits-enfants puissent y grandir et s'y plaire.

Clark perdit connaissance deux heures après le début de la séance de torture.

74

L E TÉMOIN INDIQUANT un appel du PC de crise clignotait maintenant depuis plus de dix minutes.

Safronov regardait les infos venant de Moscou sur l'un des moniteurs principaux ; tout comme les autres personnes présentes dans le poste de contrôle, spectateurs involontaires, mais fascinés.

Georgi avait espéré un spectacle d'une autre envergure. Certes, il savait que le silo 109 avait abrité le Dniepr emportant le satellite et non les engins nucléaires, mais il avait pris pour cible les plus grosses cuves de stockage de la raffinerie de Moscou, ce qui aurait normalement dû provoquer une explosion suivie d'un incendie de bien plus grande ampleur. La charge utile avait raté sa cible de deux cent cinquante mètres à peine, mais Safronov estima qu'il avait malgré tout fait passer son message.

Après un dernier coup d'œil aux infos télévisées, il saisit le casque posé sur le tableau de contrôle, le coiffa, et prit l'appel. « *Da.*

— Vous êtes en communication avec le président Rytchkov. »

Safronov répondit d'une voix enjouée : « Bonjour. Vous ne vous souvenez peut-être pas de moi, mais nous nous sommes rencontrés l'an dernier au Bolchoï. Quel temps fait-il à Moscou ? »

Il y eut un long silence avant que le président ne réponde. Le ton était sec, mais légèrement inquiet : « Votre attaque était inutile. Nous avons compris que vous avez les capacités techniques de mettre en œuvre vos menaces. Nous savons que vous détenez des armes nucléaires.

– C'était pour vous punir d'avoir attaqué cette base. Si jamais vous recommencez... ma foi, président, je n'ai plus d'autres missiles non armés. Les deux autres Dniepr à ma disposition sont dotés de têtes nucléaires.

– Vous n'avez plus rien à prouver. Nous avons simplement besoin de négocier, vous en position de force et moi... de faiblesse. »

Safronov se mit à hurler : « Ce n'est pas une négociation ! J'ai exigé quelque chose ! Je n'ai que faire de négociations ! Quand aurai-je la possibilité de parler avec le commandant Nabiyev ? »

Le président de la Fédération de Russie répondit d'une voix lasse : « J'ai donné mon autorisation. Nous vous rappellerons un peu plus tard dans la matinée et vous pourrez alors vous entretenir avec le prisonnier. Dans l'intervalle, j'ai ordonné le repli de toutes nos forces de sécurité.

– Parfait. Nous sommes prêts à combattre à nouveau vos hommes et je ne pense pas que vous soyez prêt à perdre cinq millions de Moscovites. »

Ce n'était pas ainsi qu'Ed Kealty avait prévu de terminer son mandat, mais à vingt et une heures, il dut réunir son cabinet dans le bureau Ovale.

Scott Kilborn, le patron de la CIA, était là, accompagné de son adjoint Alden. Wes McMullen, son jeune secrétaire général, était également présent, tout comme le ministre de la Défense, celui des Affaires étrangères, le directeur national du renseignement, le chef d'état-major interarmées et le conseiller à la sécurité nationale.

Kilborn fit un bref résumé de la situation au Kazakhstan, en y incluant les dernières infos de la CIA sur la tentative de reprise des installations de lancement des Dniepr par les Forces spéciales russes. La NSA fit de même avec le tir depuis Baïkonour et l'incendie de la raffinerie à Moscou.

Alors qu'ils étaient tous réunis, le président Rytchkov appela, Kealty s'entretint dix minutes avec lui par le truchement d'un interprète, tandis que Wes McMullen écoutait en prenant des notes. L'appel était amical mais Kealty expliqua à son interlocuteur qu'il devrait discuter de certains points avec ses conseillers avant d'accéder à sa requête.

Sitôt qu'il eut raccroché, tout voile de politesse disparut. « Cet enculé de Rytchkov nous demande de lui envoyer le groupe 6 des SEAL ou la Force Delta ! Pour qui se prend-il, ce connard, pour exiger des unités militaires spécifiques ? »

Assis près du téléphone, un calepin sur les genoux, Wes McMullen observa : « Monsieur le Président, je pense qu'il sait, depuis le temps, de quels moyens de lutte antiterroriste nous disposons. N'y voyez aucune intention malveillante.

– Ce qu'il veut surtout, c'est se couvrir politiquement au cas où cette histoire partirait en vrille. Il veut pouvoir dire à ses compatriotes qu'il a fait confiance à l'Amérique, qu'Ed Kealty lui a promis une solution heureuse à la crise, mais qu'il a merdé. »

Les responsables présents dans le bureau étaient encore aux ordres de Kealty. Mais cela ne les empêcha pas de voir que l'actuel président cherchait surtout à se défiler. Il avait toujours été comme ça.

Scott Kilborn prit la parole : « Monsieur le Président, permettez-moi respectueusement d'exprimer mon désaccord. Ce qu'il veut, c'est éviter que des bombes de vingt kilotonnes détruisent Moscou et Saint-Petérsbourg. Le bilan serait... » Kilborn se tourna vers le chef d'état-major. « Quel est le bilan de vos experts ?

– Pour chaque arme, le souffle et les premières retombées tueront sur le coup plus d'un million de personnes, mais il faudra y ajouter plus de deux millions dans un délai d'une semaine, des suites de brûlures mais aussi de la destruction des infrastructures et du réseau électrique. Et Dieu sait combien d'autres ensuite. Un bilan total de sept à dix millions de victimes n'est pas à exclure. »

Kealty gémit ; il se pencha vers son bureau, se prit la tête dans les mains.

« Des options ? »

Le ministre des Affaires étrangers répondit :

« Je pense que nous devons envoyer ces unités. On pourra toujours leur donner ou non le feu vert ultérieurement pour intervenir. »

Kealty hocha la tête. « Je veux qu'on se garde de toute initiative. Je n'ai pas envie qu'on s'embringue dans ce bourbier et qu'on se trouve amenés à réagir aussitôt. Les Russes n'ont pas réussi à éviter le drame et, pourtant, ils s'y étaient préparés. Qui nous dit que nous pourrions mieux faire ? Suggérez-moi autre chose. Allez, tout le monde, on se creuse la tête.

— Des conseillers, lança Alden.

— Des conseillers ? Comment ça ?

— Si nous leur envoyons deux ou trois membres de l'état-major interarmées pour conseiller leurs Forces spéciales, cela nous permettra de leur fournir une aide discrète sans exposer nos troupes. »

L'idée plaisait à Kealty, c'était manifeste.

Le chef d'état-major, un général d'armée qui avait commandé une division spéciale des rangers, crut bon d'intervenir. « Monsieur le Président. La situation est très volatile. Si nous n'avons pas des éléments sur place, prêts à intervenir dans l'instant, alors il est inutile d'envoyer qui que ce soit. »

Kealty pesait le pour et le contre. Il regarda son ministre de la Défense. « Un risque qu'ils nous balancent un missile ? »

L'intéressé leva les mains. « Ils ne nous menacent pas directement. Le différend des militants daghestanais est avec la Russie. Selon moi, nous ne sommes pas une cible. »

Kealty hocha la tête, puis il frappa du poing sur la table. « Non ! Je ne quitterai pas le bureau Ovale en laissant cette… ce merdier comme héritage ! » Il se leva. « Dites au président Rytchkov que nous allons envoyer des conseillers. Point final ! »

Wes McMullen crut bon de souligner qu'il y avait toujours six Américains sur le périmètre de tir.

« Dont je tiens Rytchkov pour personnellement responsable de leur sécurité. Dites à nos conseillers que toute mission à laquelle ils collaboreront devra inclure un volet de récupération de nos concitoyens sains et saufs.

– Monsieur, avec tout le respect que je vous dois… », commença le ministre de la Défense.

Mais Kealty s'était déjà levé pour se diriger vers la porte. « Mesdames et messieurs, bonsoir. »

Melanie appela Jack à treize heures trente. « Eh ! Vraiment désolée mais ici, c'est la folie – je peux vérifier la météo pour un dîner dehors ce soir ?

– Entendu, ou si tu préfères, je peux passer un peu plus tard avec de la bouffe chinoise. On n'a pas besoin de sortir. Moi aussi, j'adorerais qu'on se voie.

– Super, mais je ne sais pas quand j'aurai fini ce soir – ni même si j'aurai fini. Tu n'imagines pas ! On a des tonnes de trucs à faire en ce moment.

– Oh, je m'en doute. Très bien, tu tiens le coup, hein ?

– Bien sûr. Merci, Jack. »

Melanie raccrocha. Elle détestait annuler des rendez-vous avec Ryan, mais vu la masse de boulot à abattre, elle doutait d'avoir terminé ce soir. Déjà, les données à traiter concernant le voyage de Rehan à…

Le téléphone sur son bureau se mit à sonner.

« Melanie Kraft ? »

Une minute et demie plus tard, Melanie passait la tête à la porte du bureau de Mary Pat. « Je dois filer une seconde… Une demi-heure maxi. Je peux vous prendre un truc en passant ? »

Foley lui fit non de la tête. Elle allait répondre quand son téléphone pépia.

Kraft descendit et marcha jusqu'à l'arrêt d'autobus au pied de son immeuble. Là, elle prit le bus pour Tysons Corner mais descendit à l'arrêt d'Old Meadow. Elle traversa le parc municipal de Scotts Run et se dirigea vers les bancs qui dominaient un panorama couvert de neige et de glace. Les arbres dénudés étaient battus par un vent glacial et elle resserra son manteau autour d'elle.

Elle s'assit.

Le premier homme l'approcha une minute plus tard. C'était un grand Noir ; il portait un long imper gris pardessus son complet sombre, mais il l'avait laissé ouvert, comme s'il était insensible au froid.

C'était un agent de sécurité et il la toisa avant de parler dans un micro fixé à son revers.

Elle entendit une voiture s'arrêter sur le parking derrière son dos, mais elle ne se retourna pas et continua de fixer les arbres agités par le vent.

L'agent de sécurité s'éloigna pour remonter le sentier avant de s'immobiliser pour surveiller la route.

Le directeur adjoint de la CIA, Charles Sumner Alden surgit soudain de derrière et vint s'asseoir à ses côtés. Il ne chercha pas à la regarder, préférant contempler le terrain de base-ball recouvert de neige. « Je me creuse la cervelle, mademoiselle Kraft, pour trouver moyen de vous donner des instructions plus explicites. Et je n'y arrive pas. J'étais pourtant certain que nous étions parvenus à un arrangement. Et voilà qu'aujourd'hui vous dites à Junior que vous n'avez pas le temps de le voir ce soir ? Faites-moi confiance, jeune fille, vous avez tout le temps voulu. »

Melanie serra les dents. « Vraiment, monsieur ? Vous mettez sur écoute le téléphone d'une analyste du NCTC ? En êtes-vous réduit à ces extrémités ?

– Pour être franc, oui.

– Et à quel propos ?

– À propos de Jack Jr. »

Melanie soupira. Un nuage de vapeur se condensa devant son visage.

Le ton d'Alden changea, se fit plus paternel : « Je pensais avoir été clair dans mes exigences.

– J'ai fait ce que vous m'avez demandé.

– Je vous ai demandé de produire des résultats. Allez dîner avec lui ce soir. Trouvez ce qu'il sait de Clark, de ses relations avec son père.

– Oui, monsieur. »

Alden se fit encore plus paternel : « Vous vouliez nous aider. Quelque chose a-t-il changé ?

– Bien sûr que non. Vous m'avez dit avoir entendu que Clark travaillait avec Ryan. Vous vouliez avoir des preuves que Jack travaillait chez Hendley Associates.

– Et ?

– Et vous êtes le vice-directeur de la CIA. Bien sûr que c'est mon boulot de suivre les ordres.

– Jack Jr. est plus proche de Clark qu'il ne le laisse paraître. Nous le savons. Nous avons des agents qui peuvent faire le lien du duo Clark et Chavez avec Hendley Associates, l'employeur de votre petit ami. Et si Clark et Chavez y travaillent, je vous fiche mon billet que cette boîte fait autre chose que de l'arbitrage et des transactions boursières. Je veux savoir ce que sait Jack, et je veux le savoir maintenant.

– Oui, monsieur.

– Écoutez. Un avenir brillant s'ouvre devant vous. Je vais peut-être quitter mon poste d'ici peu, mais à la CIA on se fiche des agendas politiques. Les promotions se font au mérite. Et les fonctionnaires de l'Agence sont au courant de ce que vous faites, ils savent l'évaluer à sa juste valeur. Nous ne pouvons pas laisser perpétrer des actes criminels au nom de la sécurité nationale. Vous le savez. Alors, creusez un peu plus. » Il marqua un temps. « Ne le faites pas pour moi. Mais pour eux. » Il poussa un soupir. « Pour votre pays. »

Melanie acquiesça, l'air ailleurs.

Alden se leva, puis se retourna pour toiser la jeune analyste. « Jack veut vous voir ce soir. Arrangez-vous pour que ça se fasse. » Il s'éloigna dans la neige et son gorille lui emboîta le pas pour regagner le parking avec lui.

Melanie retourna vers l'arrêt d'autobus et, chemin faisant, sortit son mobile de son sac ; elle composa le numéro de Jack.

« Allô ?

— Coucou, Jack.

— Coucou.

— Écoute, je suis désolée pour tout à l'heure. Le stress du boulot…

— T'inquiète, j'avais compris.

— Pour être franche, j'aurais bien besoin de décompresser un moment. Qu'est-ce que tu dirais de passer à la maison ce soir ? Je ferai le dîner, puis on pourra traîner et regarder un film. »

Il y eut un long silence que Ryan ne rompit qu'en se raclant la gorge.

« Un problème, Jack ?

— Non… Enfin, si. J'aurais bien voulu, Melanie, mais j'ai eu un empêchement de dernière minute.

— Là, tout de suite ?

— Ouais. Il faut que je reparte. De fait, je suis en ce moment au volant, en route pour l'aéroport.

— L'aéroport, répéta-t-elle, incrédule.

– Ouais, je dois faire un saut en Suisse. Mon patron veut que j'y rencontre des banquiers, que je les invite à dîner, histoire de les amener à confier leurs petits secrets, j'imagine. J'en ai pour deux jours, maxi. »

Melanie ne réagit pas.

« Je suis vraiment désolé. Le dîner et un film, c'était une idée super. On peut remettre ça après mon retour ?

– Bien sûr, Jack. »

Elle raccrocha.

Melanie descendit de l'autobus dix minutes plus tard et remonta aussitôt au centre des opérations. À peine était-elle sortie de l'ascenseur qu'elle aperçut Mary Pat en train de déposer une note sur son bureau. La voyant approcher, cette dernière lui fit signe de la suivre.

Melanie était nerveuse. Était-elle au courant de sa rencontre avec Alden ? Savait-elle que le directeur adjoint de la CIA se servait d'elle pour espionner l'ami personnel de Mary Pat, Jack Ryan Jr., afin de découvrir quelle sorte de lien professionnel il entretenait avec John Clark ?

« Que se passe-t-il ? demanda-t-elle à sa patronne.

– Il y a eu du nouveau en ton absence.

– Vraiment ? »

Melanie avait une boule dans la gorge.

« Un agent de la CIA à Lahore a identifié avec certitude Riaz Rehan. Il vient de débarquer à l'aéroport avec son escorte personnelle et son second. »

Melanie songea illico au déplacement de Ryan. « Vraiment. Et ça remonte à quand ?

– À moins d'une heure », répondit Foley.

Instantanément, Melanie fit le point. Elle ne savait pas comment il l'avait su, puisque, à coup sûr, il n'appartenait pas à la CIA. Toujours est-il que Ryan avait eu le tuyau et, pour une raison encore inconnue, il était désormais en route pour Lahore.

75

L E POSTE DE COMMANDEMENT temporaire de toutes les
forces de sécurité russes pour l'opération en cours avait
été installé dans l'hôtel Spoutnik de la ville de Baïkonour,
située à bonne distance au sud du cosmodrome. C'est là que
militaires et membres du renseignement, responsables de
l'agence spatiale fédérale et direction du cosmodrome avaient
installé leur camp, réparti entre les chambres, le restaurant et
les salles de conférences de l'hôtel, mais également dehors, sous
des tentes et dans des caravanes chauffées. Le commandement
des missiles stratégiques avait même réquisitionné jusqu'à la
piste de danse du Luna Disco, le club attenant au hall d'entrée,
pour y loger son équipe d'experts du nucléaire militaire.

À seize heures, heure locale, un général du nom de Lars
Gummesson entra dans la salle de conférences, précédé de
deux jeunes officiers. Les trois hommes portaient des tenues
de combat anonymes, dépourvues de galons ou d'insignes.
Ils s'installèrent à la longue table, en face de la délégation
russe composée d'hommes politiques, de diplomates et de
chefs militaires.

Gummesson était le chef de l'unité Rainbow, une organisation paramilitaire secrète spécialisée dans la lutte antiter-

roriste, formée des meilleurs éléments des Forces spéciales choisis à l'échelon international. Les gouvernements russe et kazakh avaient fait appel à lui et à ses hommes, moins d'une heure après l'échec des commandos Alpha. Il revenait à présent au PC russe pour livrer son évaluation de la situation et confirmer que son unité était prête.

« Messieurs. Mes chefs d'équipe et moi-même avons passé les quatre dernières heures à élaborer un plan d'action pour reprendre le PC de tir des Dniepr et deux des silos de lancement. Tirant la leçon de la mission conduite la nuit dernière par l'armée russe, compte tenu de nos capacités actuelles, et même si nous pensons, en concentrant tous nos efforts sur le PC de tir, pouvoir évaluer à quatre-vingts pour cent nos chances de reprendre le bâtiment et sauver la majorité des otages qui s'y trouvent détenus, je dois constater à regret que c'est dans un bunker lourdement fortifié que s'est retranché M. Safronov et qu'il est un homme très expérimenté et, surtout, extrêmement motivé. Nous estimons donc à cinquante pour cent le risque que lui et ses hommes aient le temps de lancer un véhicule, et à vingt pour cent qu'ils puissent lancer les deux. »

L'ambassadeur de Russie au Kazakhstan considéra longuement le général Gummesson. Dans un anglais au fort accent russe, il remarqua : « Bien. Et c'est tout ? Avec tous vos hommes et tout votre matériel, vous nous dites qu'il y a une chance sur deux que Moscou soit détruite ?

– J'en ai bien peur. On nous a coupé les crédits depuis un an ou deux, et les hommes qui nous ont rejoints depuis n'ont pas encore l'expérience du travail en coordination qui était la marque de Rainbow du temps où l'on faisait appel à nous plus souvent. Je crains que notre niveau de préparation en ait souffert.

— Ne serait-ce pas une simple aversion du risque de votre part, général Gummesson ? »

L'officier suédois préféra ne pas relever. « Nous avons évalué la situation et cela s'annonce mal. Nous n'avons aucune idée du nombre d'hommes dont dispose encore Safronov. L'interrogatoire des otages du site d'intégration, libérés hier matin, suggère qu'ils pourraient être plus de cinquante. Un certain nombre a dû être neutralisé lors de l'attaque des Spetsnaz, la nuit dernière, mais nous n'avons aucun moyen de savoir combien d'entre eux ont survécu. Je ne vais pas envoyer mes hommes, comme ça, dans l'inconnu, quels que soient les enjeux. Ma force et moi-même allons donc regagner l'Angleterre immédiatement. Messieurs, je vous salue ; bon après-midi et bonne chance. »

Gummesson se leva, se tourna pour partir mais un colonel des Spetsnaz, assis tout au bout de la table, se leva aussitôt. « Excusez-moi, général Gummesson. » L'accent de l'officier était pire encore que celui de l'ambassadeur. « Pourrais-je vous demander de rester ici, à Baïkonour ? Au moins pour quelques heures ?

— Et dans quel but, colonel ?

— J'aimerais vous en parler en privé.

— Très bien. »

On avait laissé à Clark du temps pour « réfléchir ». Sa main brisée était toujours sous la serviette sale, mais chaque fois qu'il essayait de trouver une position moins inconfortable, la douleur occasionnée par le gonflement et les lésions, sans parler des os et des côtes brisées, était proprement insupportable.

La sueur ruisselait de son visage et le long de son cou, malgré la température de chambre froide qui régnait dans l'entrepôt. Sa chemise était trempée et il était pris de frissons.

Son esprit s'était engourdi, si son corps ne l'était pas. Il voulait être soulagé de cette douleur, mais plus que tout, il aurait voulu être soulagé de son inquiétude à l'idée que ce jeune crétin pourrait bien réussir à le briser si la barbarie continuait.

Clark savait qu'il aurait pu mentir, inventer de fausses relations, raconter une histoire abracadabrante qui prendrait des semaines à confirmer. Mais il craignait que la moindre opacité dans son récit fût détectée avec un minimum de recherche et de vérifications par les sbires de Kovalenko. Et s'il était pris à mentir, s'il traînait un peu trop, peut-être que Valentin reviendrait avec quelques doses de SP-117, le fameux sérum de vérité dont on disait qu'en termes d'efficacité il était à des années-lumière du si peu fiable penthotal de sodium d'antan.

Non, se dit Clark, si pitoyable que fût son état présent, il continuerait de prendre des coups, avec l'espoir que ses tortionnaires aillent un peu trop loin et l'achèvent.

Ce serait toujours mieux que de lui bousiller la cervelle et de le transformer, à lui tout seul, en équipe de démolition du Campus et de John Clark.

« L'heure tourne, tout le monde au boulot ! » lança Kovalenko en réapparaissant soudain dans le faisceau de la lampe suspendue au-dessus de Clark. Il se pencha et sourit, revigoré – apparemment, à en juger à son haleine – par un café serré et une cigarette russe. « Comment on se sent ?

– Pas mal. Et toi, tu tiens le coup ? répondit sèchement Clark.

– Pas d'envie d'arrêter et de mettre fin à la douleur ? Nous avons sous la main des produits merveilleux pour la faire disparaître. Avant de vous déposer à l'hôpital le plus proche. Sympa, non ?

– Valentin, quoi que tu me fasses subir, mes compatriotes te retrouveront. Et quoi que tu aies pu me faire, ils te l'infligeront. Tâche juste de garder ça à l'esprit. »

Kovalenko lorgna l'Américain. « Vous n'avez qu'à me dire qui ils sont et je n'aurai plus rien à faire. »

Clark détourna le regard.

Kovalenko hocha la tête. « Ah, que je regrette l'absence de mon père, je vous jure. C'était quand même mieux au bon vieux temps, j'en suis certain. Quoi qu'il en soit, John, vous avez déjà perdu une main, mais ce n'est qu'un début. Quand j'en aurai fini avec nous, vous ne serez plus qu'un vieux bonhomme estropié. Je vais vous démolir. »

Il attendit que John lui demande comment mais ce dernier resta sans rien dire.

« Je vais dire à mes hommes de vous fourrer un scalpel dans les yeux, l'un après l'autre. »

Clark évalua Kovalenko, de la tête au pied. « Et mes hommes te feront subir la même chose. Y es-tu préparé ?

– Qui sont vos hommes ? Qui sont-ils ? »

John ne dit rien.

Un gros Slave vint par-derrière lui saisir la tête pour la maintenir parfaitement immobile. Les larmes lui vinrent aux yeux, elles ruisselèrent sur ses joues et il cligna rapidement les paupières. « Allez tous vous faire foutre ! » hurla-t-il, malgré la grosse patte qui lui bloquait la mâchoire. L'étreinte se resserra.

L'autre gorille des Spetsnaz s'approcha de lui. Le scalpel en Inox qu'il tenait dans sa main étincelait à la lumière.

Valentin recula d'un pas et se retourna pour ne pas voir. « Monsieur Clark. C'est... maintenant... votre dernière chance. »

Clark le sentit à la résignation dans la voix du jeune homme. Il ne reculerait pas.

« Va te faire foutre ! » Ce fut tout ce que put dire l'Américain. Il inspira profondément et retint son souffle.

Kovalenko eut un haussement d'épaules théâtral. Sans cesser de lui tourner le dos, il dit : « *Votki emou v glaz.* »

Clark avait compris : Enfoncez-lui ce truc-là dans l'œil.

À travers l'effet d'ultra grand angle occasionné par la pellicule de larmes lui recouvrant les yeux, Clark vit le scalpel approcher de son visage lorsque l'homme s'agenouilla devant lui. Plus loin, il vit Kovalenko s'éloigner. Il se dit que le Russe n'avait pas le cran de supporter ce qui s'annonçait, mais il se rendit compte presque aussitôt qu'en réalité Valentin réagissait à un bruit venu de l'extérieur.

Le vrombissement d'un hélicoptère résonna dans l'entrepôt. Il s'amplifiait à toute vitesse, comme si l'appareil était en train de leur dégringoler dessus. Il se posa dehors : Clark entrevit les phares qui filtraient à travers les murs à claire-voie, créant des ombres bizarres qui balayaient tous les acteurs de la scène. L'homme au scalpel se releva d'un bond, puis se retourna. Hurlant pour couvrir ce fracas incroyable – au point que John estima qu'il devait y avoir plus d'un hélico, le second sans doute en vol stationnaire à la verticale du toit en tôle ondulée – Valentin Kovalenko ordonna à ses hommes de sécuriser le périmètre. Clark put l'apercevoir briè-vement dans la lumière. Le chef de station adjoint du SVR avait l'air paniqué d'un animal acculé.

Au-dessus d'eux, l'hélicoptère se mit à tourner lentement.

À présent des cris. Des ordres qu'on aboie, des menaces qu'on éructe. John rentra la tête dans le cou ; vu sa situation, il ne pouvait guère faire plus. Malgré tout, et bien que tou-jours ligoté sur sa chaise, il estima qu'il devait agir. Sa main brisée le mettait à la torture mais toute cette activité imprévue lui offrait matière à réflexion, c'était déjà ça.

Des faisceaux laser apparurent, petites lucioles rouges qui couraient au ras du plancher, sur la table, sur les hommes immobiles, et même sur Clark. Dans l'air froid et chargé de poussière, Clark voyait distinctement le fin trait rouge de leurs faisceaux balayant l'air. Il se retrouva soudain inondé d'une lumière blanche aveuglante et ferma hermétiquement les yeux.

Quand il les rouvrit, il se rendit compte qu'on venait d'allu-mer l'éclairage de l'entrepôt, fixé au plafond, six mètres au-dessus de lui. Le vaste espace était à présent inondé de lumière.

Valentin Kovalenko n'était plus désormais qu'une sil-houette minuscule entourée d'hommes vêtus de noir et armés de pistolets mitrailleurs HK MP5.

C'étaient des troupes des Spetsnaz, mais sous les ordres d'un homme en civil. Kovalenko et ses sbires – ils étaient huit au total, John pouvait le constater à présent – mirent tous les mains en l'air.

C'était qui, ce nouveau clown, bordel ? se demanda Clark. Il était déjà tombé de Charybde en Scylla. Pouvait-il y avoir pire ?

Valentin et son équipe furent conduits hors de l'entrepôt, le type en civil bougonna dans sa barbe, puis il sortit à son tour, ne laissant à l'intérieur qu'une partie des troupes. L'hélico redécolla une minute plus tard.

Celui resté en vol stationnaire s'éloigna à son tour.

Derrière la rangée de soldats restés dans l'entrepôt, un homme mince fit son apparition. Cheveux taillés en brosse, visage creusé de rides profondes, il devait être proche de la soixantaine et sous ses lunettes à fine monture métallique pétillait un regard plein d'intelligence. À sa silhouette, on l'imaginait sans peine courir dix kilomètres chaque matin avant le petit déjeuner.

John Clark eut l'impression de voir son portrait tout craché, simplement vêtu à la Russe.

Sauf que ce n'était pas son double. Il le connaissait.

L'homme s'approcha de lui et ordonna à l'un des militaires de trancher ses liens. Il en profita pour se présenter. « Monsieur Clark. Mon nom est Stanislas Birioukov. Je suis...

– Vous êtes le directeur du FSB.

– En effet.

– Alors, c'est juste la relève de la garde, en somme ? »

L'homme du FSB hocha vigoureusement la tête. « *Niet*. Bien sûr que non. Je ne suis pas venu pour poursuivre cette folie. »

Clark le fixa sans rien dire.

L'autre poursuivit : « Mon pays a un sérieux problème et nous nous voyons contraints de faire appel à votre expertise. Dans le même temps, nous sommes conscients que vous êtes ici, ici même en Russie, et que vous semblez avoir vous aussi comme un petit problème. C'est le destin qui nous réunit aujourd'hui, John Clark. J'espère que nous pourrons rapidement trouver une solution à notre avantage réciproque. »

Clark essuya la sueur de son front d'un revers de sa main valide. « Continuez.

— Il s'est produit un incident terroriste au Kazakhstan, concernant notre base spatiale de Baïkonour. »

Clark n'avait pas la moindre idée de ce qui se passait au-delà de son champ visuel. « Un incident terroriste ?

— Oui. Un événement épouvantable. Deux missiles dotés de têtes nucléaires sont tombés aux mains de terroristes du Caucase et ils disposent des personnels et du savoir-faire pour les lancer. Nous avons demandé l'aide de votre ancienne organisation : je ne parle pas de la CIA mais de Rainbow. Hélas, les responsables actuels de cette unité s'estiment mal préparés pour affronter un problème de cette envergure.

— Appelez la Maison Blanche. »

Birioukov haussa les épaules. « Nous l'avons fait. Edward Kealty nous a dépêchés pour nous sauver quatre bonshommes munis d'un ordinateur portable. Ils sont en ce moment au Kremlin. Ils n'ont même pas cru bon de passer par le Kazakhstan.

— Alors, que faites-vous ici ?

— Rainbow a déjà pris position sur zone. Quarante hommes. »

Clark se répéta : « Que faites-vous ici ?

— J'ai demandé à mon président de prier Rainbow d'accepter que vous en preniez, à titre temporaire, le commandement pour cette opération à Baïkonour. Les Forces spéciales russes vous assisteront de toutes les façons possibles. *Idem* pour l'aviation. En fait, vous aurez toute l'armée russe à votre disposition ». Après un temps, il précisa : « Nous devrons passer à l'action dès demain soir.

– Vous me demandez, à moi, de vous aider ? »

Stanislas Birioukov hocha lentement la tête. « Je vous en conjure, monsieur Clark. »

Clark arqua un sourcil et considéra le patron du FSB. « Si vous faites appel à mon amour de la Russie éternelle pour empêcher une attaque contre Moscou, ma foi, désolé, camarade, mais vous me prenez un mauvais jour. Mon inclination première serait d'approuver le gars qui a le doigt sur le bouton, là-bas au Kazakhstan.

– Je le comprends, au vu des circonstances actuelles. Mais je sais également que vous le ferez. Vous voudrez sauver des millions de vies humaines. Il ne vous faudra rien de plus pour accepter d'endosser ce rôle, mais j'ai reçu du président Rytchkov l'autorisation de vous accorder tout ce que vous voudrez. N'importe quoi. »

John Clark regarda le Russe. « Pour l'instant, je me contenterai d'une poche de glace. »

Birioukov se comportait comme s'il venait juste de remarquer la main fracturée et toute gonflée. Il appela les hommes derrière lui et, très vite, un adjudant muni d'une trousse médicale s'approcha et commença par dérouler la serviette. Il plaça des packs de gel sur les blessures, puis remit délicatement en place les doigts déboîtés. Enfin, il entreprit d'envelopper toute la main – poches de glace comprises – sous un pansement compressif.

Pendant qu'il s'activait, Clark, entre deux gémissements de douleur, énonça ses exigences :

« Voici ce que je vous demande. Vous révélez à la presse comment Kovalenko a comploté avec Paul Laska pour renverser le gouvernement Ryan grâce à des allégations sur mon compte. Le gouvernement russe prend entièrement ses distances avec lesdites allégations et rend publiques les preuves que je détiens sur Laska et ses associés.

– Bien entendu. Kovalenko nous a tous mis en bien mauvaise posture. »

Les deux hommes se dévisagèrent en silence avant que Clark ne reprenne : « Je ne vais pas me contenter de vos promesses. Je connais un gars au *Washington Post*. Bob Holtzman. Coriace, mais honnête. Vous pouvez demander à votre ambassadeur de le rencontrer, ou mieux, vous pouvez l'appeler vous-même. Mais c'est un préalable indispensable si vous voulez que je vous aide à vous sortir de ce beau merdier. »

Stanislav Birioukov acquiesça. « Je vais contacter le bureau du président Rytchkov et veiller à ce que ce soit fait aujourd'hui même. » Puis il contempla les instruments de torture disposés sur la table. « Soit dit entre nous, entre deux hommes qui en ont vu bien plus que tous ces jeunots qui se poussent du col… je tiens à vous présenter mes excuses pour ce que vous a fait subir le SVR. Le FSB n'avait absolument rien à voir avec cette opération. Je compte sur vous pour en faire part à votre nouveau président. »

Clark répondit à cette requête par une question : « Quel va être le sort de Valentin Kovalenko ? »

Birioukov haussa les épaules. « Moscou est un endroit dangereux, même pour un dirigeant du SVR. Son opération, cette initiative personnelle parfaitement condamnable est une honte pour notre pays. Ses actes vont attirer sur lui les foudres de nos plus hauts responsables. Sans préjuger de rien, il se pourrait qu'il soit victime d'un accident.

– Je ne vous demande pas de liquider Kovalenko. Je suggère simplement qu'il ait un petit problème lorsqu'il découvrira que j'ai été libéré par le FSB. »

Birioukov sourit. À l'évidence, le sort de Valentin Kovalenko était le cadet de ses soucis. « Monsieur Clark. Quelqu'un doit bien endosser la responsabilité de la Russie dans cette pénible affaire. »

John oublia ce problème. Il n'allait pas se lamenter sur le sort de Kovalenko. Il y avait avant tout des milliers d'innocents qui méritaient son aide.

Cinq minutes plus tard, John Clark et Stanislav Birioukov montaient dans un hélico. On avait aidé John à marcher après que le toubib eut appliqué poches de glace et bandages serrés autour de ses côtes brisées. Alors que l'appareil décollait dans la nuit, l'Américain se pencha vers le chef du FSB. « Il me faut un avion pour rallier Baïkonour au plus vite, ainsi qu'un téléphone satellite. J'aurai besoin d'appeler un ancien collègue de Rainbow pour le faire venir ici. Si vous pouviez accélérer les formalités de délivrance de visa, ce serait bien pratique.

– Dites-lui juste de se rendre directement à Baïkonour. Je contacterai moi-même les autorités douanières du Kazakhstan. Il pourra entrer dans le pays sans délai, je vous le promets. Nous le retrouverons tous les deux là-bas. Dans l'intervalle, Rytchkov aura négocié votre réintégration temporaire à la tête de Rainbow. »

76

CHAVEZ, Ryan et Caruso retrouvèrent Mohammed al-Darkur peu après s'être posés sur l'aéroport international Allama Iqbal de Lahore, la capitale du Pendjab. Les Américains constatèrent avec plaisir que le commandant de l'ISI s'était à peu près remis de sa blessure à l'épaule, même s'il était manifeste, à la raideur de ses mouvements, qu'il avait encore quelques petits problèmes.

« Comment va Sam ? » demanda d'emblée Mohammed alors qu'ils grimpaient dans le minibus de l'ISI.

« Il va s'en tirer, répondit Chavez. L'infection est maîtrisée, les blessures cicatrisent, il se dit opérationnel à cent pour cent mais nos responsables ne veulent pas entendre parler d'un retour immédiat au Pakistan.

– Ce n'est vraiment pas le moment, pour qui que ce soit. Surtout à Lahore.

– Quelle est la situation ? »

Le minibus se dirigeait vers la sortie de l'aéroport. En plus du chauffeur, Mohammed était venu avec un autre homme. Celui-ci se mit à distribuer aux Américains des pistolets Beretta 9 millimètres tandis que Mohammed répondait : « Elle s'aggrave d'heure en heure. La ville a près de dix millions d'habitants et tous ceux qui peuvent fuir le font. Nous ne sommes qu'à quinze kilomètres de la frontière et les gens s'attendent à tout moment à une invasion indienne. On annonce déjà que, de chaque côté, l'artillerie a pris position.

« Nos chars ont déjà investi la ville, vous pourrez le constater par vous-mêmes. Des barrages de police et des points de contrôle de l'armée ont été établis, le bruit court que des agents étrangers seraient dans la place, mais nous n'aurons aucun problème pour passer.

– Une raison de croire à cette présence d'espions indiens ?

– Peut-être. L'agitation règne là-bas. En l'occurrence, c'est compréhensible. Le renseignement extérieur interservices a fomenté une véritable crise internationale, nous sommes au bord du gouffre et je ne sais pas si nous pourrons éviter d'y sombrer.

– Votre gouvernement est-il sur le point de tomber, demanda Caruso, surtout maintenant qu'il est apparu que les bombes étaient aux mains de terroristes daghestanais ?

– Pour faire court, Dominic, oui. Peut-être pas aujourd'hui ou dans la semaine, mais certainement d'ici peu. Pour commencer, notre Premier ministre est faible. Je m'attends à ce que les militaires le déposent pour, selon leurs termes, "sauver le Pakistan".

– Où se trouve Rehan, à présent ? intervint Chavez.

– Dans un appartement de la Ville fortifiée – la vieille ville de Lahore – près de la mosquée Dorée. Son entourage est réduit. Rien que son assistant, le colonel Saddiq Khan, et deux gardes, pensons-nous.

– Une idée de ce qu'il mijote ?

– Pas la moindre, sauf à rencontrer des terroristes de Lashkar. La ville est un fief de LiT et, par le passé, il a recouru à ce mouvement pour effectuer des incursions de l'autre côté de la frontière. Mais honnêtement, Lahore me semble être aujourd'hui le dernier endroit pour lui où séjourner. La ville n'est pas un bastion du fondamentalisme comme peuvent l'être Quetta, Karachi ou Peshawar. J'ai deux agents en planque près de son domicile, donc, s'il a quelque raison d'en bouger, nous pourrons toujours tenter de le suivre. »

Al-Darkur conduisit les Américains dans un appartement proche. Ils venaient tout juste de s'installer quand le mobile de Chavez sonna.

« Ding en fréquence.

– Eh ! (C'était John Clark.)

– John ? Tu vas bien ?

– On fait aller. Tu te souviens de ta promesse, au cas où j'aurais besoin de toi, d'accourir aussitôt ?

– Bien sûr que oui.

– Alors, saute dans un avion, *presto*. »

Chavez regarda les deux jeunes agents. Ils allaient devoir se débrouiller sans lui, mais il était hors de question qu'il laisse tomber Clark. « Destination ?

– Sous les sunlights. »

Et merde, se dit Chavez. « Le cosmodrome ?

– J'en ai peur. »

C'est un John Clark vêtu d'un treillis russe et d'un lourd pardessus qui descendit de l'hélicoptère posé sur le parking de l'hôtel Spoutnik. Ses pansements témoignaient de soins professionnels et Birioukov avait veillé à ce qu'un chirurgien orthopédique les accompagne depuis Moscou pour soigner les blessures de l'Américain.

Lequel souffrait le martyre. John était convaincu que cette main allait se rappeler à lui jusqu'à la fin de ses jours, même après les Dieu sait combien d'opérations nécessaires pour reconstituer le puzzle, mais enfin bon, il serait bien temps de s'en soucier.

À son arrivée, la neige tombait dru. Il était huit heures du matin au Kazakhstan et sa première impression de l'hôtel Spoutnik fut celle d'une immense pagaille. Une tripotée d'organisations civiles et militaires avaient constitué leurs petites enclaves indépendantes dans et hors les murs, et il semblait qu'il n'y avait personne pour tenir la boutique.

Entre le moment où il descendit de l'hélico et celui où il pénétra dans l'hôtel, tout le monde s'était immobilisé pour le regarder les yeux ronds. Certains parce qu'il était l'ancien commandant de Rainbow et qu'il venait reprendre les manettes. D'autres parce que c'était John Clark, le fugitif traqué par toutes les polices, recherché aux États-Unis pour une série de meurtres. D'autres enfin, simplement frappés par l'image de détermination et d'autorité qui émanait de lui. Mais tous avaient noté le visage couvert d'ecchymoses, le bleu à la mâchoire et les yeux au beurre noir, et cette main droite engoncée dans un gros plâtre blanc.

Stanislas Birioukov marchait à ses côtés et plus d'une douzaine d'agents du FSB et du groupe Alpha les suivaient alors qu'ils traversaient le hall de l'hôtel. Dans le large couloir menant à la salle de conférences principale, militaires, diplomates et scientifiques de haut niveau s'effacèrent pour laisser passer la procession.

Birioukov entra sans frapper. Il s'était entretenu avec le président Rytchkov quelques minutes avant l'atterrissage à

Ioubileinaya et, pour ce qui le concernait, il estimait avoir désormais toute l'autorité nécessaire pour agir ici à sa guise.

Le centre de commandement avait été prévenu de l'arrivée de l'Américain et du patron du FSB, aussi les principaux responsables étaient-ils déjà assis et prêts à discuter. Clark et Birioukov furent conviés à s'asseoir autour de la table mais les deux hommes préférèrent rester debout.

Le directeur du renseignement russe prit aussitôt la parole. « J'ai parlé directement au Président. Il a discuté avec les commandants de l'OTAN au sujet de Rainbow. »

L'ambassadeur de Russie au Kazakhstan hocha la tête. « Moi-même, je l'ai eu également au téléphone, Stanislas Dimitrievitch. Permets-moi de t'assurer – et de dire à monsieur Clark – que nous sommes pleinement conscients de la situation et nous mettons à votre service.

– Et moi de même », lança le général Lars Gummesson en entrant dans la salle. Clark l'avait croisé au temps où il était encore colonel des Forces spéciales suédoises, mais il ne savait pas grand-chose de lui, sinon bien sûr qu'il était l'actuel chef de Rainbow. Il s'était attendu à quelques frictions, bien naturelles lorsqu'on se voit contraint de céder le commandement, mais l'officier de haute taille adressa à Clark un salut impeccable, non sans une certaine curiosité toutefois devant les blessures de cet homme plus âgé que lui. « J'ai eu le commandement de l'OTAN et il m'a expliqué que vous dirigeriez Rainbow pour cette opération. »

Clark opina. « Si vous n'avez aucune objection.

– Aucune, monsieur. Je suis aux ordres de mon gouvernement comme je suis aux ordres de l'OTAN. Ils ont décidé de me remplacer. Votre réputation vous précède et je m'attends à en apprendre beaucoup au cours des prochaines vingt-quatre heures. Du temps où Rainbow montait réelle-ment au front, soit en fait du temps où vous exerciez le com-mandement, je suis sûr que vous avez appris bien des choses qui nous seront utiles dans les heures qui viennent. J'espère participer au combat de ce soir, selon les modalités que vous aurez décidées. » Puis Gummesson termina par un : « Mon-sieur Clark, jusqu'à la résolution de cette crise, Rainbow est à vous. »

Clark acquiesça, à coup sûr pas aussi ravi d'endosser cette responsabilité que ne l'était le général suédois de s'en défaire. Mais il n'avait pas le temps de s'appesantir sur son sort. Il se mit d'emblée au travail pour la mission. « Il me faudrait les plans du PC de tir et des silos à missiles.

– Vous les aurez sans tarder.

– J'aurai besoin d'envoyer des éclaireurs pour me faire une idée précise de la disposition des cibles.

– Je l'avais prévu. Dès avant l'aube, nous avons introduit trois groupes de deux hommes jusqu'à moins de mille mètres de chacun des trois sites. Nous disposons de liaisons radio fiables et de vidéos en direct.

– Excellent. Combien de membres de Sharia Jamaat sur chaque site ?

– Depuis le lancement au 109, ils ont renforcé leurs posi-tions. Il semble y avoir désormais de huit à dix cibles enne-mies autour de chaque silo. Quatre de plus dans un bunker près de la route d'accès au site de lancement des Dniepr. Nous ignorons combien ils sont au PC de tir. De loin, on a pu identifier un homme sur le toit mais ça ne veut rien dire. Le poste de commandement est en gros un bunker, nos moyens ne nous permettent pas de voir à l'intérieur. Si nous l'attaquons, ce sera à l'aveuglette.

– Pourquoi ne peut-on pas utiliser des missiles sol-air pour abattre les fusées au moment du lancement ? »

Gummesson hocha la tête. « Quand elles sont tout près du sol, c'est encore possible, mais nous n'avons pas réussi à approcher suffisamment nos équipements pour pouvoir les neutraliser avant qu'elles n'aient pris trop de vitesse pour nos roquettes. Le problème est identique avec les missiles air-air des avions.

– C'eût été trop facile. Je m'en doutais un peu, concéda Clark. Nous aurons également besoin d'un poste de commandement. Où est le reste des hommes ?

– Nous avons une grande tente dehors, pour le CCC. » Le poste de communications, commande et contrôle serait le PC opérationnel de Rainbow. « Une deuxième abrite le matériel et les hommes sont cantonnés dans la troisième.

– Bien, fit Clark. Alors allons-y. »

Clark et Gummesson continuèrent de discuter en sortant avec Birioukov et plusieurs officiers du groupe Alpha pour regagner le parking. À peine avaient-ils rejoint le hall de l'hôtel que Domingo Chavez entra par la porte principale. Ding était en jean et chemise de coton, ni chapeau ni pardessus, malgré la température glaciale.

En s'approchant du groupe, Chavez remarqua la présence de son beau-père. Mais bien vite, son sourire disparut. Il étreignit son aîné avec précaution, mais dès qu'il se fut écarté, il laissa échapper sa colère. « Bon Dieu, John ! Mais enfin, qu'est-ce qu'ils t'ont fait, bordel ?

– Je vais bien.

– À d'autres ! » Chavez se tourna brusquement vers Birioukov et les autres Russes mais il s'adressait toujours à John. « Qu'est-ce que tu dirais de laisser ces Russes aller se faire foutre et de rentrer à la maison, de t'allonger dans un canapé, d'allumer la télé et de regarder Moscou se faire ratiboiser complètement ? »

L'un des Spetsnaz, un grand gaillard très certainement anglophone, s'approcha de Chavez mais le petit Latino ne se laissa pas intimider. « Va te faire foutre. »

Clark se vit contraint de jouer les bons offices. « Ding. C'est OK. Ces gars ne m'ont rien fait. C'est l'œuvre d'un électron libre du SVR avec sa bande. »

Chavez ne bougea pas d'un pouce, mais en fin de compte, il dodelina du chef. « Bon, ça va. Et j'imagine qu'on n'a pas le choix. Alors, allons leur sauver la peau. »

77

À NEUF HEURES DU MATIN, Mohammed al-Darkur vint frapper à la porte de l'appartement de Ryan et Dominic. Les Américains étaient déjà debout et buvaient du café. Ils en versèrent une tasse au commandant pakistanais tandis qu'il leur donnait les dernières nouvelles.

« Il y a eu du nouveau depuis hier. Des tirs d'artillerie indiens ont touché le village de Wahga, à l'est de Lahore, tuant trente civils. L'armée pakistanaise a riposté en tirant vers l'Inde. Nous ignorons encore l'étendue des dégâts. Quelques kilomètres plus au nord, des obus ont endommagé une mosquée. »

Ryan inclina la tête. « Bizarre, quand même, que Rehan, celui-là même qui orchestre le conflit, se trouve justement dans les parages.

— Nous ne pouvons exclure sa responsabilité dans ces actes, observa le commandant. Des forces pakistanaises dissidentes pourraient tirer sur leur propre pays afin de déclencher une escalade.

— C'est quoi, le plan pour aujourd'hui ? s'enquit Caruso.

— Si Rehan quitte son appartement, on le suit. Si quelqu'un vient lui rendre visite, on le suit tout pareil quand il ressort.

— C'est tout simple », répondit Dom.

Assis, solitaire, au second étage de la cafétéria du PC de tir, Georgi Safronov terminait son petit-déjeuner : du café, une soupe aux pommes de terre lyophilisée et une cigarette. Il était vidé mais il n'allait pas tarder à retrouver son énergie, il le savait. Il avait passé l'essentiel de son temps depuis l'aube à donner des interviews téléphoniques à quantité de chaînes d'information, d'Al-Jazeera à Radio La Havane, pour porter le message de la détresse du peuple daghestanais. C'était un travail nécessaire, il devait exploiter cet événement sur tous les plans pouvant contribuer à sa cause, mais de toute sa vie, jamais il n'avait travaillé si dur que depuis ces derniers mois.

La cigarette aux lèvres, il regardait la télé fixée au mur. Un bulletin d'informations montrait, au nord de la Caspienne, des forces blindées russes en train de quitter le Daghestan. Le commentateur indiquait que, selon des sources officielles, la Russie déniait toute relation entre ces manœuvres et la situation au cosmodrome, mais Safronov savait bien que, comme avec la plupart des nouvelles diffusées par la télévision russe, il s'agissait d'un mensonge éhonté.

Plusieurs de ses hommes avaient vu eux aussi le reportage sur le téléviseur d'un bureau du rez-de-chaussée, et ils se précipitèrent dans la cafétéria pour embrasser leur chef. Les larmes lui vinrent devant l'émotion de ces combattants qui ravivait sa ferveur nationaliste. Il avait désiré ce moment toute sa vie, bien avant qu'il ait pu donner un nom à ce sentiment de détermination, de pouvoir sans limites.

L'ivresse de se donner à plus grand que vous.

Ce jour était le plus beau de la vie de Georgi Safronov.

Un message dans l'interphone signala que Magomed Dagostani – son nom de guerre – était demandé au PC de tir pour un appel. Il supposa qu'il devait s'agir de l'entretien prévu avec le commandant Nabiyev et il quitta rapidement la cafétéria. Il avait hâte de parler au prisonnier et de prendre des dispositions pour son arrivée. Il redescendit au premier par l'escalier de service, puis pénétra dans le PC de tir par l'accès sud. Il s'assit, coiffa son casque et prit la communication.

C'était le PC de crise du Kremlin. Vladimir Gamov, le directeur de l'agence spatiale russe, était au bout du fil. Georgi se dit que ses relations familiales avec Gamov étaient la seule raison de l'appel de ce moulin à paroles gâteux. Comme si ça faisait une différence. « Georgi ?

– Gamov, j'ai demandé à être appelé autrement.

– Excuse-moi, je suis désolé, Magomed Dagostani. C'est juste que je te connais sous ce nom de Safronov depuis les années soixante-dix.

– Alors, on nous a induits en erreur tous les deux. Vas-tu me passer Nabiyev ?

– Oui, tout à l'heure. Mais auparavant, je voulais te tenir au courant des mouvements de troupes dans le Caucase. Je serai clair. Nous avons commencé mais il nous reste encore plus de quinze mille hommes, rien qu'au Daghestan. Le double en Tchétchénie et plus encore en Ingouchie. Beaucoup sont en permission, en patrouille ou en cours d'exercice et, de ce fait, éloignés de leurs bases. Il nous est tout bonnement impossible de rapatrier l'ensemble du contingent en une seule journée. Une partie est évacuée par la voie des airs depuis l'aéroport civil et la base aérienne, mais l'opération ne sera pas terminée dans les délais. Si tu peux nous laisser encore un jour et une nuit, tu pourras constater la sincérité de notre engagement. »

Pour sa part, Safronov ne s'engageait à rien du tout. « Je vais vérifier avec mes propres sources pour m'assurer que ce n'est pas un simple effet d'annonce. Si vous déplacez bel et bien vos unités vers le nord, alors, je peux envisager de prolonger le délai d'une journée. Je ne promets rien, Gamov. Et maintenant, passe-moi le commandant Nabiyev. »

Georgi se trouva bientôt en communication avec le jeune chef de l'aile militaire de ses troupes. Nabiyev l'informa que ses ravisseurs lui avaient indiqué qu'il serait livré à Baïkonour dans la soirée.

Georgi en pleura des larmes de joie.

Clark, Chavez, Gummesson et les stratèges de Rainbow passèrent toute la journée dans la tente surchauffée, installée sur le parking de l'hôtel Spoutnik, à réviser les schémas, les cartes, les photos et autres données susceptibles de les aider à préparer leur attaque du cosmodrome.

Dès midi, Clark avait trouvé des idées originales qui n'étaient pas encore venues à l'esprit des Forces spéciales russes et, à quinze heures, Chavez et Clark avaient élaboré un plan d'attaque devant lequel s'extasièrent les agents de Rainbow, des hommes auxquels on avait depuis dix-huit mois inculqué une mentalité d'aversion du risque. Ils firent une brève pause, puis chaque groupe d'assaut se réunit pour s'organiser tandis que Clark et Chavez donnaient leurs directives aux pilotes de l'armée de l'air russe.

À dix-neuf heures, Chavez s'allongea sur un lit de camp pour prendre une heure et demie de repos. Il était fatigué, mais déjà surexcité à la perspective de la soirée qui s'annonçait.

Georgi Safronov apprit qu'Israpil Nabiyev arriverait à bord d'un hélicoptère de transport de l'armée russe aux alentours de vingt-deux heures trente. Après s'être concerté avec les trente-quatre rebelles survivants, l'entrepreneur aérospatial daghestanais devenu terroriste indiqua à Gamov de quelle manière s'effectuerait le transfert. Ses directives étaient précises, pour éviter toute entourloupe de la part des Russes. Il voulait que l'hélico du commandant Nabiyev se pose tout au bout du parking attenant au PC de tir et que Nabiyev parcoure, seul, les soixante-dix mètres le séparant de l'entrée principale du bâtiment. Durant tout ce temps, il serait éclairé par des projecteurs disposés sur le toit. Il y aurait également des tireurs d'élite, sur le toit et autour de l'entrée, pour garantir que personne d'autre ne descendait de l'hélico.

Gamov coucha sur le papier toutes les consignes, puis il conféra avec son centre de crise, qui accepta toutes les requêtes de Safronov. Ils y mirent toutefois une condition : que tous les otages étrangers soient libérés au moment où Nabiyev descendrait de l'hélicoptère.

Safronov flaira un piège. « Mon cher directeur, s'il te plaît, pas de coup fourré. Je réclame une liaison vidéo directe de l'intérieur de l'hélicoptère aux écrans du PC de tir. Je désire également une liaison radio directe avec le commandant Nabiyev durant tout le temps du vol entre l'aéroport et le PC. S'il vous prend l'idée saugrenue d'entasser vos soldats dans l'hélico, je le saurai aussitôt. » Gamov suspendit à nouveau la conversation pour discuter avec les autres, mais revenu au bout du fil, il accéda aux deux exigences et permit à Safronov de s'assurer, entre autres, que l'appareil volerait avec un équipage réduit et seulement quelques hommes pour accompagner le commandant daghestanais.

Satisfait, Georgi raccrocha avant d'informer ses partisans de ces dispositions.

Même à neuf heures du soir, le chaos régnait encore dans les rues de Lahore. Jack et Dominic patientaient, assis dans un restau rapide, à quatre cents mètres de la mosquée dans laquelle avaient pénétré Rehan et son entourage. Al-Darkur avait envoyé un de ses hommes à l'intérieur du lieu de culte pour continuer à surveiller le général, et le commandant s'était rendu en personne au poste de police le plus proche pour y réquisitionner des fusils et des gilets pare-balles. Il avait de plus contacté un ami, capitaine d'une unité du SSG postée à proximité, lui demandant son assistance pour une opération de renseignement en ville mais, fait inexplicable, les hommes des services spéciaux avaient reçu l'ordre strict de rester cantonnés dans leur base.

Ryan et Dom regardaient les infos diffusées par un téléviseur posé sur le comptoir. Ils guettaient des nouvelles des derniers événements du Kazakhstan mais pour l'heure, en tout cas, le bulletin ne parlait que de politique intérieure.

Ils venaient de terminer leur poulet grillé et sirotaient leur Coca quand une explosion soudaine ébranla toute la rue. Les vitres tremblèrent, mais sans se casser.

Les deux Américains se ruèrent dehors pour voir de quoi il retournait mais à l'instant précis où ils sortaient, une seconde explosion, celle-ci bien plus proche, faillit les jeter au sol.

Ils pensèrent aussitôt à un double attentat mais c'est alors qu'ils entendirent un bruit infernal évoquant celui, terriblement amplifié, d'une feuille de papier qu'on déchirerait devant un micro. S'ensuivit le fracas d'une nouvelle explosion, encore plus proche que les deux précédentes.

« Ça se rapproche, cousin ! » lança Dominic et tous deux se joignirent à la foule qui déjà prenait la fuite.

Un nouveau bruit déchirant qui se termina par une quatrième explosion, celle-ci à un pâté de maisons vers l'est, fit dévier la cohue vers le sud.

Jack et Dom cessèrent de courir. « Entrons nous abriter quelque part, dit Ryan. On n'a plus trop le choix. » Ils pénétrèrent dans une banque et s'éloignèrent le plus possible des ouvertures. Il survint encore une demi-douzaine d'explosions – dont certaines lointaines et presque inaudibles. Leur succéda bientôt le bruit des sirènes et le crépitement, au loin, de rafales d'armes automatiques.

« Merde ! La guerre vient-elle de commencer ? » demanda Dom, mais Jack estima plus probable que c'étaient les soldats pakistanais qui devenaient nerveux.

« Comme le disait Darkur, il pourrait bien s'agir de batteries pakistanaises alliées à Rehan qui se sont retournées contre les forces loyalistes.

– Putains de barbus », gronda Dom.

Dehors, des blindés légers de l'armée pakistanaise fonçaient dans la rue au beau milieu de la circulation.

Le téléphone de Jack vibra. Il répondit.

C'était al-Darkur. « Rehan vient de ressortir ! »

Rehan quitta la mosquée à vingt et une heures – pile à l'heure de pointe dans la ville engorgée. La cohue des fugitifs s'ajoutait au flot des banlieusards retournant chez eux, alors que, dans le même temps, les troupes et les blindés de l'armée pakistanaise convergeaient en sens inverse.

Au début, Ryan, Caruso, al-Darkur et deux des subordonnés du commandant eurent toutes les peines du monde à pister le général et son entourage, mais ce fut plus facile une fois que la petite troupe eut fait halte sur un parking de Canal Bank Road pour y retrouver trois voitures remplies de jeunes barbus en civil.

« Ils doivent être une bonne douzaine, observa Ryan. Si l'on y ajoute Rehan et ses hommes, ça nous fait seize.

– En effet, convint le commandant. Et ces nouveaux venus n'ont pas l'air d'appartenir à l'armée ou à l'ISI. Je parie que ce sont des militants de Lashkar.

– Mohammed, si on doit se colleter avec seize méchants, j'aimerais mieux avoir un peu plus de puissance de feu.

– Je vais nous arranger ça, pas de souci. »

Sur quoi, le commandant saisit son téléphone mobile.

78

CLARK ET CHAVEZ étaient au pied d'un Antonov 72 de l'armée de l'air russe garé sur le tarmac de l'aéroport de Krayniy, près de la ville de Baïkonour, soit à quarante kilomètres au sud de la base de lancement des Dniepr, et soixante au sud de l'aéroport de Ioubileinaya. Les moteurs du gros avion-cargo faisaient un bruit assourdissant, même au ralenti.

Quatre hélicoptères Mi-17, un Mi-8, plus petit, et un énorme Mi-29 étaient parqués à proximité. Il régnait une grande agitation autour des machines, pour les ravitailler et les charger, sous les projecteurs alimentés par des groupes électrogènes.

Une neige fine tourbillonnait autour des deux seuls Américains présents sur le terrain.

« Nabiyev est-il déjà arrivé ? demanda Ding.

– Ouaip, répondit John. Il est à Ioubileinaya. Ils doivent le transférer à vingt-deux heures trente.

– Bien. »

Chavez était vêtu de pied en cap de Nomex noir. Il avait un casque sur la tête, duquel pendait un masque à oxygène. Barrant sa poitrine, un pistolet-mitrailleur HK UMP de calibre 40 et, dans une pochette, une série de chargeurs.

Même muni d'un silencieux, le canon du SMG était à peine plus large que les épaules du Latino, une fois la crosse repliée.

Domingo Chavez se retrouvait équipé comme au bon temps de Rainbow, sauf que, cette fois-ci, il avait renoncé à son indicatif habituel. Le chef de son ancienne unité était présent et actif, si bien que son indicatif « Rainbow deux » n'était pas disponible. Les responsables des transmissions lui attribuèrent donc celui de « Romeo deux ». Certains, par manière de plaisanterie, prétendirent que le « R » venait de ce que Domingo était retraité mais ça ne le dérangeait pas. Ils pourraient bien l'appeler comme ça leur chantait, il avait d'autres soucis en tête.

« Tu veux un coup de main pour enfiler ton parachute ? proposa Clark.

– En tout cas, pas de toi, empoté », rétorqua Ding.

Les deux hommes eurent un sourire contraint. L'heure n'était pas à la rigolade. Chavez ajouta : « Le *loadmaster*[1] s'occupera de me harnacher. » Puis, après une hésitation, il ajouta : « T'as fait un sacré bon boulot sur cette opération, John. N'empêche... on risque de perdre un tas de gars. »

Clark acquiesça, puis il détourna la tête vers les hélicos à bord desquels embarquaient les hommes de Rainbow. « Je crains que tu n'aies raison. Tout se jouera sur la promptitude, l'effet de surprise et la violence de l'attaque.

– Sans oublier le facteur chance. »

John opina derechef puis il voulut tendre le bras pour serrer la main de son gendre. Il s'arrêta, conscient soudain

---

1. Dans l'aviation, homme chargé de répartir convenablement la charge utile et/ou le personnel à bord d'un cargo, il est également responsable de la coordination des largages (parachutage humain, parachutage de matériel).

qu'avec son pansement, ça n'allait pas être pratique. Il tendit la main gauche.

« C'est douloureux ? » demanda Ding.

Clark haussa les épaules. « Les côtes cassées font oublier la main en compote. Et vice versa.

– Alors, t'es verni, c'est ça ?

– Comme jamais. »

Les deux hommes s'étreignirent chaleureusement.

« On se revoit quand c'est fini, Domingo.

– Je veux, John ! »

Une minute plus tard, Chavez était à bord de l'Antonov 72 ; cinq minutes encore et Clark avait embarqué dans l'un des Mi-17.

Al-Darkur, Ryan et Caruso suivirent Rehan, son entourage et les hommes de Lashka jusqu'à la gare principale. La ville était en état d'alerte, ce qui aurait dû impliquer barrages de contrôle, mise en œuvre du couvre-feu et autres dispositions analogues, mais Lahore était une ville de dix millions d'habitants et tous, quasiment, étaient convaincus qu'elle serait le lieu d'affrontements sitôt la nuit tombée, de sorte que c'était moins l'ordre que le chaos qui régnait dans les rues.

Ryan et Dominic étaient installés avec le commandant à l'arrière du minibus. Al-Darkur avait distribué des gilets pare-balles de la police et de gros fusils G3 à tous les occupants. Il était équipé de même.

De nombreux incendies avaient éclaté dans la ville après les premiers tirs de barrage d'artillerie mais ceux-ci s'étaient interrompus. La panique allait causer d'autres victimes, Jack en était certain, car il avait vu des dizaines de carambolages et quantité de rixes et de bousculades autour de la gare.

Rehan et son convoi de quatre véhicules arrivaient aux abords de celle-ci quand soudain la voiture qui fermait la marche devant eux s'immobilisa, bloquant toute circulation. Les autres continuèrent de foncer au milieu de la foule contrainte de s'écarter en hâte.

« Merde ! » s'exclama Ryan. Il craignait de perdre leur homme dans l'embouteillage. Une demi-douzaine de voitures étaient bloquées derrière l'automobile arrêtée et c'est tout juste s'ils purent entrevoir le toit des premiers véhicules du convoi en train de tourner vers l'est pour s'engager dans les emprises de la gare.

« On est habillés comme des flics, observa al-Darkur. On va continuer à pied, mais tâchez d'agir en conséquence. »

Sur ces mots, Mohammed al-Darkur et ses deux hommes descendirent, suivis des Américains. Ils abandonnèrent le minibus au beau milieu de la rue, dans une cacophonie de coups de klaxon d'usagers furieux.

Ils zigzaguèrent entre les voitures, puis remontèrent sur le trottoir pour piquer un sprint vers le convoi, à nouveau ralenti par la foule compacte entourant la gare.

Rehan et ses hommes fendirent la cohue avant de s'engager sur une rampe d'accès qui rejoignait une piste traversant quinze voies pour desservir un vaste ensemble de quinze hangars à toiture métallique situé de l'autre côté, au nord, à quatre cents mètres du bâtiment des voyageurs.

Al-Darkur et ses hommes toujours en tête, les deux Américains fermant la marche, le petit groupe emprunta la passerelle pour piétons qui enjambait les voies, parallèlement à la piste. En contrebas, les quatre véhicules s'arrêtèrent le long d'une rame de voitures rouillées garées un peu à l'écart, sur la dernière voie du faisceau, le long d'un entrepôt.

Toujours sur la passerelle, al-Darkur et les autres s'arrêtèrent et virent les seize hommes descendre des véhicules et pénétrer dans le bâtiment.

Loin au sud, leur parvint le grondement d'un nouveau barrage d'artillerie.

D'une voix essoufflée après cette course poursuite, Ryan observa : « Il faut qu'on trouve une meilleure position pour surveiller ce hangar. »

Al-Darkur les conduisit alors vers un bâtiment voisin au premier étage duquel ils s'installèrent.

Tandis qu'al-Darkur confiait à ses deux agents la tâche de surveiller l'escalier, Ryan et Caruso allèrent se poster à une fenêtre donnant sur les voies. Ryan sortit de son sac les jumelles infrarouges et scruta les alentours. Des silhouettes fantomatiques évoluaient entre les rames garées, marchant ou courant, escaladant les clôtures et zigzaguant entre les voies pour rejoindre les quais des voies principales.

C'étaient des civils, des habitants de Lahore qui cherchaient désespérément à fuir les combats.

Ryan étudia ensuite l'entrepôt et repéra un homme, immobile à une fenêtre du premier. Ce devait être une sentinelle.

Une minute plus tard, une autre lueur blanche apparut à la fenêtre située à l'angle opposé du bâtiment.

Il passa les jumelles à son cousin.

Al-Darkur prit un fusil à lunette pour juger par lui-même. Il évalua la distance. « À votre avis ? Cent cinquante mètres ?

– Plutôt deux cents, rectifia Dominic.

– J'aimerais me rapprocher, dit Ryan, mais pour ça, il faudra passer en terrain découvert, traverser cinq voies, puis escalader ce grillage de l'autre côté.

– Je peux essayer de demander des renforts, suggéra al-Darkur, mais ils n'arriveront pas tout de suite.

– Je donnerais cher pour connaître les plans de ce salaud », conclut Dom.

Chavez sauta, seul, de la rampe arrière de l'Antonov qui volait à plus de sept mille mètres. Il tira la poignée d'ouverture au bout de quelques secondes et, moins d'une minute après avoir quitté l'avion, il contrôlait sa position sur le GPS et l'altimètre à son poignet.

Les vents étaient devenus aussitôt un problème ; il se démenait comme un beau diable pour garder sa trajectoire mais il se rendit bien vite compte qu'il n'arrivait pas à descendre assez vite. Le plan exigeait qu'il atterrisse à l'instant précis où le Mi-8 se poserait devant le PC de tir, ce qui impliquait une synchronisation parfaite. Ce qui signifiait aussi que sa descente devait durer un peu plus de vingt-deux minutes.

Il regarda vers le bas ; son point de chute se trouvait quelque part en dessous, mais on n'y voyait goutte dans cette obscurité au milieu de ces nuages impénétrables.

Il avait exécuté des dizaines de sauts HAHO[1] – largage et ouverture à haute altitude – du temps de son service au sein de Rainbow, mais les hommes qui lui avaient succédé, quand bien même tous étaient des parachutistes aguerris, n'étaient aux yeux de Clark et Chavez pas assez entraînés à ce type de saut. Ils se seraient fait ballotter par les vents tourbillon-

---

1. High Altitude, High Opening.

nants. Certes, leur rôle dans cette opération n'était pas une sinécure, mais le scénario de Clark exigeait un atterrissage précis et discret sur le toit du PC de tir, ce qui réclamait de tout autres compétences.

Une autre raison avait incité Chavez à sauter seul. Le binôme guetteur-tireur d'élite qui surveillait le bâtiment avait signalé des mouvements sur le toit de celui-ci, signe que des sentinelles y étaient postées pour repérer l'arrivée de parachutistes.

Avec ces mauvaises conditions météo, Clark et Chavez tablaient sur le fait qu'un homme seul pourrait encore passer inaperçu, du moins jusqu'à ce qu'il soit en position d'engager les cibles sur le toit. Mais les chances de réussite d'un saut furtif déclinaient à mesure qu'on ajoutait des parachutistes.

C'est pourquoi Ding était finalement le seul à traverser le blizzard avec sa voile.

La transmission vidéo montrant Nabiyev à l'arrière du Mi-8 débuta dès qu'un homme d'équipage fut monté dans l'appareil, peu avant le décollage. Nabiyev pouvait parler directement avec Safronov au PC de tir, même si la liaison était quelque peu saccadée. La caméra remplissait toutefois son office. L'opérateur fit un panoramique à l'intérieur de la cabine pour montrer qu'il n'y avait bien que quatre hommes à bord en plus d'Israpil, que l'on avait par ailleurs débarrassé de ses menottes, coiffé d'un chapeau et vêtu d'un gros pardessus. Georgi demanda au Daghestanais d'aller se poster près d'un hublot afin de donner confirmation du moment où les lumières du PC de tir seraient en vue.

Les tireurs d'élite de Rainbow envoyés surveiller le PC de tir durant la journée s'étaient rapprochés de leur objectif dès la nuit tombée, pour n'en être plus distants que de quatre cents mètres. Ils étaient à présent positionnés dans l'herbe épaisse derrière le bâtiment qu'ils observaient à travers leurs lunettes de tir. L'éclairage vacillant, les bourrasques de neige rendaient la tâche difficile mais le guetteur put néanmoins distinguer deux ombres allongées qui se déplaçaient devant une buse d'aération en acier, du côté nord du toit. Après avoir patiemment suivi le mouvement, il vit la tête d'un homme surgir quelques brèves secondes avant de disparaître à nouveau hors de vue. Il confirma le visuel à son tireur, puis pressa le bouton micro de sa radio.

« Romeo deux pour Charlie deux, à vous.

– Romeo deux, j'écoute.

– Je vous signale la présence de deux sentinelles sur le toit. »

Neuf cents cinquante mètres au-dessus, Ding Chavez avait envie de répondre au guetteur à l'accent allemand qu'il n'y voyait goutte. Il ne pouvait se fier qu'au GPS à son poignet pour se diriger vers sa cible. Elle se trouvait quelque part en dessous, et il s'occuperait le moment venu des connards postés alentour. À moins que… « Charlie deux pour Romeo deux. Je ne pourrai pas les repérer avant de leur arriver dessus. Êtes-vous en position pour engager le tir ? »

Au sol, le tireur fit non de la tête et le guetteur répondit pour lui. « Négatif, Romeo mais on essaie de définir une cible.

– Compris. »

Chavez tâtonna pour caresser l'UMP. Il était toujours là, bien arrimé devant son gilet pare-balles. Il devrait s'en servir dès que ses pieds auraient touché le toit.

S'ils le touchaient. Car s'il ratait la cible, si une erreur de calcul l'envoyait se poser à côté, ou s'il était dévié par une rafale à la dernière seconde, alors c'est la mission tout entière qui serait compromise.

Et si la rafale survenait au plus mauvais moment et l'expédiait vers les pales en rotation du gros Mi-8 posé sur le parking est, il était foutu.

Il vérifia encore une fois son altimètre et son GPS, puis tira sur les suspentes pour ajuster légèrement la voilure de son aile et dévier vers le sud.

À vingt-deux heures trente pétantes, le Mi-8 se présenta aux abords du PC de tir. Safronov avait toujours les yeux rivés sur la vidéo transmise depuis l'appareil et, à son bord, Nabiyev aperçut le gros bâtiment aux allures de bunker avec ses projecteurs installés sur le toit. Il prit la caméra des mains du cadreur et la plaqua contre la vitre pour permettre à Safronov de contempler le spectacle. Georgi lui répondit aussitôt qu'il l'attendrait sur le seuil de la porte principale d'ici quelques minutes, puis qu'il quitterait le PC au pas de course, accompagné de plusieurs de ses hommes.

Ils descendirent alors au rez-de-chaussée, traversèrent le hall d'entrée plongé dans le noir et ouvrirent les portes d'acier blindées.

Quatre tireurs de Sharia Jamaat prirent position de part et d'autre mais Georgi alla se poster lui aussi à l'abri du chambranle ; il risqua juste un bref coup d'œil à l'extérieur, au cas où un tireur embusqué dans la neige le prendrait pour cible.

Derrière eux, les otages étrangers furent conduits eux aussi dans l'entrée, puis deux gardes les poussèrent contre un mur.

L'hélicoptère russe se posa tout au bout du parking, à soixante-dix mètres de l'entrée du PC de tir, dans le faisceau des projecteurs montés sur le toit du bâtiment.

Safronov observa la scène derrière un rideau de neige, puis il demanda par radio à ses hommes postés sur le toit de se tenir prêts à toute éventualité, sans oublier toutefois de garder un œil sur l'arrière du bâtiment.

La petite porte latérale de l'hélico s'ouvrit et un homme barbu en pardessus et coiffé d'un chapeau en descendit. Il mit une main en visière au-dessus de ses yeux pour se protéger de la lumière, puis, à pas lents, il commença à traverser le parking recouvert d'une couche de neige compacte.

Georgi réfléchissait déjà à ce qu'il allait dire au commandant militaire de Sharia Jamaat. Il devrait s'assurer que l'homme n'avait pas subi de lavage de cerveau, même si leurs conversations précédentes l'avaient à peu près rassuré sur ce point.

Chavez regarda l'hélicoptère atterrir avant de reporter son attention sur le toit du bâtiment, encore une soixantaine de mètres sous la semelle de ses bottes. Il allait, Dieu merci, réussir son atterrissage même si celui-ci s'annonçait plus rapide et plus rude que prévu. Mais alors qu'il négociait un dernier virage sec vers le sud, il aperçut... l'une des deux sentinelles postées sur le toit.

Plus que cinquante mètres.

À cet instant précis, la porte d'accès au toit s'ouvrit, rajoutant encore de la lumière. Un troisième terroriste apparut.

Merde, se dit Chavez. Trois ennemis, qui couvraient désormais trois des quatre points cardinaux. Il allait devoir les descendre coup sur coup, une tâche quasiment impossible avec un atterrissage en catastrophe, le contre-jour des projecteurs et une arme qu'il ne pourrait utiliser qu'après avoir détaché les suspentes pour ne pas être entraîné par son parachute et basculer par-dessus le toit.

Trente mètres.

Soudain, une voix dans son casque.

« Romeo deux, Charlie deux. J'ai une cible en visu à l'angle nord-ouest du toit. J'engage le tir à votre commandement.

– Descendez-le.

– Répétez l'ordre ? »

Putains d'Allemands. « Tire ! »

– Compris. Je tire. »

Chavez détourna entièrement son attention de ce premier terroriste. Il n'était plus sous sa responsabilité. Si le tireur d'élite ratait son coup, eh bien il était foutu mais il n'avait pas le temps d'y penser.

Quinze mètres.

Chavez gonfla sa voilure et atterrit au pas de charge. Sans cesser de courir, il libéra les suspentes et se sentit aussitôt libéré de la toile. Il saisit alors son HK avec silencieux et pivota vers l'homme qui venait de déboucher sur le toit. Le terroriste avait déjà levé vers lui sa Kalachnikov. Chavez se jeta au sol, roula sur l'épaule gauche et se releva à genoux.

Il tira une salve de trois coups, atteignant le barbu à la gorge. L'AK virevolta dans les airs et l'ennemi s'effondra au seuil de la porte.

Avec le silencieux, le bruit de la rafale, bien qu'encore audible, avait été recouvert par le claquement des pales de l'hélico.

Ding avait déjà dévié le canon sur la droite. Alors qu'il relevait son arme, la sentinelle à l'angle nord-ouest traversa furtivement son champ visuel, et puis il vit soudain sa tempe exploser et l'homme s'effondrer en tas.

Mais l'Américain, toujours agenouillé, s'intéressait d'abord au terroriste posté du côté est, à moins de dix mètres de lui. Le gars n'avait pas encore levé son arme, alors même qu'il regardait Ding droit dans les yeux. Poussant un cri d'angoisse, il se démena pour viser cette nouvelle cible qui venait littéralement de tomber du ciel.

Domingo Chavez, alias Romeo deux, descendit le terroriste d'un coup double de calibre 45 en plein front. Le Daghestanais recula en titubant.

Ding se releva et se détendit légèrement, à présent que la dernière menace était éliminée ; il glissa la main dans son étui pour sortir un nouveau chargeur, tout en observant sa dernière victime, s'attendant à tout instant à la voir s'effondrer sur le toit.

Mais le cadavre avait apparemment d'autres plans. Emporté par son élan, et sous les yeux horrifiés de Chavez, le corps allait d'un instant à l'autre basculer par-dessus le rebord du toit et s'écraser dans la cour – pile devant la porte et sous le faisceau des projecteurs.

« Merde ! » Chavez piqua un sprint pour rattraper le corps de la sentinelle avant qu'il ne bascule et ne fasse capoter toute l'opération à son moment le plus crucial.

Ding lâcha son arme, fit un bond et se tendit au maximum pour agripper le cadavre par son uniforme.

Trop tard.

Le tireur de Sharia Jamaat bascula à la renverse par-dessus le rebord du toit.

79

Israpil Nabiyev descendit de l'hélicoptère et s'avança dans la lumière. Devant lui, l'énorme bâtiment se dressait dans la neige. Le chef de Sharia Jamaat plissa les yeux, puis il fit un pas sur la neige durcie, puis un autre, encore un autre, et chacun le rapprochait un peu plus de cette liberté dont il avait tant rêvé au cours des longs mois de sa captivité aux mains des...

La crosse d'un fusil le cueillit à la nuque et l'envoya valdinguer sur la neige. Le coup l'estourbit mais il parvint à se remettre à genoux et voulut se relever pour repartir mais deux des gardes de l'hélicoptère le saisirent alors par-derrière, ramenèrent ses mains dans son dos et lui passèrent les menottes. Puis ils le firent tourner sur place avant de le repousser vers l'hélico.

« Pas pour aujourd'hui, Nabiyev », dit l'un des types, en criant pour couvrir le gémissement des moteurs. « Le PC de tir des engins Rokot ressemble comme deux gouttes d'eau à celui des Dniepr, pas vrai ? »

Israpil Nabiyev ne savait plus où il en était. Il ignorait qu'il se trouvait en fait à vingt-cinq kilomètres à l'ouest du site de lancement des Dniepr, et qu'on l'avait dupé en lui faisant croire qu'on allait le remettre à Safronov et à Sharia Jamaat. L'hélicoptère redécolla, pivota sur place et s'éloigna des projecteurs aveuglants.

Georgi Safronov rengaina son Makarov et fit signe aux prisonniers de se diriger vers l'hélicoptère de l'aviation russe.

Les otages américains, chiliens et japonais, tous emmitouflés dans de lourds manteaux, passèrent devant lui un par un pour entrer dans la lumière. Devant eux, le barbu se rapprochait ; il n'était plus qu'à trente mètres. Georgi parvenait déjà à discerner un sourire sur son visage et cela le fit sourire à son tour.

Les otages avançaient plus vite que Nabiyev, remarqua Safronov, et il fit signe à son compatriote de presser le pas. Georgi aurait voulu lui crier de se hâter mais le bruit de l'hélicoptère était trop fort, même à cette distance.

Il agita de nouveau la main pour lui faire signe d'accélérer, mais Nabiyev ne broncha pas. Il n'avait pourtant pas l'air blessé et Georgi n'arrivait pas à comprendre ce qui clochait.

Soudain, l'homme s'arrêta au milieu du parking. Et resta planté là, face au bunker.

En un clin d'œil, Safronov passa du soulagement au soupçon. Il sentait le danger. Ses yeux scrutèrent le parking, l'hélicoptère au fond, les otages qui se hâtaient vers celui-ci.

Il ne vit rien de suspect mais il ignorait quelle menace pouvait rester tapie dans l'obscurité, hors des ronds de lumière. Il recula d'un pas pour se planquer derrière la porte.

Il regarda Nabiyev et nota qu'il s'était remis à avancer. Safronov demeurait toujours méfiant. Il plissa les yeux pour mieux voir, scruta les traits de l'homme durant un long moment.

Oh, non !

Ce n'était pas Israpil Nabiyev.

Georgi Safronov poussa un cri de rage et dégaina le Makarov qu'il tenait caché derrière son dos.

La main gauche gantée de Chavez enserrait le mât métallique auquel était fixé le projecteur. Il avait les doigts en feu parce qu'il était suspendu le long du bâtiment, et que sa main droite tenait par la jambe de pantalon, juste au-dessus de la cheville, le corps du terroriste. Soixante-dix kilos de viande morte qui menaçaient de lui déboîter l'épaule.

Il savait qu'il lui était impossible de se hisser de nouveau sur le toit pour poursuivre sa mission, sans devoir lâcher le corps et il ne pouvait le faire sans compromettre la mission.

Difficile d'imaginer pire et pourtant, quand il vit l'agent russe du FSB, déguisé en Nabiyev, stopper net pour contempler le spectacle qu'il donnait, sept mètres au-dessus de Safronov et des tireurs postés à la porte du bâtiment, Chavez hocha vigoureusement la tête pour inciter le Russe à repartir. Veine, c'est ce qu'il fit, si bien que Ding n'eut plus qu'à se concentrer à nouveau sur sa tâche, à savoir ne pas lâcher le corps ou lui-même lâcher prise.

Et puis, au-dessus de lui dans le ciel neigeux, il vit remuer des ombres.

Et au-dessous, sept mètres sous la pointe de ses bottes qui oscillaient dans le vide, il entendit une fusillade.

Safronov ordonna à l'un de ses hommes de s'approcher de l'inconnu pour le palper afin de s'assurer qu'il ne portait pas une ceinture d'explosifs. Le Daghestanais obéit sans poser de questions et il fonça au milieu des flocons de neige illuminés, son fusil à la main.

Il n'avait pas fait dix pas qu'il pivota sur place et tomba raide mort. Georgi avait eu juste le temps d'apercevoir l'éclair d'un tir de sniper déchirer l'obscurité, venu de l'autre côté de l'hélico.

« C'est un piège ! » s'écria Safronov tout en levant son Makarov pour tirer sur l'imposteur isolé au milieu du parking. Safronov vida son chargeur de sept balles en moins de deux secondes.

Le barbu dans la neige dégaina une arme à son tour, mais sous les impacts successifs de balles de 380 au torse, au ventre et aux jambes, il tituba et s'effondra.

Tenant toujours son pistolet, Georgi se retourna pour regagner précipitamment l'intérieur du PC de tir.

Les deux tireurs que Safronov avait laissés à la porte levèrent leurs pistolets-mitrailleurs pour achever l'homme qui se tordait au sol, mais à l'instant précis où ils s'apprêtaient à tirer, un corps tomba, croisant leur ligne de mire. C'était un de leurs camarades sur le toit. Le corps s'écrasa juste devant la porte, à leurs pieds, distrayant leur regard à un moment critique. Les deux hommes contemplèrent brièvement le corps, avant de se remettre à viser l'imposteur, huit mètres devant eux.

Une balle de sniper cueillit le tireur de droite en haut du torse et l'homme bascula à la renverse dans l'entrée. Un quart de seconde plus tard, une autre balle, tirée par un second sniper atteignit l'autre au cou et l'homme pivota pour s'effondrer par-dessus le corps de son camarade.

Chavez se rétablit de nouveau sur le toit en terrasse, se remit à genoux, puis debout. Pas le temps de numéroter ses abattis, juste celui de récupérer son flingue et de foncer vers la cage d'escalier. Son plan initial, conçu avec Clark, était de forcer le puits de ventilation. Mesurant près d'un mètre de large, et directement accessible depuis le toit, il permettait d'accéder à la salle du générateur auxiliaire pour couper le courant dans l'ensemble du bâtiment et ainsi interrompre de fait la séquence du compte à rebours.

Mais ce plan, comme tant d'autres dans une carrière militaire aussi longue que celle de Chavez, avait échoué avant même de débuter. Ding allait devoir désormais se débrouiller seul pour pénétrer dans le bunker et gagner les sous-sols – en croisant les doigts.

Vingt hommes de Rainbow avaient sauté en parachute d'un gros hélicoptère Mi-26 à l'altitude de quinze cents mètres ; point de chute : le parking situé derrière le PC de tir. Le saut avait été minuté pour laisser à Chavez le temps d'éliminer les sentinelles postées sur le toit, mais le délai était si court que le succès n'était en rien garanti. Raison pour laquelle les parachutistes avaient leur MP-7 en travers du torse, silencieux vissé sur le canon, prêts à contrer toute menace, même s'il fallait pour cela tirer en cours de descente.

Sur les vingt paras obligés de lutter contre les rafales avec une visibilité médiocre, dix-huit atterrirent tout de même sur la zone définie, un résultat plus qu'honorable. Les deux derniers avaient eu des problèmes matériels lors de la descente et se retrouvèrent bien loin, éliminés de fait des combats.

Les dix-huit hommes se divisèrent en deux groupes pour attaquer en simultané la porte de derrière et la baie de chargement latérale ; dans l'un et l'autre cas, ils firent sauter les portes d'acier avant de lancer dans le couloir des grenades fumigènes, puis des grenades à fragmentation, blessant et tuant des Daghestanais aux deux points d'entrée.

Les seize ex-otages entrèrent dans l'hélico par la porte latérale, mais pour en être aussitôt évacués par celle du côté opposé. Ils furent déroutés – certains même ne voulaient pas ressortir et s'en prirent de vive voix au pilote, lui demandant plutôt de décoller fissa – mais les Spetsnaz et les membres de Rainbow ne se laissèrent pas démonter, quitte à devoir en évacuer certains de force. Les civils passèrent devant un groupe de soldats descendus eux aussi du côté opposé lors de l'atterrissage pour aller prendre position dans l'obscurité, tout au bout du parking.

Guidés par de discrètes lampes clignotantes rouges, ils s'enfoncèrent dans la steppe neigeuse ; les soldats qui les accompagnaient leur passèrent au vol des gilets pare-balles. Sans s'arrêter, ils les aidèrent à les enfiler.

Au bout de cent mètres, le petit groupe rencontra une légère dépression. Là, les civils reçurent l'ordre de s'allonger dans la neige et de rester tête baissée, sous la garde de plusieurs Spetsnaz en armes. Alors que du côté du bunker la fusillade redoublait, ces derniers insistèrent pour qu'ils restent bien groupés et parfaitement immobiles.

Safronov avait réussi à réintégrer la salle de contrôle au premier. Au rez-de-chaussée, ça explosait et canardait tous azimuts. Il garda deux tireurs auprès de lui ; les autres, il les avait envoyés en renfort sur le toit et en bas, aux trois accès du bunker.

Il avait ordonné aux deux hommes restés avec lui de se poster sur le devant de la salle, à côté des moniteurs, et de garder leur arme pointée sur le personnel. Lui-même passait entre les tables pour contrôler ce qu'ils faisaient. Les vingt ingénieurs et techniciens russes le regardèrent.

« Enclenchement de la séquence de lancement pour un tir immédiat !

– Quel silo ?

– Les deux ! »

Aucune procédure n'était prévue pour lancer deux Dniepr en même temps, tout devait donc s'effectuer en manuel. L'interface de lancement avec le silo 104 étant déjà en place, Georgi ordonna qu'on déploie d'abord celui-ci. Puis il donna l'ordre à un second groupe d'ingénieurs de finaliser la séquence de lancement pour l'autre silo, afin de pouvoir expédier ce missile aussitôt après le premier.

Il pointa son Makarov vers l'adjoint au directeur de tir, l'ingénieur de plus haut rang hiérarchique dans la salle.

« Le 104 est éjecté de son silo dans soixante secondes ou Maxim meurt ! »

Personne ne discuta. Ceux qui n'avaient plus rien à faire restèrent immobiles, redoutant d'être abattus au prétexte qu'ils n'étaient plus d'aucune utilité. Ceux chargés des ultimes pré-paratifs s'échinaient comme des beaux diables, armant le générateur principal, vérifiant que toutes les mesures sur les trois étages du lanceur étaient nominales. Georgi et son pistolet restèrent derrière eux tout au long de la séquence et chacun des techniciens savait pertinemment que Safronov aurait pu le remplacer au pied levé. Aussi nul ne se hasarda à faire quoi que ce soit pour contrecarrer le lancement.

« Combien de temps encore ? » s'écria Safronov en se précipitant vers le poste de tir. Il tourna la première clé, posa la main sur la seconde.

« Encore vingt-cinq secondes ! » lança le directeur de tir, au bord de la panique.

Une énorme explosion retentit dans le couloir, juste derrière eux. « Ils sont entrés ! » transmit par radio l'un des Daghestanais.

Georgi saisit le talkie-walkie accroché à sa ceinture. « Que tout le monde revienne en salle de contrôle. Tenez le couloir et l'escalier de secours ! Quelques minutes, pas plus, ça suffira ! »

80

CHAVEZ était presque à mi-descente de l'escalier de service quand la porte du poste de contrôle s'ouvrit. Il remonta aussitôt se planquer sur le palier du second. Il entendait une fusillade venir d'en bas, par-dessus les transmissions de Rainbow reçues dans son oreillette. Deux des trois équipes avaient déjà pénétré de l'autre côté, mais elles étaient tenues en respect par une bonne douzaine de terroristes retranchés dans le hall.

Ding savait que le président de la compagnie aérospatiale russe – il n'avait pas cherché à mémoriser le nom de cet enculé – pouvait à tout moment lancer les missiles.

Les ordres de Clark pour cette mission étaient clairs et nets. Même s'il restait une douzaine de techniciens au poste de contrôle, ces types n'étaient pas blanc-bleu. Chavez et les agents de Rainbow devaient bien garder en tête que ces hommes avaient dans leurs mains les moyens de lancer des missiles capables de tuer des millions d'innocents –, certes sous la contrainte, mais ils les lanceraient quand même.

Chavez était conscient de sa responsabilité.

Raison pour laquelle on l'avait doté de six grenades à fragmentation, une dotation plutôt inhabituelle pour une mission impliquant des otages. Il avait l'autorisation de tuer tout ce qui bouge en salle de contrôle pour garantir que les Dniepr ne quittent en aucun cas leurs silos, huit kilomètres à l'est du poste de tir.

Mais plutôt que de prendre une grenade, il s'allégea prestement de son arme qu'il déposa sans bruit sur les marches, suivie bientôt de tout son harnachement, pour ne garder que la radio qu'il accrocha à sa ceinture. Se débarrasser du gilet pare-balles l'allégeait et lui permettait d'évoluer plus vite et, espérait-il, dans un plus grand silence. Il dégaina son pistolet Glock 19 et vissa rapidement le silencieux au bout du canon.

Ses munitions étaient des Fiocchi 9 millimètres subsoniques. Clark et lui les avaient découvertes en s'entraînant pour Rainbow et il savait que, tirées avec un silencieux adapté, elles rendaient le Glock aussi discret qu'un murmure.

Clark avait en effet souligné que toute l'opération reposait sur la rapidité, l'effet de surprise et la violence de l'action. Ding savait qu'il allait avoir besoin de ces trois facteurs, et en quantité, au cours des soixante prochaines secondes.

Il leva le Glock au niveau des yeux, inspira calmement.

Puis il enjamba la rampe et sauta tout en pivotant de cent quatre-vingts degrés pour atterrir sur le palier du premier.

« Quinze secondes avant le lancement du 104 ! » cria Maxim. Bien que placé à un mètre de lui, Georgi l'entendit à peine à cause de la fusillade qui faisait rage dans le couloir.

Safronov se préparait à tourner la deuxième clé. Dans le même temps, il se retourna pour regarder derrière lui, par-dessus la douzaine d'ingénieurs russes, les deux accès à la salle. Du côté droit, deux militants de Sharia Jamaat restaient sur le seuil pour bloquer l'issue vers l'escalier de service ; deux autres étaient sortis se poster dans l'escalier principal et surveillaient l'accès depuis le second étage ou le rez-de-chaussée.

À sa gauche, la porte donnait sur le hall. Deux hommes se tenaient sur le seuil. Le reste des survivants de Sharia Jamaat était à l'extérieur, se sacrifiant pour laisser à Safronov les quelques secondes nécessaires pour lancer au moins l'un des engins nucléaires.

Georgi cria « *Allahu Akbar !* » à l'intention des quatre frères présents avec lui dans la salle de contrôle. Jeta un dernier regard à Maxim, assis en contrebas, pour avoir confirmation de la charge du détonateur de lancement. Le Russe opina sans un mot, les yeux rivés sur son moniteur.

Georgi entendit alors un grognement suivi d'un cri, il tourna brusquement la tête vers l'escalier et vit qu'un de ses hommes tombait à la renverse, un flot de sang jaillissant de sa nuque. Son compagnon était déjà à terre.

À l'autre bout de la salle, les deux autres membres de Sharia Jamaat avaient aussitôt réagi et braquaient leurs armes vers la menace.

Georgi tourna la clé, puis avança le doigt vers le bouton, sans quitter des yeux la porte. Soudain, un homme en noir apparut, armé d'un long pistolet noir aussi qu'il brandit en visant Georgi sans la moindre hésitation. Ce dernier vit l'éclair au moment même où il allait presser le bouton pour lancer le Dniepr, et il sentit un tiraillement dans la poitrine. Puis un autre dans le biceps droit.

Son bras fut projeté en arrière, son doigt relâcha sa pression et il retomba assis devant la console. Il voulut de nouveau avancer la main vers le bouton, mais Maxim, toujours assis à côté de lui, se précipita pour tourner les deux clés en sens inverse et désarmer le dispositif.

Georgi Safronov sentit ses forces l'abandonner d'un coup ; mi-penché, mi-assis devant la console, il vit l'homme en noir, cet infidèle, s'approcher en courant, le dos rond, rasant le mur comme un rat en quête de nourriture rase les trottoirs d'une allée sordide. Mais l'homme en noir tirait toujours ; éclairs et fumée sortaient du canon de son pistolet, même si les oreilles de Georgi carillonnaient tellement qu'il n'entendait plus rien d'autre.

L'homme en noir avait tué les deux hommes de Sharia Jamaat en faction devant la porte. Comme ça, froidement. Comme s'ils n'étaient pas des hommes, des fils du Daghestan, de valeureux moudjahidin.

Tous les ingénieurs russes s'étaient tapis sous leurs consoles. Georgi était désormais le seul resté debout. Il se rendit compte soudain qu'il était bel et bien encore en vie ; que le destin de Moscou était toujours entre ses mains, qu'il pouvait encore anéantir des millions d'infidèles et détruire le gouvernement qui réduisait son peuple en esclavage.

C'est avec une vigueur renouvelée que Safronov, cette fois de la main gauche, tendit le bras vers les deux clés pour réarmer les silos.

Mais au moment où ses doigts se posaient sur la première, un mouvement devant lui attira son regard. C'était Maxim qui s'était redressé et prenait son élan, bras tendu, poing serré, pour lui envoyer un direct en plein nez, l'expédiant par-dessus la console et l'étendant pour le compte.

Domingo Chavez aida les techniciens russes à bloquer et barricader la porte séparant le poste de contrôle du hall ; ça retarderait les terroristes.

Puis, s'adressant à eux en russe, il demanda lesquels avaient servi dans l'armée. Tous, à l'exception de deux, levèrent la main. Ding crut bon de préciser. « Pas dans l'aérospatiale. Qui parmi vous sait se servir d'une mitraillette ? » Cette fois, il n'en resta que deux. Chacun prit une des armes récupérées sur les cadavres et reçut l'ordre se surveiller la porte.

Ding se précipita ensuite vers l'homme qu'il était venu tuer ; son nom ne lui revenait toujours pas, mais d'un autre côté, il faut dire à sa décharge qu'il avait eu une rude journée. Il s'adressa au grand Russe assis à califourchon sur le blessé. « Votre nom ?

– Maxim Ejov.

– Et le sien ?

– Georgi Safronov. Il est encore en vie. »

Ding haussa les épaules ; il avait eu l'intention de le tuer mais à présent qu'il ne présentait plus aucune menace, il se contenta de le fouiller. Il trouva sur lui un Makarov, plusieurs chargeurs et un téléphone mobile.

Quelques instants plus tard, Chavez activa son walkie-talkie. « Rainbow six[1] pour Romeo deux. Clés de lancement désarmées. Je répète, clés de lancement désarmées. »

Les hélicoptères Mi-17 filaient au ras de la steppe. Une unité de huit agents de Rainbow s'empara du silo de lance-

---

1. « 6 » est traditionnellement le numéro de code attribué au responsable d'un commando américain sur le terrain.

ment 103 avec l'aide du binôme tireur/éclaireur qui surveillait le site depuis trente-six heures. Huit kilomètres au sud, une autre unité de huit hommes, là aussi couverte par un binôme tapi dans l'herbe enneigée, liquida les dernières forces de Sharia Jamaat.

Une fois que Rainbow eut sécurisé les missiles, des experts en munitions formés tout exprès descendirent dans les silos et se rendirent sur la passerelle d'équipement pour accéder au troisième étage. Éclairés par des projecteurs, ils ouvrirent une trappe d'accès, révélant le module contenant la charge utile.

Un troisième hélicoptère, une canonnière KA-52 Alligator de l'armée russe, s'approcha à moins d'un kilomètre du bunker situé au départ de la route de desserte du site des Dniepr. Quatre rebelles daghestanais s'y trouvaient. Personne ne leur demanda s'ils désiraient se rendre. Non, leur position fut détruite à la roquette et aux obus de canon automatique jusqu'à ce que leurs corps soient si étroitement mélangés aux décombres que seuls les insectes et les charognards revenus peupler les steppes au printemps seraient capables de les retrouver.

Enfin, un quatrième hélico, un Mi-17, se posa près du PC de tir. John Clark en descendit et fut aussitôt conduit à l'intérieur par le colonel Gummesson.

« Le bilan ? demanda Clark.

– On déplore cinq morts, sept blessés. »

Merde, se dit John, *beaucoup trop.*

Pour gravir l'escalier menant à la salle de contrôle au premier, ils durent traverser le hall où s'était produit un carnage ; c'était là en effet que quatorze Daghestanais avaient trouvé la mort en tentant vainement d'offrir à leur chef le délai nécessaire au lancement des missiles nucléaires. Le sol était éclaboussé de sang, jonché de corps et de membres épars. Des compresses ensanglantées étaient visibles un peu partout et Clark ne pouvait faire un pas sans marcher sur des douilles ou des chargeurs vides.

En entrant dans le poste de contrôle, il découvrit Chavez, assis dans un coin. Ding s'était blessé la cheville – il s'était mal réceptionné après son saut par-dessus la balustrade. L'adrénaline avait masqué la douleur lors des premiers instants, particulièrement critiques, mais à présent, l'articulation enflait et la douleur croissait à mesure. Il n'en était pas moins d'assez bonne humeur. Les deux hommes se serrèrent la main – gauche –, avant de tomber dans les bras l'un de l'autre. Ding l'invita ensuite à rejoindre un homme en tenue de camouflage assis dans un coin. L'infirmier de Rainbow, un Irlandais, était en train de lui prodiguer des soins. Son patient était blafard et couvert de sueur, mais il était incontestablement en vie.

Clark et Chavez restèrent dans la salle de contrôle le temps pour les ingénieurs – encore otages dix minutes plus tôt – de couper, puis remettre à zéro tous les systèmes. L'infirmier irlandais continuait de s'occuper du terroriste blessé, mais Clark n'était pas retourné voir ce dernier.

Un appel retentit dans son casque. « Rainbow six pour unité Delta.

– Rainbow six, j'écoute.

– Nous sommes au site 104. Nous avons ouvert la coiffe et accédé à la tête nucléaire. Nous avons retiré les amorces et désarmé l'engin.

– Très bien. Des pertes ?

– Deux blessés mais rien de grave. Huit ennemis tués.

– Compris. Bon boulot. »

Chavez regarda Clark ; il avait entendu le dialogue dans son casque. « J'imagine qu'il ne bluffait pas.

– J'espère. Déjà un de réglé. Reste encore un. »

Une bonne minute plus tard, nouvel appel. « Rainbow six pour unité Zoulou. »

Clark reprit le micro. « Zoulou pour six, à vous. »

Un expert artificier canadien répondit. « Chef, nous avons ouvert le module de mise en orbite et ouvert le conteneur abritant la charge utile.

– Compris. Quel délai avant que l'arme soit désamorcée ? »

Il y eut un silence. « Euh, chef. C'est qu'il n'y a pas d'arme.

– Comment ça, pas d'arme ? Êtes-vous en train de me dire qu'il n'y a pas de charge sur le 106 ?

– Il y en a bien une, mais certainement pas nucléaire. Il y a un plaque vissée sur le carter... le temps que je donne un coup de chiffon dessus... Voyons voir... oh, c'est de l'anglais. Je vous la lis. Il semble bien que ce que j'ai sous les yeux soit un moteur pour car scolaire Wayne Industries, série S-1700, de 1984. »

Au PC de tir, Clark se tourna vers Chavez. Leurs regards se croisèrent. Moment de panique.

Ding énonça l'évidence, le souffle court. « Et merde. On a perdu une bombe A de vingt kilotonnes. »

Clark regarda aussitôt le blessé étendu par terre. L'infirmier de Rainbow était toujours à ses côtés. Le Daghestanais avait une blessure par balle au poumon qui, Clark pouvait en témoigner, ayant souvent côtoyé des victimes de blessures identiques, devait lui faire souffrir le martyre. L'homme était également blessé au bras. Son souffle était court, son visage ruisselant de sueur. Il fixait sans un mot l'aide-soignant penché au-dessus de lui.

L'Américain posa la main sur l'épaule de l'infirmier. « J'en ai juste pour une minute.

– Désolé, chef. Je m'apprêtais à lui administrer un calmant », dit l'Irlandais tout en tamponnant le bras de Safronov.

« Non, adjudant, pas question. »

L'infirmier et son patient le regardèrent, l'air ahuri.

L'Irlandais répondit simplement : « À vos ordres. Il est à vous, Rainbow six. » Puis, sans un mot de plus, il se releva et s'écarta.

Clark prit alors sa place auprès de Safronov. « Où est la bombe ? »

Georgi Safronov inclina la tête de côté. Entre deux respirations sifflantes, il murmura : « La bombe, quelle bombe ? »

De la main gauche, Clark sortit le SIG de sous son manteau et cria : « Attention, ça va chauffer ! » pour les hommes encore présents dans la salle de contrôle. Puis il tira quatre balles dans le mur en béton, au ras de la tête de Safronov, juste sous les grands écrans plats.

Mais Clark n'avait pas l'intention de le tuer. S'il avait tiré, c'était pour chauffer le canon presque au rouge, par suite de l'expulsion des gaz sous pression.

Alors, agrippant le bras droit de Safronov, il enfonça le canon dans la chair du biceps, à l'endroit précis où la balle avait déchiré les chairs.

Safronov brailla comme un perdu.

« Pas le temps de déconner, Georgi ! Deux fusées ! Une bombe ! Où est passée l'autre ? »

Safronov cessa finalement de hurler. « Non ! Les deux Dniepr étaient armés. Sur le pas de tir ! Qu'est-ce que vous racontez ?

– On n'est pas des imbéciles, Georgi. L'un des deux est armé d'un putain de moteur de bus. Tu t'imaginais peut-être qu'on n'y aurait vu que du... »

Clark s'interrompit soudain. Sur le visage taché de sang de Safronov, il lut une intense confusion. Comme si... Oui, comme s'il venait de se rendre compte qu'on l'avait trahi.

« Où est-elle passée, fils de pute ? Qui l'a prise ? »

Safronov ne répondit pas ; il semblait suffoquer de colère et la fureur inonda ses traits.

Mais il ne répondit pas.

« Ça va chauffer ! » avertit de nouveau Clark, et de pointer son arme vers le mur.

« Non, par pitié !

– Qui détient la bombe ? »

81

Jack Ryan Jr. examinait aux jumelles thermiques l'entrepôt situé à cent cinquante mètres. Il venait d'avoir un entretien téléphonique avec Sam Granger qui lui avait annoncé que Clark et Chavez, accompagnés de Rainbow, avaient mis fin à l'incident terroriste sur le cosmodrome au Kazakhstan. John avait transmis la nouvelle à Mohammed et Dom. Désormais soulagés de ce côté-là, tous trois pouvaient consacrer toute leur attention à Rehan et contrer ses plans diaboliques.

« Qu'est-ce que tu nous mijotes encore, mon salaud ? » murmura John.

Le téléphone vibra dans sa poche. Il le prit. « Ryan.

– C'est Clark.

– John ! Granger vient de m'appeler. Super boulot !

– Écoute-moi. On a des problèmes.

– Tout va bien. On a filé Rehan et ses hommes. Ils se sont planqués dans un entrepôt de la gare centrale de Lahore. Ils sont toujours à l'intérieur et on attend des renforts de l'armée pakistanaise pour les en déloger.

– Jack, écoute-moi ! Il a en sa possession une bombe atomique ! »

Jack ouvrit la bouche pour parler mais aucun son n'en sortit. Puis enfin, dans un murmure : « Oh, merde...

– Il en a piqué une à Safronov. Il doit l'avoir avec lui en ce moment.

– Tu crois qu'il va... »

Jack était incapable de terminer sa phrase.

« Gamin, tu dois tabler là-dessus. Quand il apprendra l'échec de l'attaque sur Baïkonour, il risque de se dire que l'actuel gouvernement pakistanais va finalement s'accrocher au pouvoir. Il n'aura pas de cesse qu'il n'ait encore envenimé la situation pour pousser l'armée à réagir. Qu'une bombe atomique détruise Lahore, et le Pakistan ripostera aussitôt avec son arsenal nucléaire. Les deux pays seront dévastés. Rehan doit avoir prévu un endroit où se planquer d'ici la fin des hostilités. »

Une fois de plus, Ryan voulut dire quelque chose mais il ne trouvait pas ses mots. « Que peut-on... qu'est-ce que... Aucun de nous ne sait comment désamorcer une bombe, quand bien même nous arriverions à franchir l'obstacle des hommes de l'ISI et de LiT qui la détiennent. Qu'est-ce qu'on peut faire, bordel ?

– Fiston, vous n'avez plus trop le choix. Tous les deux, vous devez retrouver cette bombe. Quand vous aurez mis la main dessus, nos experts vous dicteront la marche à suivre pour en ôter les détonateurs.

– Compris, marmonna Jack. Je te rappelle. »

À peine avait-il raccroché qu'il entendit le grondement sourd de rotors d'hélico arrivant par l'ouest.

Caruso était à ses côtés. « Je n'ai entendu que la moitié du dialogue, mais ça m'a l'air de mal s'annoncer. »

Jack le confirma d'un signe de tête avant d'appeler al-Darkur. « Mohammed. Il faut que les meilleurs experts en armes nucléaires du coin se radinent ici au plus vite. »

Avec le peu qu'il avait pu saisir de la conversation, al-Darkur fit le point. « J'appelle Islamabad et je mets dessus mon bureau, mais je ne sais pas si nous aurons le temps. »

Riaz Rehan se tenait derrière les Drs Noon et Nishtar du Commissariat pakistanais à l'énergie atomique. Les deux scientifiques étaient penchées sur la bombe ; celle-ci était toujours rangée dans sa caisse en bois marquée « Textile Manufacturing Ltd ». Ils procédèrent aux ultimes réglages sur le détonateur. Ils avaient court-circuité les amorces de telle sorte qu'il suffisait désormais de presser un bouton pour déclencher un compte à rebours réglé sur trente minutes.

Lorsqu'il serait parvenu à zéro, la moitié de la ville de Lahore cesserait d'exister.

Rehan avait conçu le plan B pour son opération Sacre quelques mois auparavant. Dès le début, il avait su qu'il n'y aurait que deux moyens de garantir la chute du gouvernement de son pays. Si un engin nucléaire pakistanais détonait quelque part, n'importe où sur la planète, la démission et la disgrâce du Premier ministre et de son cabinet seraient inévitables.

Et si un conflit armé avec l'Inde se déclenchait, serait également inévitable la proclamation par l'armée de la loi martiale et l'éviction du gouvernement civil, en préalable à des efforts de paix.

La première hypothèse, celle où Safronov et ses militants faisaient sauter la bombe, avait bien sûr sa préférence. La seconde impliquait une guerre nucléaire qui, certes, lui laisserait le pouvoir à la tête de l'armée, mais avec le risque de n'avoir à diriger qu'un amas de cendres radioactives.

L'échec de Safronov signifiait que l'opération Sacre n'était désormais plus possible qu'avec une guerre. L'explosion d'une bombe à Lahore au milieu de la crise en cours déclencherait le conflit. C'était regrettable mais Rehan savait que Dieu le lui pardonnerait. Les bons musulmans qui y perdraient la vie seraient morts en martyrs car ils auraient contribué à l'instauration du califat.

Ceci posé, Rehan n'avait aucunement l'intention de finir dans un champignon atomique. Il regarda sa montre alors que le claquement de rotors emplissait le ciel. Son Mi-8 était là pour les récupérer, lui est ses hommes. Lui, Saddiq Kahn et les quatre autres membres du JIM quitteraient la ville par la voie des airs pour filer droit vers le nord ; ils auraient largement le temps de se protéger de l'explosion. Ne leur resterait plus alors qu'à poursuivre jusqu'à Islamabad où des unités de l'armée étaient déjà en train de se masser dans les rues.

Le général estima qu'un coup d'État militaire surviendrait dès le lendemain à l'aube.

L'hélicoptère se posa à l'extérieur et Rehan ordonna aux deux savants atomistes de lancer le compte à rebours de l'explosion.

Nishtar et Noon avaient donc l'honneur d'être ceux qui ouvriraient la voie menant au califat.

Noon pressa un bouton et dit : « C'est fait, mon général. »

Les douze membres de LiT connaissaient parfaitement leur rôle, eux aussi. Ils allaient rester sur place pour garder l'arme, et ce faisant, ils deviendraient des *Shaïdin*. Des martyrs.

Rehan les étreignit brièvement tour à tour. Comme tant d'autres autour de lui depuis plus de trente ans, ils lui obéissaient, aveuglés par son charisme.

Entourant le général, les hommes de l'ISI se dirigèrent rapidement vers la porte. Avec un bruit assourdissant, l'hélico se posa sur le parking. Le colonel Khan ouvrit la porte métallique et sortit dans la nuit. Puis il fit signe au reste du groupe de le suivre, mais il leva soudain les yeux quand retentit le cri d'alarme d'une des sentinelles postée à la fenêtre de l'étage. Il se retourna vers le faisceau de voies et vit aussitôt ce qui avait attiré son attention. Deux camionnettes vertes frappées du sigle des chemins de fer pakistanais étaient en train de traverser les voies et s'approchaient de l'hélico.

Khan se tourna vers Rehan. « Montez à bord. J'en fais mon affaire. »

Les camionnettes s'immobilisèrent à trente-cinq mètres de l'appareil, soit à cinquante du quai de chargement. Ils s'étaient rangés près de deux wagons remplis de charbon, garés sur le dernier embranchement du faisceau. Plusieurs hommes descendirent des véhicules. Khan ne put les dénombrer, car il était ébloui par les phares. Il fit simplement signe à ses hommes de filer, puis il sortit de sa poche sa carte professionnelle de l'ISI et la brandit en pleine lumière.

Un homme s'avança. Khan plissa les paupières, cherchant à le reconnaître. Il y renonça et, brandissant toujours sa carte, il lui dit de faire demi-tour et d'oublier ce qu'il avait vu.

Il n'eut pas l'occasion de distinguer les traits de l'homme, en fait Mohammed al-Darkur, ou de voir le pistolet dans la main de ce dernier.

Il vit seulement un éclair, sentit une déchirure dans sa poitrine et comprit qu'on venait de lui tirer dessus. Alors qu'il tombait à la renverse, la deuxième balle d'al-Darkur le cueillit sous le menton et lui fit exploser la cervelle.

Sitôt qu'al-Darkur eut tué le colonel Khan, Caruso et Ryan, qui venaient de se jucher sur l'un des wagons à charbon, ouvrirent le feu sur la bulle de l'hélicoptère avec leurs imposants fusils G3.

Au même moment, deux agents de Mohammed coururent vers la droite se poster à l'angle d'un petit poste d'aiguillage qui jouxtait les voies. De cet abri, ils ouvrirent le feu sur les sentinelles aux fenêtres de l'entrepôt.

Le tireur de LiT repéra rapidement les hommes d'al-Darkur et l'un des deux fut tué d'une rafale d'AK qui lui cisailla les jambes et le bas-ventre. Mais son compagnon réussit à descendre les sentinelles et, une fois qu'al-Darkur eut rejoint sa position pour récupérer l'arme de la victime, ils purent descendre les terroristes qui tiraient depuis le quai de chargement.

Ryan et Caruso éliminèrent prestement pilote et copilote du Mi-8 sous un tir nourri. Leurs balles – chaque homme avait vidé un plein chargeur de trente cartouches – déchiquetèrent également la cabine, tuant et blessant plusieurs gardes de l'ISI déjà montés à bord. Rehan se trouvait lui-même à la porte de l'hélico et la fusillade, pourtant presque inaudible dans le fracas du moteur et des rotors, le fit se jeter au sol puis rouler sur lui-même pour s'éloigner de l'appareil. Ses hommes ripostèrent en direction des tireurs sur le wagon, ils étaient à cinq contre deux, mais armés de simples pistolets, et Jack et Dom les éliminèrent méthodiquement l'un après l'autre.

Rehan se releva, passa derrière l'hélicoptère au pas de course pour gagner une allée longeant le côté ouest de l'entrepôt ; l'un de ses gardes du corps encore en vie courait sur ses talons.

Caruso et Ryan sautèrent du tombereau. « Toi et les autres, dit Jack, vous vous occupez de l'entrepôt. Moi, je me charge de Rehan ! » Les deux Américains partirent chacun de son côté.

82

JACK DUT VIRER dans trois allées successives avant de repérer dans la nuit le général en fuite avec son garde du corps. Manifestement, à voir comment il courait et projetait au sol ceux qui lui bloquaient le passage, Rehan était en bonne forme physique. Il avait à présent rejoint les quais. Les voyageurs, souvent encombrés de leurs effets personnels, couraient en tous sens, cherchant une rame pour évacuer la ville assiégée. Rehan et son jeune gorille les bousculaient ou les percutaient.

Jack lâcha le fusil qui l'encombrait et dégaina son Beretta. Tout en courant, il essayait de mettre en joue Rehan, mais il ne cessait de le perdre dans le dédale d'annexes, d'édicules et de voitures dételées sur les voies de garage, alors qu'ils s'éloignaient à nouveau des quais de la gare bondée.

Jack repartit vers l'ouest ; à part un rayon de lune, il régnait un noir d'encre. Il remonta au petit trot entre deux rames de voyageurs garées côte à côte. Il n'avait pas fait cinquante mètres entre les deux rames vides qu'il détecta du mouvement devant lui. Dans le noir, un homme, planqué contre le soufflet entre deux voitures venait de passer la tête.

Pressentant ce qui allait arriver, Jack se jeta au sol et roula sur une épaule au moment précis où retentit un coup de pistolet. Il continua sa roulade, se releva à genoux, riposta de deux coups de feu. Il entendit un cri puis un choc sourd quand la silhouette s'effondra.

Jack tira une dernière balle avant de s'approcher, avec précaution, pour tâter le corps.

Ce n'est que lorsqu'il fut assez près pour le retourner sur le dos qu'il put constater qu'il s'agissait du gorille et non pas de Rehan.

« Merde », lâcha-t-il avant de reprendre la poursuite.

Ryan aperçut au loin le général, peu après, avant de le perdre de nouveau quand une longue rame de voyageurs passa au ralenti ; mais quand il put enfin repartir, il vit que le général, qui avait cent mètres d'avance, était en train de regagner la station bondée.

Jack s'arrêta, leva le Beretta et mit en joue la silhouette au loin dans le noir.

Il s'immobilisa, le doigt sur la détente. Réussir un tir à cent mètres au pistolet, c'était optimiste, surtout lorsqu'on était comme lui à bout de souffle après une course-poursuite. Et il risquait surtout de blesser un voyageur avec une balle perdue.

Il rabaissa son arme et repartit au pas de course, alors que deux trains, venant de directions opposées, approchaient.

Dominic Caruso et le capitaine de l'ISI encore en vie défoncèrent à coups de pied une des fenêtres barricadées du côté sud de l'entrepôt. Les planches tombèrent par terre et les deux hommes s'écartèrent aussitôt de l'ouverture pour échapper à la fusillade. Le capitaine balaya l'intérieur du bâtiment à coups de rafales semi-automatiques, tandis que, de son côté, Dom décrochait pour filer en rasant la façade, en direction d'une porte latérale. Il la défonça d'un coup d'épaule et, emporté par son élan, tomba sur le sol poussiéreux.

Aussitôt, un feu nourri venu du centre de l'entrepôt provoqua des gerbes d'étincelles et souleva la poussière tout autour de lui. Jack se releva d'un bond pour ressortir en hâte mais pas avant qu'un éclat, après avoir ricoché sur un mur, ne lui entaille la fesse droite

Il se retrouva dehors et tituba, la main collée sur l'arrière-train. « Putain, la vache, ça brûle ! »

Il se redressa lentement, puis regarda autour de lui, cherchant un autre accès pour entrer dans le bâtiment.

Mohammed al-Darkur récupéra la Kalachnikov qu'avait lâchée un militant de LiT avant de mourir près de la porte principale. Il s'en servit pour vider un chargeur entier sur un groupe d'hommes, tapis derrière un gros conteneur posé près d'une grue au milieu de l'entrepôt. Plusieurs projectiles transpercèrent la caisse ; des éclats de bois volèrent en tous sens.

Al-Darkur retourna le cadavre pour récupérer un autre chargeur dans une de ses poches, puis il se remit à tirer, avec plus de discernement cette fois-ci. C'est que la caisse pouvait bien contenir l'engin nucléaire et il goûtait moyennement l'idée de tirer dessus au fusil d'assaut.

Il avait déjà tué deux des terroristes de Lashkar mais il y en avait encore au moins trois près de la caisse. Ils ripostaient mais de manière sporadique, car ils devaient s'opposer à des tirs venant de deux autres directions.

Le commandant redoutait que la fusillade s'éternise. Il n'avait aucune idée du délai restant avant l'explosion, mais il se doutait bien que s'il traînait encore, lui et une bonne partie de la ville et de ses habitants allaient se retrouver carbonisés.

Après une course éperdue, le général Riaz Rehan remonta enfin sur le quai numéro un de la gare centrale de Lahore – droit devant. Des hordes de voyageurs prenaient d'assaut un express pour Multan, dans le sud du Pakistan. Le général sortit sa carte de l'ISI et, la brandissant bien haut, se fraya un passage dans la cohue ; tout en essayant de reprendre son souffle, il criait qu'il était en mission officielle et que tout le monde devait lui céder le passage.

Il savait qu'il n'avait que vingt minutes pour quitter la ville et s'éloigner suffisamment. Il ne devait pas rater le départ du train, mais surtout, une fois à bord, faire en sorte que la rame traverse Lahore en brûlant toutes les autres stations.

Il ignorait qui l'avait attaqué, mais ses agresseurs étaient encore aux prises avec la cellule de Lashkar-i-Taïba, à en juger par le bruit de la fusillade qui se poursuivait apparemment du côté du hangar à marchandises. Il n'avait vu que deux tireurs qui lui avaient paru appartenir à la police locale. Même s'ils réussissaient à prendre le dessus, il était convaincu que de simples flics seraient bien incapables de désarmer la bombe.

Poussant et soufflant, il réussit à monter dans le train et se faufila entre les voyageurs qui encombraient l'allée centrale. Il fallait absolument qu'il rejoigne la voiture de tête pour mettre sa carte, son poing ou son flingue sous le nez du machiniste pour le forcer à rouler.

Le train s'ébranla, certes, mais au ralenti ; Rehan se démena pour gagner l'avant de la rame. Il dut cogner un type qui ne voulait pas s'écarter, puis il repoussa son épouse sur la banquette quand celle-ci voulut le tirer par le bras.

La première voiture était nettement moins encombrée et il eut assez de place pour la traverser en courant et franchir la porte qui donnait sur le vestibule. Un coup d'œil de côté sur la porte d'accès encore ouverte lui montra le quai qui continuait de défiler. À cet instant précis, il vit un jeune homme portant le gilet de la police courir le long du train et, d'un bond, monter en marche – allant se cogner contre la paroi de l'étroit vestibule. Le flic fixa Rehan et le général pointa son pistolet mais l'intrus empoigna le général et le plaqua violemment contre le mur.

L'arme tomba sur le plancher de la voiture.

Rehan se ressaisit bien vite et se jeta sur son agresseur ; pendant une demi-minute, les deux hommes se repoussèrent violemment contre les parois du réduit, avant de basculer dans la salle des voyageurs par la porte restée ouverte. Ceux qui étaient debout dans le couloir central s'écartèrent en hâte. Il y eut des cris, et plusieurs voyageurs repoussèrent en pestant les deux lutteurs vers le vestibule.

Le duel s'y poursuivit. Ryan – car c'était lui – était plus rapide, plus en forme et mieux entraîné que son adversaire au corps à corps mais Rehan le surpassait en force brute, et le Pakistanais mettait à profit sa carrure pour empêcher son adversaire d'avoir le dessus dans cet espace confiné.

Jack se rendit compte qu'il n'arriverait pas à se défaire du colosse dans cet espace de la taille d'une boîte de conserve, mais il n'était pas non plus question de céder alors qu'au même moment, ses amis étaient engagés dans une course mortelle pour désamorcer la bombe ; alors il fit la première chose qui lui passa par la tête. Avec un cri de rage pour se donner du cœur au ventre, il ceintura le gros général, plaqua les pieds contre la paroi du vestibule et poussa de toutes ses forces.

Les deux hommes tombèrent du train. Leur étreinte se défit quand ils heurtèrent le sol pour rouler le long de la voie.

Mohammed al-Darkur avait renoncé à forcer l'entrée principale du hangar ; les tirs étaient trop nourris. Il préféra donc contourner le bâtiment pour retrouver son capitaine de l'ISI qui continuait de tirer par une fenêtre ouverte. Au bruit de la fusillade, il ne devait pas rester plus de trois ou quatre hommes tapis derrière la grue, mais ils ne seraient pas faciles à déloger.

Et puis soudain, le mur du fond, derrière les tireurs de LiT, fut soufflé vers l'intérieur, projetant des fragments de bois, de brique et de mortier, laissant apparaître un gros camion qui poursuivit sa course pour venir s'encastrer dans la caisse. Sous les yeux d'al-Darkur, toujours posté devant la fenêtre ouverte, les militants se retournèrent pour ouvrir le feu sur le véhicule, faisant éclater le pare-brise.

Dominic apparut alors dans l'ouverture du mur du fond. Mohammed cessa aussitôt de tirer, car l'Américain était pile dans sa ligne de mire. Le commandant leva la main pour indiquer à son capitaine de cesser le feu lui aussi.

Sous leurs yeux, Dominic tira à coups redoublés sur les terroristes avec son G3 de la police. Ils étaient bien quatre, qui tous tombèrent alors qu'il s'approchait en position semi-accroupie, tirant sans interruption.

« Mohammed ? » lança Dominic quand la fusillade eut cessé.

« Je suis là ! » répondit l'intéressé et, avec son capitaine, il traversa le hangar au pas de course pour rejoindre l'Américain. Ce dernier contempla la caisse en bois allongée, puis le militant blessé qui gisait à côté. « Demandez-lui s'il sait comment désamorcer la bombe », dit Caruso.

Mohammed s'exécuta et l'homme répondit. Aussitôt, al-Darkur leva son fusil et lui logea une balle dans le front. En guise d'explication, il haussa les épaules : « Il a dit non. »

Le tronçon de voie le long de laquelle étaient tombés Ryan et Rehan appartenait encore aux emprises de la gare centrale, et le ballast autour d'eux était jonché des détritus qu'on peut s'attendre à trouver sur une ligne traversant une zone urbaine. Les deux hommes se relevèrent, estourbis, au milieu de ce dépotoir. Jack Ryan se pencha pour ramasser une pierre mais avant qu'il ait pu la saisir, le général lui balança un coup de pied. Ryan esquiva le coup, puis il donna un coup d'épaule dans le torse de son adversaire, le renvoyant au sol. Tandis que les deux hommes se battaient sur le ballast et que le reste de la rame continuait de défiler à côté d'eux, le Pakistanais saisit une barre de fer qui traînait au sol et la fit tournoyer dans le noir. La barre frôla le visage de Ryan.

Jack recula de quelques pas pour se mettre hors de portée, puis il se tourna pour chercher un objet quelconque qui pût lui servir d'arme, mais Rehan se jeta sur lui par-derrière. Les deux hommes se retrouvèrent à nouveau sur le ballast. Jack lâcha un cri sous l'impact, mais son gilet en Kevlar lui évita de se faire entailler par un tesson de bouteille.

Rehan se redressa sur les genoux et s'empara d'une grosse brique qu'il leva à deux mains au-dessus de sa tête pour défoncer le crâne de son adversaire.

D'une violente ruade, Jack se dégagea et le projeta au sol, juste à côté de lui.

Le général tendit désespérément le bras, cherchant à ramasser quelque chose, n'importe quoi, pour se défendre, et sa main tomba sur un lourd crampon rouillé. Il s'en empara, se releva d'un bond et plongea sur Jack qui essayait de se relever à son tour.

Jack réussit à bloquer le crampon contre son gilet en Kevlar, la pointe dressée vers l'extérieur et, le tenant fermement d'une main, il se laissa choir de tout son poids sur son adversaire.

Le crampon rouillé défonça la poitrine du général.

Jack roula de côté et se releva lentement.

Rehan s'assit, baissa les yeux et contempla le morceau d'acier qui dépassait de son torse, l'air incrédule.

Faiblement, il posa une main dessus. Essaya de l'arracher, se rendit compte qu'il en était incapable et laissa alors sa main retomber.

Ryan, le visage couvert de poussière et maculé de sang, lui lança : « Avec les compliments de Nigel Embling.

– Américain ? Tu es américain ? souffla Rehan, en anglais.

– Oui. »

Rehan ne pouvait se départir de sa surprise. Il poursuivit malgré tout : « Quoique tu puisses te figurer... tu as échoué. D'ici quelques minutes, le califat régnera sur le Pakistan... »

Rehan porta la main à ses lèvres, puis il la regarda ; elle était ensanglantée. Il toussa, un épais flot de sang jaillit tandis que l'Américain le toisait. « Et tu mourras.

– Je te survivrai, enfoiré », répondit Jack.

Rehan haussa les épaules, puis se laissa retomber sur le côté droit. Ses yeux étaient toujours ouverts mais révulsés.

Ryan entendit des sirènes de police qui semblaient venir de la gare, quelques centaines de mètres derrière lui. Il abandonna le corps du général et repartit au pas de course, traversant un faisceau d'une douzaine de voies pour regagner le hangar.

Ryan y pénétra, le pistolet levé, mais il le rengaina bien vite en découvrant al-Darkur et son cousin en train de contempler une grosse caisse en bois. Dom parlait au téléphone, le mobile dans une main, une torche électrique dans l'autre.

Ryan attira l'attention d'al-Darkur. « Écoutez. Une cinquantaine de flics vont rappliquer d'un instant à l'autre. Est-ce que vous pouvez aller tous les deux leur parler, les convaincre de nous laisser une minute ?

– Bien sûr. »

Mohammed et son capitaine s'esquivèrent.

Jack s'approcha de Dom. « Ça donne quoi ? » Dans le même temps, il vit les diodes rouges du détonateur passer de 7:50 à 7:49.

« J'ai pris une photo du bidule et je l'ai envoyée à Clark. Il a des experts avec lui qui vont y jeter un œil et m'indiquer si on doit s'attendre à briller dans le noir.

– T'es pas drôle.

– Qui est-ce qui blague ?

– Tu vas bien ? »

Ryan venait de découvrir du sang sur le fond de pantalon de son cousin.

« Je crois que je m'en suis pris une dans le cul. Et Rehan ?

– Mort. »

Les deux hommes hochèrent la tête. À cet instant précis, l'expert artificier de Rainbow, le Canadien, vint en ligne sur le téléphone satellite et expliqua à Caruso comment remettre à zéro le déclencheur altimétrique, ce qui interromprait le compte à rebours manuel.

Dom termina la manœuvre avec deux minutes quatre secondes de marge. L'horloge s'arrêta et les deux cousins poussèrent un soupir de soulagement et se congratulèrent.

Ryan aida Caruso à s'allonger sur le côté, pour ne pas infecter la blessure, puis il s'assit et attendit à côté de lui.

En moins de vingt minutes, l'unité des services spéciaux d'al-Darkur était là, accompagnée d'ingénieurs du commissariat à l'énergie atomique pour finir de désamorcer l'engin.

Dans l'intervalle, Ryan et Caruso s'étaient éclipsés.

Épilogue

I L ÉTAIT DIX-SEPT HEURES à Baltimore et le président Jack Ryan, nouvellement élu, éteignit le téléviseur de son bureau. Il avait suivi les informations en provenance du cosmodrome de Baïkonour et avait déjà tenu deux téléconférences, l'une avec ses assistants, l'autre avec ses futurs ministres, au cours desquelles on avait longuement discuté de la situation.

Il y avait également au programme des discussions, l'aggravation de la tension entre l'Inde et le Pakistan. On signalait des escarmouches le long de la frontière mais, selon certaines sources, les tirs d'artillerie contre Lahore et ses alentours ne venaient pas des forces indiennes, mais bien d'unités de l'armée pakistanaise ralliées à des agents de l'ISI dissidents.

Dans moins d'un mois, Ryan allait prendre ses fonctions. Officiellement, c'était encore le problème de Kealty mais Jack avait entendu maugréer dans le camp du vaincu – la plupart des râleurs lançaient des appels du pied pour retrouver un emploi dans la nouvelle administration, et faisaient courir le bruit que ce canard boiteux de président sortant avait déjà éteint la lumière derrière lui dans le bureau Ovale, façon de parler, bien entendu.

Son téléphone sonna et Ryan décrocha machinalement.

« Eh, p'pa !

– Où es-tu ?

– Dans un avion, je rentre.

– Tu rentres d'où ?

– C'est justement pour ça que je t'appelle. J'ai une histoire à te raconter. J'ai besoin de ton aide pour régler la crise au Pakistan.

– Comment ça ? » fit Ryan père, interloqué.

Son fils passa les vingt minutes qui suivirent à lui parler de Rehan, de l'ISI et du vol des engins nucléaires, mais aussi du réseau Haqqani et des militants daghestanais. C'était une histoire incroyable et le père n'interrompit le fils que pour lui demander quel type de téléphone crypté il utilisait.

Jack Junior lui expliqua alors qu'il se trouvait à bord de l'avion privé du Campus et qu'Hendley avait veillé à ce qu'il fût doté d'équipements dernier cri.

Quand il eut terminé, le père demanda au fils – pour la troisième fois – s'il allait bien.

« Très bien, p'pa. Juste des bleus et des éraflures. Dom s'est pris une balle dans le cul, mais il s'en sortira.

– Oh mon Dieu.

– Non, vraiment. Même qu'il plaisantait là-dessus il y a encore un quart d'heure. »

Jack père passa les mains sous les branches de ses lunettes pour se masser les tempes. « Très bien.

– Écoute, p'pa. Je sais que tu dois rester officiellement à l'écart du Campus, mais j'ai pensé que tu pourrais t'adresser aux responsables politiques indiens et les persuader de se calmer un peu. Nous avons la conviction que le responsable de la situation est mort, donc tout ça devrait se vite se tasser si personne ne fait de bêtises.

– Je suis content que tu aies appelé. Je m'y mets tout de suite. »

La communication s'acheva quelques minutes après, mais le téléphone se remit à sonner aussitôt. Ryan père crut que c'était son fils qui rappelait. « Ouais, Jack ?

– Euh, excusez-moi, monsieur le Président. C'est Bob Holtzman, du *Post*. »

Ryan fulmina. « Putain, comment avez-vous fait pour avoir ce numéro, Holtzman ? Cette ligne est privée.

– John Clark me l'a donné, monsieur. Je viens de l'avoir au bout du fil, juste après avoir eu un entretien intéressant avec un espion russe. »

Ryan se calma mais il resta sur ses gardes. « Un entretien à quel propos ?

– M. Clark ne désirait pas vous joindre directement. Il pensait que sinon cela risquait de vous mettre dans une situation compromettante. De sorte que je me retrouve dans une position ambiguë, monsieur le Président, celle de devoir vous expliquer la situation. M. Clark m'a dit que vous ignoriez tout du complot ourdi contre vous par Paul Laska avec le renseignement russe. »

Si Jack Ryan Sr. avait appris une chose au cours de ses longues années de collaboration avec Arnie van Damm, c'était bien, lors d'une discussion avec un journaliste, de ne jamais, au grand jamais, admettre qu'on ignorait de quoi il voulait parler.

Mais Arnie n'était pas à ses côtés et Jack laissa tomber ce masque d'assurance.

« Putain, mais de quoi parlez-vous, Holtzman ?

– Si vous avez une minute, monsieur, je pense être en mesure de vous éclairer. »

Jack Ryan Sr. prit un bloc-notes et un stylo, puis il se cala contre le dossier de son fauteuil. « J'ai toujours tout mon temps pour écouter un membre éminent de la presse, Bob. »

Une semaine plus tard, Charles Alden raccrocha brutalement le téléphone dans le bureau de sa résidence de Georgetown. Il était un peu plus de huit heures du matin. Ce devait être le premier d'une longue série d'appels, il dut bien en convenir. Cela faisait trois jours qu'il tentait vainement d'avoir Laska, mais ce vieux brigand ne s'était toujours pas manifesté.

Alden était bien décidé à le harceler. Car enfin, le bonhomme était son obligé, après tous les risques qu'il avait dû prendre ces derniers mois.

L'ex-directeur adjoint de la CIA était d'une humeur massacrante en sortant de son bureau pour descendre à l'office se servir une autre tasse de café. Il n'avait même pas pris le temps d'enfiler un complet-veston ce matin, fait exceptionnel pour un mardi. Et c'est donc en survêtement qu'il allait s'asseoir pour boire un café et rappeler ce bougre de Paul jusqu'à ce que ce fils de pute se décide enfin à répondre.

Un coup frappé à la porte d'entrée le dévia de son objectif.

Il regarda à travers l'œilleton. Deux types en trench-coat se tenaient sur le perron. Derrière eux, une Chrysler officielle était garée en double file dans la rue enneigée.

Sans doute des agents de sécurité de la CIA, jugea-t-il. Il avait laissé sa protection en quittant Langley la semaine précédente, et il ne voyait pas ce que voulaient ces types.

Charles ouvrit la porte.

Les hommes entrèrent avant même d'y avoir été conviés. « Monsieur Alden, je suis l'inspecteur Caruthers, et voici l'inspecteur Delacort du FBI. Je vais devoir vous demander de vous retourner face au mur, s'il vous plaît.

– Que... Que se passe-t-il ?

– Je vous expliquerai dans un instant. Pour votre sécurité et pour la mienne, veuillez vous tourner vers le mur, monsieur. »

Alden se retourna lentement ; il avait soudain les jambes en coton. L'inspecteur Delacort lui passa les menottes, puis il fouilla prestement les poches de son pantalon de survêtement. Caruthers s'était retiré sur le seuil et surveillait la rue.

« Mais qu'est-ce que vous faites, bordel ? »

On le fit se retourner vers l'entrée et sortir dans le froid. « Vous êtes en état d'arrestation, monsieur Alden », dit Caruthers, alors qu'ils descendaient les marches du perron recouvertes de glace.

« Putain, mais de quoi m'accuse-t-on ?

– Quatre chefs d'inculpation pour révélation non autorisée d'informations relevant de la défense nationale et quatre autres pour recel illégal d'informations relevant de la défense nationale. »

Alden fit rapidement le calcul mental. Il se trouvait devant la perspective de trente années derrière les barreaux.

« C'est que des conneries ! Des conneries !

– Oui monsieur », dit Caruthers en posant la main sur la tête d'Alden pour le faire monter à l'arrière de la Chrysler.

Son collègue s'était déjà mis au volant.

Charles Alden poursuivit : « Ryan ! C'est l'œuvre de Ryan ! J'ai compris. C'est le début de la chasse aux sorcières, hein ?

– Ça, je n'en sais rien, monsieur », dit Caruthers et la Chrysler démarra pour rejoindre le centre-ville.

Le même jour, Judith Cochrane quittait son hôtel à Pueblo Colorado à neuf heures trente du matin pour entamer son trajet habituel vers la prison de haute sécurité de Florence.

Son client avait été finalement retiré du QHS pour se voir transféré vers un autre établissement pénitentiaire de la côte Est. Pour des raisons de sécurité, on ne lui avait pas dit lequel mais elle savait qu'il devait être situé aux alentours de la capitale fédérale, et donc plus près de chez elle.

Débarrassé des mesures administratives spéciales, Saïf Rahman Yacine aurait enfin la possibilité de s'asseoir avec elle autour d'une table pour discuter de l'affaire. Des avocats pourraient se joindre à eux, les gardiens seraient bien entendu présents tout du long, mais ils jouiraient toutefois d'un minimum d'intimité.

Dommage que les visites conjugales n'aient pas été autorisées. L'idée la fit sourire.

Après tout, une fille peut bien rêver, non ?

La voiture de location se mit à faire un drôle de bruit. C'était nouveau. « Merde », fit-elle alors que le bruit s'amplifiait. Une sorte de claquement sourd, mais elle n'y connaissait rien en mécanique.

Toutefois le bruit s'amplifiait toujours, alors elle préféra ralentir. Elle était seule sur la route et se trouvait au milieu d'une plaine déserte qui s'étendait jusqu'aux montagnes à l'horizon. Elle décida de se ranger sur le bas-côté mais au moment où elle entamait la manœuvre, elle sursauta en voyant une ombre immense passer au-dessus de sa voiture.

Elle comprit, c'était un gros hélicoptère noir qui venait de la survoler. L'appareil la dépassa d'une centaine de mètres, puis il descendit et vira pour lui barrer le passage.

Elle s'arrêta au beau milieu de la route.

L'hélicoptère se posa et des hommes armés en descendirent ; ils s'approchèrent en courant, l'arme braquée sur elle et quand ils furent tout près, elle les entendit crier.

On la sortit de force, on la retourna et la plaqua sur le capot. On lui écarta les jambes et on la fouilla.

« Que voulez-vous ?

– Judith Cochrane. Vous êtes en état d'arrestation.

– Et pour quel motif, bon sang ?

– Espionnage, madame Cochrane.

– Hein ? C'est ridicule ! Dès demain matin, je vous traînerai devant la justice et vous pourrez dire adieu à vos misérables carrières !

– Oui, madame. »

Judith continua d'engueuler les représentants des forces de l'ordre, elle leur demanda leur matricule, mais ils firent la sourde oreille. Ils lui passèrent les menottes et elle les traita de fascistes, de robots, de vermine et de fils de pute tandis qu'ils la conduisaient à l'hélicoptère et l'aidaient à monter à bord.

Elle criait toujours quand l'appareil décolla, pivota vers l'est et s'éloigna.

Elle ne l'apprendrait pas tout de suite, mais elle avait été donnée par Paul Laska, dans l'espoir d'une hypothétique indulgence.

L'Émir respirait l'air pur pour la première fois depuis des mois. Il faisait nuit quand il quitta le pénitencier de Florence pour entrer dans un fourgon cellulaire. Et le blizzard lui bouchait la vue.

Cela faisait des mois qu'il attendait ce jour, car Judy

Cochrane lui avait promis qu'elle le sortirait de son cachot pour être transféré dans une prison fédérale à Washington. Une prison où il pourrait faire de l'exercice, regarder la télé, recevoir des livres et bénéficier d'autres avocats pour l'aider à combattre le gouvernement Ryan.

Alors que le fourgon franchissait l'enceinte d'un petit aérodrome, l'Émir retint un sourire. La prochaine étape de sa captivité ouvrirait un nouveau chapitre de sa quête pour la destruction des infidèles. Lors du procès, il aurait tout le temps de s'exprimer, lui avait expliqué Judy, et d'avoir une tribune pour faire passer son message. Au début, elle lui avait recommandé de ne pas dire un mot de sa capture, mais à présent, elle l'encourageait au contraire à clamer haut et fort dans quelles circonstances les Américains l'avaient enlevé. Même si en vérité sa capture était intervenue aux États-Unis, il avait bien l'intention de continuer à présenter sa version des faits – il la répétait depuis si longtemps que cette grosse idiote de Judy avait presque fini par y croire : on s'était emparé de lui dans une rue de Riyad.

Le fourgon s'arrêta brutalement et les hommes du FBI l'aidèrent à sortir au milieu d'un blizzard aveuglant. On le poussa et bientôt Yacine identifia une odeur de kérosène. Ils s'approchaient d'un gros avion. Non pas un petit jet d'affaires, comme on aurait pu s'y attendre, mais un cargo de bonne taille.

Il entreprit d'en gravir la rampe, toujours encadré par les deux hommes. Au sommet de celle-ci, un petit comité d'accueil, au garde-à-vous.

Des soldats en tenue camouflée.

Des soldats américains.

Le FBI lui donna une tape sur l'épaule. « Amuse-toi bien à Guantanamo, connard. »

Quoi ? Yacine essaya de reculer mais les hommes le maintenaient d'une main ferme. « Non ! Je n'irai pas. Je dois me rendre à Washington pour mon procès. C'est illégal. Où est Judith ? »

L'un des agents du FBI sourit. « En ce moment, elle est en prison à Denver. »

Ils essayèrent encore une fois de le pousser mais, comme il résistait, quatre jeunes hommes baraqués le saisirent par les quatre membres pour le soulever dans les airs et le porter dans l'avion. Quelques secondes plus tard, la rampe se relevait pour se refermer au milieu de la tempête de neige, étouffant ses cris de protestation.

Jack et Melanie pouvaient apprécier le dîner, le vin et la conversation. Ils ne s'étaient plus revus depuis des semaines et même s'ils s'étaient quittés de manière un rien précipitée, l'alchimie entre eux semblait toujours fonctionner.

Ryan était ravi que Melanie ne lui ait pas posé trop de questions sur l'origine de ses blessures au visage. Il lui avait raconté qu'après la reprise de son entraînement aux arts martiaux, un petit nouveau avait cru bon de faire du zèle et l'avait mis dans cet état. Elle parut le croire et la conversation dévia sur les sujets du jour, entre l'imminence de l'investiture de son père, le quasi-désastre en Russie, et la guerre entre l'Inde et le Pakistan qu'on avait évitée de justesse.

Melanie lui parla de Rehan. La presse avait évoqué son cas et la jeune analyste prit grand soin de ne livrer aucune information confidentielle. Du reste, Ryan feignit l'ignorance et, tout en témoignant ostensiblement de sa fascination pour le travail de son amie, il évita de l'inciter à croire qu'il pourrait en savoir plus qu'il ne l'avouait.

Un détail pourtant lui fit perdre ses airs détachés et son masque d'attention polie.

« Dommage qu'ils aient laissé s'échapper leur numéro deux.

– Comment ça ? s'étonna Jack.

– Je pense que ça aura au moins fait les manchettes au Pakistan. Oui, je suis sûre de l'avoir lu dans l'édition d'aujourd'hui de l'*Aurore*, leur grand quotidien du matin. Un colonel qui travaillait pour lui, un certain Saddiq Khan. Il a survécu mais on a perdu sa trace. Dans ce genre de situation, on ne peut jamais savoir si c'est ou non un événement signi-ficatif. »

Jack acquiesça, mais ne releva pas. Au lieu de cela, il s'enquit : « Que dirais-tu d'un dessert ? »

Ils commandèrent et Jack s'excusa pour se rendre aux toi-lettes. Dès qu'il eut disparu, Melanie se leva aussitôt pour sortir du restaurant ; quand la porte se referma, elle avait déjà le mobile collé à l'oreille.

Elle attendit un moment une réponse à l'autre bout du fil, les yeux toujours fixés sur la salle du restaurant, guettant le retour de Jack.

« C'est moi. Il était bien là-bas, au Pakistan… Oui. Pour moi, ça ne fait aucun doute. Quand je lui ai dit que Khan était encore en vie, il a paru comme tétanisé. Non, bien sûr que c'est faux, mais il a filé aux toilettes juste après et je parie qu'il doit être en train de téléphoner, paniqué, pour essayer d'obtenir une confirmation. »

La jeune femme écouta les instructions, les répéta, puis elle coupa, pour se précipiter à nouveau dans la salle et tranquil-lement attendre que son petit ami revienne à table.

Du même auteur
aux Éditions Albin Michel

Composition : Nord compo
Impression : Marquis Imprimeur, septembre 2012
Éditions Albin Michel
22, rue Huyghens, 75014 Paris
www.albin-michel.fr
ISBN : 978-2-226-24427-7
N° d'édition : 20180/01/B
Dépôt légal : octobre 2012
Imprimé au Canada